We keken allemaal op

Tommy Wallach

We keken allemaal op

Vertaald door Aimée Warmerdam

Amsterdam · Antwerpen
Em. Querido's Kinderboeken Uitgeverij
2016

www.tommywallach.com
www.queridojeugdboeken.nl

Dit boek is ook beschikbaar als e-book.

Oorspronkelijke titel *We all looked up* (Simon & Schuster BFYR, New York, 2015)

Omslag Lucy Ruth Cummins / Nederlandse editie Irma Hornman
Omslagfoto Meredith Jenks

ISBN 978 90 451 1864 2 / NUR 285, 301

Voor mijn moeder,
voor een leven vol aanmoediging,
wijsheid en inspiratie

En de meteoriet veroorzaakt het licht
En de meteoor is hoe het wordt ontvangen
En de meteoroïde is een bot dat uit de ruimte wordt gesmeten
En dat rustig op u licht te wachten

Je kwam en legde een koud kompres op de ellende waarin ik me bevind
Je gooide het raam wijd open en schreeuwde: Amen! Amen! Amen!

Joanna Newsom, 'Emily'

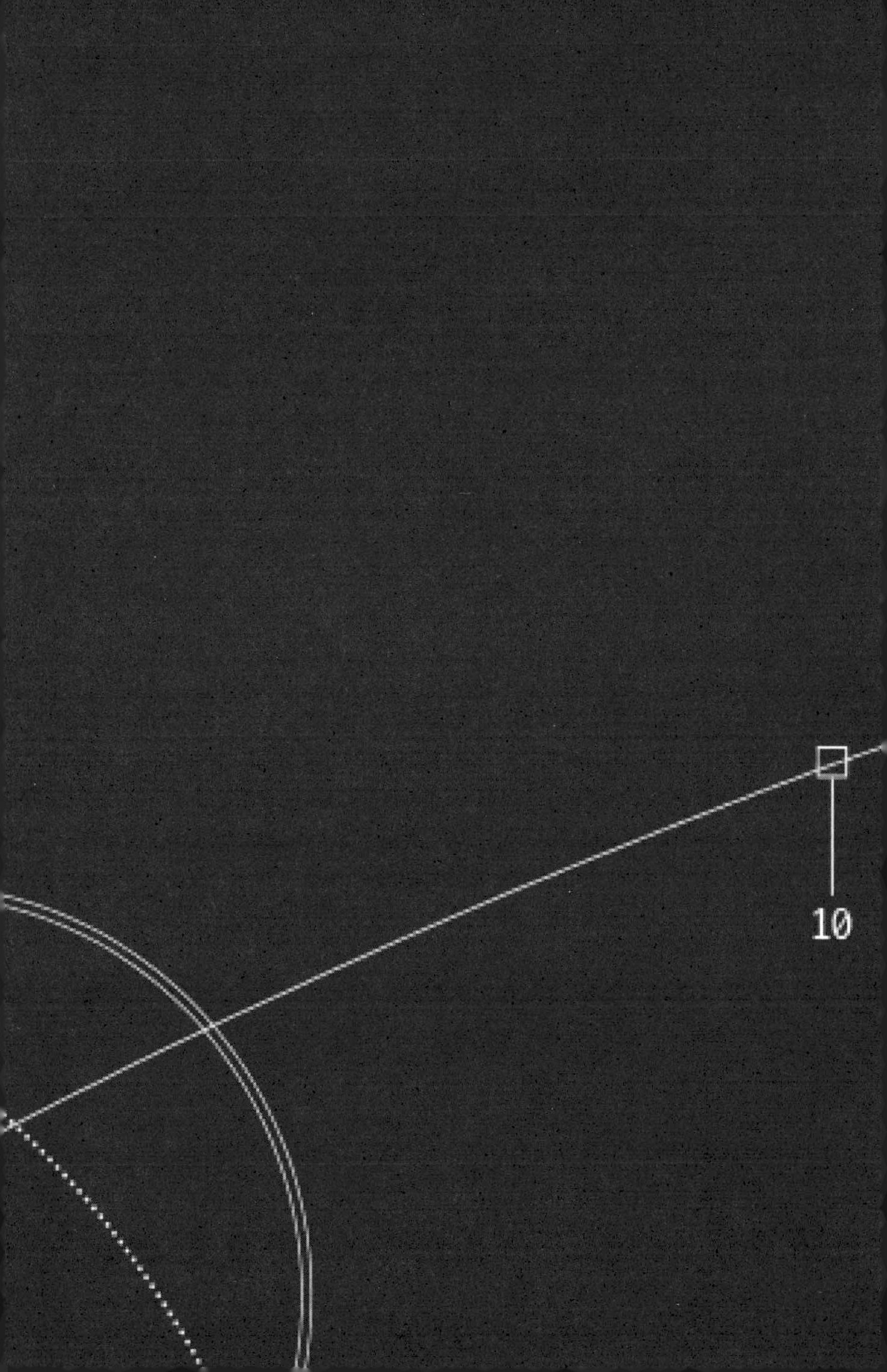
10

PETER

'Het is niet het einde van de wereld,' zei Stacy.

Peter liet zijn blik zakken. Hij had afwezig naar de lucht zitten staren terwijl het gesprek met meneer McArthur maar door zijn hoofd bleef spelen. Hij wist nog steeds niet goed wat hij ervan moest denken.

'Wat?'

'Ik zei dat het niet het einde van de wereld was. Eén iemand mag je niet. En wat dan nog?'

'Denk je echt dat hij me niet mag?'

Stacy kreunde. Ze hadden het er al een kwartier over en dat was al een kwartier langer dan zijn vriendin over welk serieus onderwerp dan ook wilde praten, wist Peter.

'Ik weet het niet. Misschien is hij jaloers op je, of zo.'

'Waarom zou hij jaloers op mij zijn?'

'Omdat, ehm...' Ze zwiepte haar haren van de ene naar de andere kant van haar hoofd en weer terug. Peter had nooit begrepen waarom ze dat deed; misschien had ze het in een of andere shampooreclame gezien. Maar ze had wel geweldig haar – ze zou het winnen van de hele school als het jaarboek weer gemaakt zou worden – lang en lichtbruin, zo glad en glanzend als een basketbalshirt. 'Je bent ontzettend veelbelovend, weet je dat? En jíj hebt je hele leven nog voor je. Hij zit vast op deze shitschool waar hij altijd maar dezelfde stomme geschiedenislessen moet geven. Als ik dat jaar in jaar uit zou moeten doen, zou ik mezelf ophangen in de bezemkast, of zoiets.'

'Misschien wel.'

Het was nog nooit in hem opgekomen dat een leraar jaloers kon zijn op een leerling. Als kind dacht Peter altijd dat iemand je op een bepaalde leeftijd gewoon alle kennis zou geven die je nodig had om volwassen te zijn. Maar zo bleek het helemaal niet te gaan. Peters vader had onlangs nog toegegeven dat hij zelfs nu, op z'n tweeënvijftigste, nog wel eens wakker werd in de overtuiging dat hij pas vierentwintig was, met de wereld nog aan zijn voeten. Het was gewoon een van de vele raadsels van het ouder worden, net als haaruitval bij mannen, midlifecrisissen en erectiestoornissen. De enige manier om dat allemaal niet te hoeven meemaken – om niet langzaam je haar, je tanden en ten slotte je geheugen te verliezen – was er vroegtijdig uitstappen, wat natuurlijk niemand wilde.

Meneer McArthur was kaal. Misschien had hij ook erectieproblemen. Dus welk recht had Peter nou om kwaad te zijn op een of andere ouwe geschiedenisleraar, terwijl zijn eigen leven zo waanzinnig achterlijk goed was? In de drieënhalf jaar dat hij nu op Hamilton zat, was hij vier keer geselecteerd voor het basketbalteam. Hij had twee keer meegedaan met het regiotoernooi en één keer met het landelijke. Hij was geen maagd meer (dankzij Stacy), had voor zijn zestiende verjaardag een vette jeep gekregen en was naar minstens honderd te gekke feesten geweest waar hij zich helemaal klem had gezopen. En nu was hij achttien. In het najaar zou hij naar het zonnige Californië vertrekken (nou ja, de toelatingsbrieven zouden pas na maart verstuurd worden, maar de sportafdeling van Stanford had laten weten dat hij zo goed als zeker binnen was). En wees eerlijk, hoe zwaar zou hij het tijdens zijn studententijd hebben? Een beetje ontgroenen, lekker door het hele land basketbalwedstrijden spelen, en elk weekend feesten met zijn teamgenoten en zijn vrienden van de studentenvereniging. Het stond al min of meer vast dat Stacy naar San Francisco State University zou gaan, dus zouden ze elkaar heel vaak zien. En met een beetje geluk werd hij daarna prof, of anders zou hij gaan coachen of zo, en Stacy en hij zouden trouwen en een paar kinderen krijgen en dan in de kerstvakantie naar Baja of Tijuana gaan en in de zomer naar Lake Chelan, naar hun fancy buitenhuis met jacuzzi. Want zo hoorde het leven te gaan, toch? Het zou alleen maar beter en beter worden.

Maar Peter wist dat dit niet voor iedereen gold; hij volgde het nieuws (dat wil zeggen: hij keek met een half oog met zijn ouders mee). Mensen gingen dood van de honger. Mensen raakten hun baan kwijt en daarna hun huis. Mensen takelden af door de vreselijkste ziektes en ze gingen scheiden en hun kinderen kregen ernstige motorongelukken en kwamen in een rolstoel terecht. Misschien was het leven van meneer McArthur na de middelbare school alleen maar slechter geworden. Misschien was hij echt jaloers.

En zo niet, wat had hij in de klas dan in godsnaam duidelijk willen maken?

'Schatje, maak je nou maar geen zorgen.' Stacy gaf hem een kus op zijn wang. 'Als ik helemaal van slag zou raken elke keer als iemand me niet aardig vond, dan zou ik zeg maar...' Ze dacht even na en haalde toen haar schouders op. 'Ik weet het niet. Dan zou ik helemaal van slag zijn.'

'Ja, je hebt gelijk.'

'Natuurlijk heb ik dat. En ik heb ook honger. Kom op.'

Het was vandaag kipnuggetsdag in de kantine; een soort traditionele feestdag (want de kipnuggets van Hamilton waren waanzinnig goed). Peter laadde zijn dienblad vol met twee bakjes nuggets, een flesje Sprite, een chocoladepuddinkje, een appel, een granolareep en een minibakje verlepte sla met geraspte wortel. Hij liep door de kantine en zag vanuit zijn ooghoek de nieuwe haarkleur van zijn zusje (de gootsteen van hun badkamer zag er nog steeds uit alsof er een groene kabouter in had gekotst die daarna in zijn eigen braaksel verdronken was). Ze zat met haar weirdovriend aan de weirdotafel te eten. In gedachten kon hij nog steeds een jongere versie van zijn zusje voor zich zien, zoals ze naast hem op de bank in de woonkamer met lego speelde, lang voordat ze veranderde in iets vrouwelijks en onpeilbaars.

'Alles goed, dude?' Peter keek op en zag vlak voor zich de zwaaiende hand van zijn beste vriend, Cartier Stoffler. 'Ik heb al twee of drie van je kipnuggets gejat.'

'Ja, sorry, het is een beetje een vage dag vandaag, door iets wat een leraar tegen me heeft gezegd.'

'Zit je in de problemen?'

'Nee, dat niet. Het is moeilijk uit te leggen.'

'Luister. Ik weet hoe je leraren moet aanpakken, oké? Ten eerste moet je nooit naar ze luisteren.'

'Geweldig.'

'Ik ben er toch ver mee gekomen?'

Peter lachte zo overtuigend mogelijk. Normaal gesproken wist Cartier hem altijd op te vrolijken, maar vandaag werkte het niet. De vraag van meneer McArthur had een zwart gat veroorzaakt dat alle goede dingen van deze kloteaarde leek op te slokken. Of eigenlijk máákte het alles klote. Het was klote dat het laatste jaar van de middelbare school bijna afgelopen was. En het was superklote dat Cartier niet had geprobeerd om een universiteit in Californië te zoeken, maar zich had ingeschreven aan de Universiteit van Washington omdat je daar een studie bierbrouwen kon doen. Sinds de eerste dag van de middelbare school waren ze vrienden en ze waren zo onafscheidelijk dat coach Duggie hen Cookies en Cream had genoemd (al was Cartier zwart, hij had volgehouden dat hij Cream moest zijn omdat hij zo'n gladde prater was. Ze hadden alles gedeeld: hun eerste flesje bier, hun eerste joint, de antwoorden op huiswerkvragen, en in de brugklas deelden ze zelfs een paar weken Amy Preston, die hun alle twee had wijsgemaakt dat het heel normaal was als een meisje twee vriendjes tegelijkertijd had. Ze zouden nog wel dezelfde vakanties hebben – met Kerstmis en met Pasen, en de ongelooflijk lange zomervakantie – maar het zou toch niet meer hetzelfde zijn. Ze trokken nu al minder met elkaar op dan vroeger. En dat ze geen vrienden meer zouden zijn was nog niet eens het ergste. Het ergste was dat het ze tegen die tijd niets meer zou kunnen schelen.

En als het Cartier en hem niet zou lukken om met elkaar om te blijven gaan, wie kon dan zeggen dat Stacy en hij niet uit elkaar zouden gaan? Peter zou elk weekend uitwedstrijden moeten spelen en dan was zij op zichzelf aangewezen. Zou zij hem dan echt trouw blijven? Zou hij haar dan trouw blijven? Zou iets van de afgelopen vier jaar er over vier jaar nog toe doen?

Deze duistere gedachten spookten de rest van de pauze door zijn hoofd, maar daarna was er scheikunde en kansberekenen waar hij zich doorheen moest worstelen, gevolgd door twee afmattende uren in de gymzaal; gedachteloos heen en weer rennen en *passing drills* oefenen. Pas toen hij onder de hete straal van de douche in de kleedkamer stond, had hij weer tijd om na te denken. En daar was de vraag van McArthur weer – 'Zou dat een pyrrusoverwinning zijn?' – de woorden maalden door zijn hoofd als zo'n stom liedje waarvan je alleen het refrein nog weet.

Hij zou langs zijn kamer lopen. Als meneer McArthur al naar huis was dan zou hij het erbij laten zitten. En zo niet, nou, dan kon Peter op z'n minst proberen om dat stomme liedje uit zijn hoofd te krijgen.

Het was de laatste week van januari en in Seattle betekende dat dat de dagen verraderlijk kort waren. Je ging bij vol daglicht de gymzaal binnen en tegen de tijd dat je weer naar buiten kwam, verdween de zon zo snel achter de horizon dat het was alsof hij op de vlucht was. Peter verliet de kleedkamers net na zessen en het enige wat er nog van de dag over was, was die vluchtige rode gloed aan de horizon. Hij ritste zijn North Face-jack dicht en stopte zijn handen in de zachte zakken. Van zijn moeder had hij met kerst leren handschoenen gekregen, maar hij had ze niet meer gedragen nadat Stacy had gezegd dat hij met die handschoenen op zo'n man leek die tegen kinderen zei dat hij lolly's in zijn busje had. Er waren nog maar twee soorten leerlingen op de campus: fanatiekelingen die tot laat in de bibliotheek zaten te werken, en daar lijnrecht tegenover de skaters/spijbelaars, die geen andere plek hadden om naartoe te gaan. Van veraf en zelfs binnen in het schoolgebouw kon je het *krr-klak-skrrr* van hun skateboards horen.

Peter klopte op de deur van meneer McArthur en terwijl hij dat deed hoopte hij dat de docent er niet zou zijn.

'Binnen.'

Het kantoor was zo vol dat de deur werd tegengehouden door een krukje in de hoek, en Peter moest zich door de opening wurmen. Meneer McArthur was alleen – zijn twee kamergenoten waren vast al naar huis. Hij zat in een bruine kunststof stoel achter een smal bureau dat bedolven was onder stapels nakijkwerk. Peter was nooit goed in het schatten van leeftijden tussen de vijfentwintig en zestig, maar hij nam aan dat meneer McArthur ergens achter in de veertig moest zijn; hij had een paar blijvende rimpels in zijn voorhoofd maar die maakten hem niet oud, het leek eerder of hij constant nadacht. Hij was populair onder de leerlingen, betrokken maar niet opdringerig. Peter had hem altijd wel gemogen – tot vandaag tenminste.

'Dag meneer Roeslin. Ga zitten.'

'Dank u.'

Peter ging op een kleine bank zitten. Een versleten knuffelkonijn lag ondersteboven op een van de kussens. Zijn roze vlekken waren in de loop van de jaren grijs geworden. Meneer McArthur schreef een 7+ op het verslag dat hij aan het lezen was en tekende er twee keer een cirkel omheen. Hij gebruikte geen gewone pen maar een mooie, chique vulpen met een driehoekige metalen punt. Hij deed de dop erop en legde hem opzij.

'Zo. Wat kan ik voor je doen?'

Peter had niet echt bedacht wat hij zou gaan zeggen en nu verzamelden de mogelijkheden zich in zijn hoofd, ze struikelden over elkaar als gepasseerde verdedigers bij een goede aanval. 'Ik wilde, eh... nou, we hadden het vandaag toch ergens over? En toen vroeg u me iets over een sportheld, en u had het over de dingen die ik doe, weet u nog? Of over dingen die ik zou gaan doen, bedoel ik. Ik denk tenminste dat u het daarover had. Heeft u enig idee waar ik het over heb?'

'Misschien,' zei meneer McArthur met een geduldige glimlach.

Peter klopte zonder erbij na te denken met het knuffelkonijn op zijn knie en probeerde zich te herinneren wat er precies was gebeurd. Ze hadden het over 'een pyrrusoverwinning' gehad, en dat die uitdrukking uit de Romeinse tijd kwam en dat je daarmee zei dat iemand iets had gewonnen, een veldslag bijvoorbeeld, maar dat je daardoor ook zo veel had verloren dat je eigenlijk helemaal niet gewonnen had. Meneer McArthur vroeg de klas of iemand een voorbeeld uit het dagelijks leven kon geven. Niemand anders deed een poging, dus stak Peter zijn hand op en zei dat als een basketbalteam of een voetbalelftal een wedstrijd had gewonnen maar dat daarbij hun beste speler geblesseerd was geraakt, dat dat dan een pyrrusoverwinning was. McArthur knikte, maar toen keek hij Peter indringend aan met die ernstige ogen en dat vragende voorhoofd en zei: 'En stel, je wordt een grote sportheld en je verdient bakken met geld, koopt grote huizen en rijdt in snelle auto's, maar als je gloriedagen voorbij zijn, kom je erachter dat je ongelukkig bent, omdat je niet weet wat de zin van je leven is, is dat dan ook een pyrrusoverwinning?'

De vraag bleef in de lucht hangen als zo'n dikke vette driepunter. En toen zei Andy Rowen: 'Toch zou ik er wel voor gaan,' en de hele klas lachte en daarna gingen ze verder met Caesar.

Peter kon echter nergens anders meer aan denken, want waarschijnlijk had meneer McArthur gelijk: het zou inderdaad een pyrrusoverwinning zijn. Want als je beste tijd erop zat en je lag op je sterfbed en je zag je leven keer op keer aan je voorbijtrekken, zou het dan niet ontzettend deprimerend zijn als je moest concluderen dat je de beste jaren van je leven had vergooid met een spelletje?

Dat was de gedachte die Peter de afgelopen zes uur had dwarsgezeten, al wist hij niet goed hoe hij het onder woorden moest brengen. Gelukkig hielp meneer McArthur hem uit de brand.

'Peter, het spijt me als het leek of ik kritiek op je had, vandaag. Ik mag je graag. En ik heb veel populaire kinderen op school gezien. Leerlingen die boven aan de ladder staan, bedoel ik. De meesten gaan naast hun schoenen lopen, maar dat doe jij volgens mij niet.'

Peter werd verlegen van de complimenten. Hij keek naar de muur waar nog een oude adventskalender hing met open vakjes die de dagen tot aan Kerstmis aftelden. Hij had verwacht dat meneer McArthur een preek zou afdraaien, niet dat hij zijn goede eigenschappen zou opsommen. 'Misschien niet, nee.'

'De meeste kinderen zouden geen seconde meer nadenken over wat ik heb gezegd. Dus waarom denk je dat dit zo veel indruk op je maakt?'

'Dat weet ik niet.'

'Oké. Iets anders: wat maakt een goed boek tot een goed boek?'

'Ik lees niet zoveel. Naast wat ik voor school moet lezen, bedoel ik.'

'Dan geef ik het antwoord. In de beste boeken gaat het niet over dingen waar je nooit over hebt nagedacht. Het gaat over dingen waar je altijd al over nadacht maar waarvan je dacht dat je de enige was die ermee bezig was. Je leest die boeken en opeens voel je je een beetje minder eenzaam in deze wereld. Je maakt deel uit van die kosmische gemeenschap van mensen die hebben nagedacht over dat ene ding, wat het dan ook is. Volgens mij is dat wat er vandaag is gebeurd. Die angst, om je toekomst te verknoeien, die was er al. Ik heb hem alleen maar onderstreept.'

Iets diep binnen in Peter begon te trillen. 'Misschien.'

'Het is goed, Peter, om na te denken over een zinvol leven. Ben je op de een of andere manier religieus?'

'Ik denk het wel. Ik bedoel, ik geloof in God en zo.'

'Dat is dan al wat. Religie heeft alles te maken met het leven zinvol maken voor jezelf. En het spijt me als ik te persoonlijk word, maar heb je ooit iemand verloren? Iemand die dicht bij je stond, bedoel ik?'

'Ja...' zei Peter, onder de indruk van McArthurs intuïtie, 'mijn oudere broer, een paar jaar geleden. Hoezo?'

'Mijn vader overleed toen ik heel jong was. Dat confronteerde me met dingen die veel van mijn leeftijdgenoten nog konden negeren. De grote vragen. Klinkt dat bekend?'

'Ik weet niet.'

Meneer McArthur liet een stilte vallen, wachtte of Peter iets wilde zeggen en trok toen zijn borstelige wenkbrauwen op. 'Wat ik wil zeggen, Peter, is dat jij een gezegend mens bent omdat je niet alleen talent hebt, maar ook zelfbewustzijn, en dat betekent dat je kunt kiezen wat je met je leven wilt, in plaats van dat het leven voor jou kiest. Maar die kracht, de kracht om te kiezen, levert ook een risico op. Omdat je de verkeerde keuze kunt maken.'

'Hoe weet je of je de verkeerde keuze maakt?'

'Zeg jij het maar. Denk je dat het beter is om te falen in iets wat de moeite waard is of om succes te hebben met iets wat niets te betekenen heeft?'

Peter antwoordde voordat hij doorhad wat hij zei. 'Falen in iets wat de moeite waard is.' Even was hij lamgeslagen door wat zijn antwoord suggereerde, alsof hij een elleboogstoot tegen zijn borstbeen had gekregen.

Meneer McArthur lachte. 'Je kijkt geschrokken!'

'Nou, u zegt min of meer dat ik moet stoppen met het enige waar ik ooit echt goed in ben geweest.'

'Nee. Ik heb het niet over stoppen. Ik heb het over evalueren. Over keuzes maken. Als je wilt kun je alles wat ik vandaag heb gezegd negeren.'

'Kan ik dat?'

'Dat ligt eraan wat voor iemand je wilt zijn.' Meneer McArthur stond op en stak zijn hand naar hem uit. 'Ik weet zeker dat je eruit komt. En als je wilt praten, kun je altijd langskomen.'

Peter stond ook op. Hij was een paar centimeter groter dan meneer McArthur maar hij had zich in tijden niet zo klein gevoeld. Ze gaven elkaar een hand. Toen Peter de kamer uitliep, riep meneer McArthur hem na.

'Hé, Peter?'

'Ja?'

'Het konijn.'

Peter keek naar beneden. Kennelijk had hij met zijn linkerhand zo hard in het oude konijn geknepen dat zijn snuit helemaal verfrommeld was.

'Sorry,' zei Peter, en hij gooide het beest terug op de bank.

Buiten was het al donker. Peter voelde zich een ander persoon: al zijn zekerheden waren met het daglicht verdwenen. Afstekend tegen een auberginekleurige achtergrond, scheen een enkele heldere ster, blauw als een saffier, als een spikkel van de middag die iemand vergeten had weg te vegen. Het was bijna niet te geloven, maar zelfs de hemel kwam hem onbekend voor.

Peter hoorde vlakbij een deur opengaan. Er kwam iemand uit het gebouw met kunstateliers; een wapperende sjaal met verschillende kleuren waarvan Peter zeker wist dat ze hem zelf had gebreid: Eliza Olivi. Het was de eerste keer sinds vorig jaar dat ze met z'n tweeën waren zonder dat er iemand anders in de buurt was. En dat gebeurde uitgerekend vandaag. Hoe noemden ze dat? Serendipiteit?

'Eliza!' riep hij. 'Zie je die ster? Bizar, hè?'

Ze moest hem gehoord hebben, maar ze liep gewoon door.

ELIZA

Een jaar geleden was het allemaal begonnen.

Eliza was nog tot laat aan het werk in de fotostudio, zoals altijd. Het grootste deel van haar vrije tijd bracht ze daar door, alleen met haar gedachten, haar lievelingsmuziek en haar vintage Exakta VX (een soort afscheidscadeau van haar moeder, die een paar weken nadat Eliza veertien was geworden met haar nieuwe vriend naar Hawaï was verhuisd). Het was dezelfde camera die Jimmy Stewart in *Rear Window* gebruikte, met een zwartleren greep en een glimmende metalen rand die in het midden naar beneden liep. De knoppen bovenop waren stevig, met machineachtige grepen waar je flink aan moest draaien en die een lekker klik-geluid maakten. Eliza had haar camera in een zijvak van haar tas zitten zodat ze hem in een esthetisch noodgeval altijd bij de hand had. Ze kon snel schieten, als een cowboy met een revolver, altijd klaar om dat vergankelijke moment te vangen.

Ze vond fotografie de mooiste kunstvorm omdat het zowel fastfood als haute cuisine was, want je kon in een paar uur tijd tientallen foto's maken en dan tientallen uren bezig zijn om er slechts een paar te perfectioneren. Ze vond het geweldig dat iets wat als een idee van de verbeelding ontstond, veranderde in een reeks systematische handelingen; georganiseerd en geordend en duidelijk. Het mengen van de chemicaliën, de negatieven ontwikkelen, de beste shots uitkiezen en die vergroten, afwachten hoe de beelden op het witte papier tevoorschijn kwamen als een soort omgekeerde wasserette: een dobberende serie kleine schone lakens die langzaam vlekken kregen en daarna opgehangen werden totdat die vlekken voor altijd gefixeerd waren. En dan was er de setting: het schemerlicht en de schaduwen, alles afgestemd op creativiteit, van de zwoele rode gloed van de doka-lampen tot het vlakke ondiepe bad met vloeistof waarop haar afdrukken dreven als bladeren op een meer. Als er verder niemand was, kon ze haar telefoon op de speakers aansluiten en Radiohead of Mazzy Star door de ruimte blazen, zo hard dat bij elke bastoon alles meetrilde en de buitenwereld verdween. In die cocon van geluid en gedimd licht kon Eliza zich voorstellen dat ze de laatste persoon op aarde was. Vandaar dat ze zo ongelooflijk was geschrokken toen er zacht op haar schouder werd geklopt, net toen ze een afdruk in de ontwikkelingsbak bestudeerde op de eerste tekenen van schoonheid.

Ze draaide zich om met haar hand in de lucht en haalde uit alsof ze een mug platsloeg. Daar stond een jongen, in elkaar gedoken, met zijn hand op zijn wang.

'O! Shit!' zei hij.

Ze rende naar de speaker en zette de muziek zachter. De jongen herstelde zich, kwam overeind en werd onmogelijk lang. Het stoorde Eliza dat ze hem herkende, zoals je er niets aan kan doen dat je Hollywoodsterren herkent op de covers van tijdschriften, zelfs al haatte je alles waar ze voor staan. Hij was Peter Roeslin, van Hamiltons basketbalteam.

'Je liet me schrikken,' zei ze. Ze was kwaad op hem omdat het zijn schuld was dat ze hem had geslagen.

'Sorry.'

Hij stond in het schemerdonker, lang en mager, als het silhouet van een dode boom.

'Hé, wat zijn dit?' vroeg hij terwijl hij naar de afdrukken keek die aan de lijn hingen te drogen.

'Foto's. Kan ik je ergens mee helpen?'

Hij negeerde haar botheid. 'O ja, de muziek. We hebben boven een vergadering van de leerlingenraad.' Hij leunde voorover om van dichtbij naar een van de foto's te kijken. 'Wat heb je gefotografeerd?'

'Niks bijzonders.'

'Ik ben zo slecht in creatieve vakken. Ik kan echt jaloers zijn op mensen zoals jij.'

'Dank je, of zoiets.'

'Waarom zijn ze allemaal zwart-wit?'

'Wat kan jou dat schelen?'

'Ik weet het niet. Ik ben gewoon geïnteresseerd. Sorry.'

Opeens voelde Eliza zich lullig omdat ze zo kortaf deed. 'Nee, het is oké. Het is alleen moeilijk uit te leggen. Ik vind zwartwitfoto's eerlijker. Kleur is minder... oprecht.' Dat was de beste manier waarop ze het met woorden kon uitleggen. Om het hem echt duidelijk te maken moest ze hem laten zien dat de zwarten in een kleurenfoto altijd een beetje rood waren of dat er gele spikkels in zaten, en dat het wit altijd crèmekleurig was. De grijstinten waren heel vaak besmet door het blauw. Eliza vond altijd al dat fictie de realiteit beter kon beschrijven dan non-fictie (of in elk geval háár realiteit); en op diezelfde manier gaven zwart-witfoto's de wereld zoals zij hem zag betrouwbaarder weer dan kleurenfoto's. Soms droomde ze in zwart-wit.

'Moet je dat kind zien,' zei Peter, en hij wees naar een van de foto's. 'Arm jochie!'

'Ja, hij is geweldig.'

De foto waar Peter naar keek was een van haar lievelingsfoto's. Eliza had hem buiten genomen, voor een privéschool vlak bij Hamilton. Toevallig was ze daar net langs gekomen op het moment dat de kinderen hun best deden om voor een brandoefening op alfabetische volgorde te gaan staan, en een van de jongetjes had onmiddellijk haar aandacht getrokken. Hij was kleiner dan de andere kinderen van zijn rij, en aangekleed alsof hij minstens tien jaar ouder was: een bandplooibroek en een overhemd met een rood strikje – zelfs al wás hij tien jaar ouder geweest dan waren die kleren nog niet cool. Op elke school zat een kind zoals hij. Hij stond in het midden van zijn rij, precies waar hij hoorde te staan – en hij was het rustige middelpunt terwijl alle leerlingen om hem heen in beweging waren en door de lange sluitertijd aan beide kanten van het beeld in een zwerm vervaagden. Je zag de moeilijke jaren die hij als puber tegemoet ging al voor je: een mijnenveld vol onhandige afwijzingen op de dansvloer en eenzame vrijdagavonden. Hij zat opgesloten in zijn opvoeding. Gedoemd.

'Ik voel me soms net als dat jochie,' zei Peter.

'Grapjas. Hoe kan jij nou op hem lijken?'

'Je weet wel. Mezelf vermannen. Goed zijn.'

'En wat zou je doen als je niet de hele tijd goed hoefde te zijn?'

Ze had het niet flirterig bedoeld, maar alles in een donkere kamer kwam nou eenmaal flirterig over. Peter keek naar haar en Eliza voelde haar hart sneller gaan. Dit sloeg nergens op. Ze wist helemaal niks van hem. En ja, tuurlijk, helemaal objectief gezien was het een knappe jongen, maar ze viel altijd meer op van die artistieke, foute types – jongens die al aan het sparen waren voor hun eerste tattoo en er tegen de tijd dat ze eenentwintig waren bij liepen als wandelende graffitimuren. Dat had ze tenminste bedacht. In haar hoofd. In werkelijkheid had ze nog nooit echt een vriend gehad en tijdens een zomerkamp voor veelbelovende kunstenaars was ze min of meer per ongeluk ontmaagd door een bleke gothic jongen die alleen maar verlepte bloemen schilderde. Maar terwijl ze daar in dat onnatuurlijke bloedrode schemerlicht stond, heel dicht bij een heel knappe onbekende die toevallig een Hamilton-royalty was, voelde ze vanbinnen een schok van verlangen, of op z'n minst het verlangen om gewild te zijn.

'Ik weet het niet,' zei hij zacht. 'Ik word er soms helemaal gek van. Elke dag naar training. Elke dag genoeg huiswerk maken om niet achter te raken. Mijn vriendin tevreden houden.'

Eliza kende zijn vriendin van gezicht. Stacy nog wat. 'Ik heb haar wel eens gezien. Bruin haar, toch? Meer make-up dan gezicht?'

Peter lachte, en zelfs in de schemering kon Eliza zien dat hij het volgende moment besefte dat hij niet had horen te lachen. Hij zocht afleiding door weer naar de foto's te kijken. 'Ik zou willen dat ik zoiets kon. Dat ik...'

'Dat je wat?'

In het rode licht waren zijn ogen goudbruin. Te dichtbij. Hij sloeg zijn arm om haar heen en trok haar naar zich toe en toen botsten hun monden hard tegen elkaar en tilde hij haar van de grond. Ze hoorde de fixeervloeistof over de rand van de bak klotsen en op de vloer druipen. Hij tilde haar op de tafel terwijl hij haar nog steeds zoende, met zijn tong wild in haar mond, en zijn handen zochten hun weg omhoog onder haar shirt, en op dat moment gingen de lichten aan.

Een mager blond meisje stond tussen de zwarte gordijnen in de deuropening, met haar mond open als een stripfiguurtje met een geschrokken uitdrukking.

'Ben je gek?' zei Eliza. 'Dit is een donkere kamer! Doe het licht uit!'

Het meisje draaide zich om en rende weg; haar hakken klikten op de tegels alsof ze grinnikten.

'Shit!' zei Peter.

'*Who cares*?'

'Ze is een vriendin van Stacy.' Hij begon al achter het meisje aan te rennen maar vlak voor de gordijnen bleef hij staan. 'Luister. Het spijt me.'

Eliza trok haar shirt naar beneden. 'Maakt niet uit.'

Hij wilde nog iets zeggen, maar bedacht zich en ging weg.

Eliza was verbaasd over haar eigen gedrag, laat staan over de onverwachte zoen, maar ze maakte zich niet echt druk. Zelfs als Stacy het te horen zou krijgen, wat was nou het ergste wat er kon gebeuren? Een ruzie? Een *catfight*? En was één zoen echt zo erg, vergeleken met dingen die er echt toe deden?

Ja, was het antwoord. Ja, dat was erg.

Voordat Eliza de volgende ochtend op school kwam had iemand al met een spuitbus een groot zwart woord met vier hoofdletters op haar kluisje geschreven: S-L-E-T. Hetzelfde woord was op een paar honderd snippers papier geschreven die uit haar kastje vielen toen ze het opendeed; een tsunami aan anti-valentijnsbriefjes. Ogen vol wantrouwen verwelkomden haar vanaf alle kanten in de kantine en een paar meisjes deden in de gang een paar stappen opzij om met hun schouder tegen haar aan te stoten.

De eerste dag was ze vooral geschrokken. De tweede dag was ze kwaad. En elke dag die erna kwam werd ze verdrietiger, en eenzamer. Met alle mogelijkheden van social media onder hun vingertoppen, verspreidden Stacy en haar vriendinnen de roddel snel en ver, zelfs onder de derde- en vierdeklassers, zodat er overal waar Eliza kwam, werd gefluisterd en gewezen en gelachen. Het meisje dat blij was dat ze altijd onder de radar wist te blijven, was opeens het podium op geduwd en speelde de hoofdrol in een slechte schoolvoorstelling van *The Scarlet Letter*.

Het was onomkeerbaar klote, op alle mogelijke manieren en aan alle kanten.

En toen werd alles nog veel, veel erger.

'Hé Judy,' zei Eliza tegen de verpleegster achter de balie. 'Is mijn vader wakker?'

'Als het goed is wel. Loop maar door.'

'Bedankt.'

Ze liep langs de receptie de gang in, maar ze was zo in gedachten dat ze haar vaders kamer voorbijliep. Om de een of andere stomme reden moest ze de hele tijd aan Peter denken, die die middag over de binnenplaats iets naar haar had geroepen. Ze had zo haar best gedaan om hem te negeren dat ze nu niet eens meer wist wat hij had gezegd. Iets over de hemel?

'Hé pap.'

'Als dat Lady Gaga niet is,' zei hij. Hij zat rechtop in bed; mager en kaal, met slangen aan alle kanten en met alleen een gebloemde badjas aan. Ze was eraan gewend geraakt om hem zo te zien.

'Voor de zoveelste keer teken ik protest aan tegen het gebruik van die bijnaam.'

'Je weet dat ik een geintje maak. Vergeleken met jou is Gaga een lelijk kutwijf.' (Al zolang Eliza zich kon herinneren, had haar vader gevloekt als een bootwerker. Er was een filmpje van Eliza's eerste stapjes waarin hij steeds schreeuwde: 'Moet je dat kind verdomme zien gaan!' En alhoewel haar moeder een behoorlijk serieuze campagne tegen de constante stroom van vulgariteiten had gevoerd, had zij sinds ze de benen had genomen, het recht verloren om wie dan ook voor wat dan ook te veroordelen.)

'Niet waar, maar toch bedankt.'

Eliza ging zoals altijd op de stoel bij het raam zitten en haalde haar huiswerk tevoorschijn. Haar vader keek televisie en flirtte met de verpleegsters. Hij had nog steeds een vaag charmant accent uit Brooklyn, waar hij was opgegroeid, en alhoewel er in de paar jaar sinds de scheiding verschillende vrouwen interesse in hem hadden getoond, waren ze allemaal op de vlucht geslagen op het moment dat ze erachter kwamen dat hij nog niet over zijn ex-vrouw heen was.

'Ik heb gewoon nog wat tijd nodig,' zei hij altijd.

Maar de tijd had hem ingehaald en de vrouwen stonden niet bepaald in de rij voor de deur van een ziekenhuis.

Tot haar vader ziek werd, was Eliza er altijd van uitgegaan dat het universum redelijk in balans was. Ze nam aan dat iedereen aan het eind van de rit ongeveer dezelfde hoeveelheid geluk en ongeluk in zijn leven had gekregen – op de supergelukkigen en de superongelukkigen na. Dat betekende dat je recht had op iets goeds als je om één stomme zoen door de meerderheid van je middelbare school werd buitengesloten. Dat was alleen maar eerlijk.

Maar niet lang na Eliza's verboden kus met Peter in de doka was haar vader voor een aanhoudende pijn in zijn maag en een beetje verhoging naar het ziekenhuis gegaan. En na een hoeveelheid onderzoeken van een labrat, werd de diagnose gegeven door een praktisch ingestelde oncoloog met het inlevingsvermogen van een navigatiesysteem nadat je de verkeerde afslag hebt genomen: alvleesklierkanker stadium III. Het had net zo goed een vent in een zwarte lange jas met een zeis kunnen zijn. Eliza kon het eerst helemaal niet geloven, naast alle andere ellende waar ze al mee te dealen had. Nu wist ze dat die diagnose haar eerste kennismaking was geweest met een fundamentele levensles: al zijn dingen nog zo erg, het kan altijd erger.

Een maand lang huilde ze zo'n beetje aan één stuk door; in klaslokalen en in bussen, op haar slaapkamer en in wachtkamers, in haar eentje en naast haar vader terwijl hij de chemokuur onderging waarvan de artsen hadden gezegd dat het zeer waarschijnlijk was dat het geen resultaat zou hebben en hem alleen maar misselijk zou maken. Het verdriet was zo overheersend dat het haar veranderde; ze werd hard en gevoelloos als een bevroren ledemaat. Voor die tijd liep ze op school rond als een melaatse, haar blik onafgebroken op de grond gericht. Maar als een of andere trut in de rij voor de kantine haar nu aanstaarde keek ze met een ijzige blik terug, net zo lang tot dat andere meisje zenuwachtig werd en de andere kant op moest kijken. Het vreemdste was dat haar ijzige houding haar een bepaald aanzien opleverde (er was tenslotte maar weinig verschil tussen kil en cool). Ze werd binnengehaald door Madeline Sefers – a.k.a. Madeline Syfilis – een beroemde slet uit de bovenbouw die Eliza leerde om op een heel andere manier om te gaan met je impopulariteit: namelijk door in een strak rokje en met veel make-up op naar een club te gaan waar de uitsmijters niet om je ID vroegen en studenten je drankjes betaalden. 'Als je dan toch die reputatie hebt,' zei Madeline, 'dan kun je net zo goed lol maken.'

Maar Madeline was in september naar de universiteit gegaan en Eliza was weer op zichzelf aangewezen geweest. De chemo bleek de groei van haar vaders tumor toch te vertragen, maar goed nieuws was iets geks als je met een dodelijke ziekte te maken had. In plaats van een paar maanden, gaven de artsen hem een jaar. Zo kon je dus geluk hebben zonder geluk te hebben. Zo kon je een winnaar zijn en toch verliezen.

'Etenstijd,' zei een verpleegster, die als een serveerster met in elke hand een dienblad binnenkwam.

Ze prikten in hun kapotgekookte penne en hun mierzoete pudding. Eliza bedacht dat ze het overgrote deel van haar maaltijden nu vanaf plastic dienbladen at.

'Volgens de dokter zit de stent nu goed dus waarschijnlijk kan ik morgen naar huis.'

'Te gek.'

'En jij? Nog iets spannends gebeurd op school vandaag?'

'Niet echt. Nou ja, misschien. Herinner je je Peter nog?'

'Bedoel je die Peter van vorig jaar?'

'Ja. Hij wilde vandaag iets tegen me zeggen. Voor het eerst sinds... Je weet wel.'

Haar vader schudde zijn hoofd. Hij kende het hele verhaal.

'De klootzak. Hij wist niet wat hij in handen had.'

'Ja.'

'Wacht even.' Hij prikte zachtjes met zijn vork tegen haar kin. 'Je voelt toch niks meer voor hem, hè?'

'Ben je helemaal gek! Hij heeft zo'n beetje mijn leven verpest.'

'Dat weet ik. Maar je moeder heeft mijn leven ook verpest en je weet hoe het zit met mijn gevoelens voor haar.'

'Dat is waar.' Eliza wist hoeveel hij om haar moeder gaf, maar begrijpen deed ze het niet. Hoe kon je nou van iemand blijven houden die je had bedrogen en ervandoor was gegaan? 'Maar het antwoord is nee. Ik voel niks voor 'm. Wat mij betreft kan hij oprotten en doodvallen.'

'Zo herken ik m'n meisje weer.'

Na het eten gaf ze haar vader een kus en griste een briefje van tien uit zijn portemonnee voor de parkeerautomaat van het ziekenhuis. Ze kon het niet aan om nu alleen naar huis te gaan dus reed ze naar The Crocodile om wat te drinken en misschien een beetje te dansen.

De jongen die bij de bar tegen haar begon te praten was rond de tweeëntwintig. Hij had een strakke blonde afro en de ontspannen zelfverzekerdheid van een naïeveling. Ze dansten. Ze zoenden. En de hele tijd dacht Eliza aan Peter. Peter die zich soms als het jongetje met het rode strikje voelde. Peter die had toegekeken hoe zijn vriendin Eliza's reputatie om zeep hielp. Peter die nog steeds met diezelfde vriendin was.

Hij kon oprotten.

'Ga je met me mee naar huis?' vroeg de blonde afrojongen.

'Ik ga niet met vreemden mee,' zei Eliza. 'Maar je mag wel met mij mee.'

Hij zei dat hij dat cool vond. Dat vonden ze altijd.

Voor de deur van The Crocodile zat een groepje punkers in een mist van warme adem en sigarettenrook. Eliza herkende een van hen. Hij zat op Hamilton: Andy Rowen. Hij had lang bruin haar tot over zijn schouders en begon eindelijk de strijd te winnen tegen de vulkanische acne waar hij sinds de puberteit last van had. Ze had een keer wiet van hem gekocht en hij had haar gematst.

'Eliza!' zei hij. 'Holy shit!' Zijn enthousiasme om haar buiten school te zien was zo oprecht dat ze zich bijna plaatsvervangend schaamde.

'Hé, Andy.'

'Waar gaan jullie naartoe? Kom even bij ons zitten.'

'Sorry, we gaan net weg.'

Andy keek naar haar, toen naar haar date, en telde één bij één op. Ze had ze best aan elkaar willen voorstellen, maar ze kon zich de naam van de jongen die ze op punt stond mee naar huis te nemen niet herinneren. Iets met een J?

'Oké. Maar wacht heel even. Willen jullie iets waanzinnigs zien?'

'Ja hoor.'

Andy wees naar boven. Ze volgde de richting van zijn wijsvinger en keek omhoog naar de donkere ruimte. Eén helderblauwe stip, als een speldenprik in de zwarte huid van de hemel. En had Peter niet iets over een ster gezegd?

'*Wicked*, hè?' vroeg Andy.

Eliza wist wat hij met dat woord bedoelde: het was een van de miljoenen synoniemen voor 'te gek': cool, sweet, ziek, vet, dope. Maar om de een of andere reden had ze het idee dat hij het verkeerd had. De ster leek 'wicked' in de echte betekenis van het woord: boosaardig. Boosaardig zoals de Boze heks van het Westen. Boosaardig als iets wat eropuit was om je pijn te doen.

Eliza werd door iedereen op school uitgemaakt voor slet. Ze had geen contact meer met haar moeder. Haar vader was stervende. Maar als er iets was wat ze het afgelopen jaar had geleerd, dan was het dat de dingen altijd nog erger konden worden. En die ster leek een teken dat er inderdaad nog meer op komst was.

Wicked. Zeg dat wel.

ANDY

Aan één kant was het goed om de klas uit te zijn.

Andy liet zijn board vallen en sprong erop. De wieltjes brachten hem moeiteloos naar de andere kant van de campus. Ging alles in het leven maar zo soepel. Was er maar geen school die je moest afmaken, en huiswerk, en al die verwachtingen. Kon je maar opstaan wanneer je wilde, kaneel-chocoladecruesli eten, een beetje muziek maken en een jointje roken, en dan misschien naar school rijden en lessen volgen als je daar zin in had, als het je echt interesseerde, en dan de rest van de dag een beetje chillen met je vrienden. Kon je maar...

'Andy Rowen!'

Midge Brenner: zijn lerares Engels van de derde en de vierde klas en een van de vele wraakgodinnen die er op school rondliepen. Ze miste hem zeker, al had ze hem bijna elke les de klas uitgestuurd vanwege zijn afwijkende ideeën over het maken van huiswerk (volgens hem was huiswerk namelijk een directe aantasting van het door God gegeven recht van de mens op leven, vrijheid en geluk). Nu moest ze haar autoritaire behoeftes kennelijk bevredigen door hem buiten het lokaal aan te pakken.

'Ja?'

'Ik zou denken dat iemand uit de eindexamenklas wel weet dat het verboden is om op de campus te skateboarden.'

'Totaal vergeten, mevrouw Brenner. Mijn fout.'

Andy maakte een snelle ollie op z'n plek voordat hij van z'n board sprong en hem omhoog trapte en opving. Het leverde hem een extra strenge blik van Midge op. Niet dat er iets was wat ze kon doen: je kon niet naar het kantoor van de directeur gestuurd worden als je al naar het kantoor van de directeur gestuurd wás. *Ne bis in idem*, noemde je die shit.

'Dank je, Andy.'

'Geen dank.'

In feite ging hij helemaal niet naar het kantoor van de directeur, al was hij daarnaartoe gestuurd. Vorig jaar hadden meneer Jester en hij een deal gesloten. Andy overtrad de regels wel vaak, maar het ging nooit om iets heel ernstigs en de directeur had er de tijd en de energie niet voor om telkens aandacht aan hem te besteden. In plaats daarvan moest Andy zich elke keer bij Suzie O. melden, de leerlingenbegeleidster.

Hij was dus eigenlijk gewoon uitbesteed.

De kamer van Suzie O. was op de eerste verdieping van de bibliotheek, ver weg van die fascistische lerarenkamers in het hoofdgebouw. Het was hier stil, omdat er nooit iemand in de bibliotheek ging zitten als het niet nodig was. Dat wil zeggen: niemand, behalve de bibliothecarissen die achter hun bureau zaten te rommelen of achter de balie stonden waar ze met pijn in hun hart hun geliefde boeken uitleenden. Ze leken leerlingen vooral te zien als dingen die je rustig moest zien te houden; je kon een heel gesprek met hen voeren dat alleen uit *ssst*-geluiden bestond. Andy zwaaide overdreven naar de bibliothecaresse terwijl hij de trap opliep en haar grondgebied zo snel mogelijk verliet.

Toen hij op de eerste verdieping kwam, zag hij Anita Graves die net met betraande ogen de kamer van Suzie O. uitliep. Anita was zo'n beetje het braafste meisje van de hele school. Haar ouders waren belachelijk rijk en zij was belachelijk intelligent: er werd gezegd dat ze haar toelatingsbrief voor Princeton al binnen had, dus welke reden had zij in godsnaam om bij Suzie te komen uitjanken?

De leerlingenbegeleidster sloeg haar arm om Anita heen. 'Denk aan wat ik je heb gezegd, oké?'

'Zal ik doen.' Anita knipperde een paar keer met haar ogen en schudde even krachtig haar hoofd. Het verdriet was in één keer verdwenen en ze zag er weer uit als altijd: alert, gefocust en onverstoorbaar.

'Hoi Andy,' zei ze, en ze glimlachte zelfs even toen ze voorbijliep.

'Hoi.'

Hij keek haar na terwijl ze wegliep. Ze was leuk, voor zover een gestrest tutje leuk kon zijn; zoals een berg bijeengeharkte bladeren leuk kan zijn omdat je zin krijgt om erin te duiken en de bladeren weer over straat te verspreiden. 'Hé!' riep hij haar achterna. 'Wat het ook is, het is het niet waard!'

Ze draaide zich niet om, maar ze hield wel een halve seconde haar pas in, en meer kon je waarschijnlijk niet verwachten van zo'n soort meisje.

'Ogen deze kant op, Rowen.' Suzie leunde tegen de deurpost. 'Ik neem aan dat je hier niet halverwege het vierde uur langskomt omdat je me zo mist.'

Andy grijnsde naar haar. 'Maar dat betekent niet dat ik je niet héb gemist.'

'Kom binnen.'

Suzies kantoor was best gezellig, voor een kantoor. Er stond een zachte bruine bank die lang genoeg was om op te liggen, een minikoelkast vol frisdrank en een mand met een laag fruit om de geheime voorraad echte snacks die eronder lag te verbergen; het was wat Suzie haar obesitasvoorraad noemde. Maar het beste was de televisie in de hoek, waar je soms een film op mocht kijken, als Suzie in een goede bui was.

Misschien was het overdreven om te zeggen dat ze vrienden waren, maar voor een middelbare scholier met 'gedragsproblemen' en een leerlingenbegeleidster van over de veertig met overgewicht, konden ze wel goed met elkaar overweg. Andy kon het met haar over alles hebben: drank, drugs, meisjes, zijn rotouders, wat dan ook. Dat was natuurlijk niet vanaf het begin zo geweest. De eerste paar keer was hij verplicht om naar haar toe te gaan. Hij had geen woord gezegd en naar de muur gestaard tot de bel ging. Maar Suzie was slim. Op een dag had ze in plaats van met hem te praten het eerste seizoen van *Game of Thrones* opgezet. En alsof dat nog niet genoeg was, praatte ze mee met de personages. Dat deed het 'm. Hoe kon je nou een hekel hebben aan iemand die de teksten van hele afleveringen van *Game of Thrones* uit haar hoofd kende?

'En waar heb ik vandaag de eer aan te danken, meneer Rowen?'

'Zelfde als altijd. Ik was te grappig voor mevrouw Holland. Ze werd jaloers.'

'Ik had het kunnen weten. Heb je ergens trek in?'

'*Oreo me.*'

Suzie wierp hem een van de blauwe Oreo-pakjes toe. 'En? Nog maar vijf maanden te gaan. Ben je er klaar voor?'

'Om deze shitzooi achter me te laten? Dat weet je toch.'

'En wat zijn je plannen voor na je examens?'

Andy hield er niet van om over plannen en zo te praten. Waarom waren volwassenen altijd zo met de toekomst bezig? Het was alsof het heden niet bestond. 'Geen idee. Een baan zoeken. Samen met Bobo een appartement vinden. Skaten. Roken. Van het leven genieten.'

'Klinkt leuk. En heb je wel eens nagedacht over een studie?'

'Weet je, ik ben helemaal vergeten om me ergens in te schrijven. Eigen schuld.'

'Je kan je nog steeds inschrijven voor het tweede semester aan de Hogeschool van Seattle. Volg een paar lessen, kijk wat je ervan vindt.' Andy trok een vies gezicht en Suzie stak haar handen in de lucht als een crimineel die op heterdaad wordt betrapt. 'Ik vertel je alleen hoe het zit. Vroeger kwam je in dit land nog ergens met een middelbareschooldiploma. Tegenwoordig mag je van geluk spreken als je iets vindt voor het minimumloon.'

'Geld interesseert me niet.'

'Het gaat niet om geld. Ik ben blij dat geld je niks interesseert. Maar ik heb het over verveling. Vind je school saai? Vergeleken bij een minimumloonbaantje is school één groot festival. Tenzij je het lekker vindt om acht miljoen keer per dag dezelfde fysieke handeling te herhalen.'

'Misschien vind ik dat inderdaad wel lekker.'

Suzie lachte. 'Ja, oké. Waarschijnlijk krijg je dit al de hele dag van je ouders te horen, maar...'

'Nee,' zei Andy. 'Het interesseert ze geen reet.'

'Ik denk niet dat dat waar is.'

'Denk maar wat je wilt.'

'Wat ik denk is dat het zonde is van je capaciteiten om de hele dag hamburgers om te draaien.'

Andy draaide een Oreo los en likte de crème van de binnenkant. 'Suzie, sorry, maar ik word vandaag compleet gestrest van je.'

'Dat moet ook.'

'Ik dacht dat jij mensen moest helpen met de stress die ze al hadden.'

'Gespannen mensen moeten rustiger worden. Rustige mensen moeten misschien eens een flinke trap onder hun reet krijgen.' Ze deed vanaf haar stoel een soort kungfu-trap na.

'Gespannen mensen zoals Anita Graves? Wat had zij hier te zoeken?'

'Iedereen heeft zo zijn problemen.'

'Ik zou de mijne zo voor die van haar inwisselen.'

'Daar zou ik maar niet al te zeker van zijn.'

'Wil je me ergens mee helpen?' zei Andy terwijl hij de laatste Oreo naar binnen propte en met een volle mond doorpraatte. 'Leer me dan hoe ik een meisje m'n bed in krijg. Bobo noemt me tegenwoordig Maria, van de Maagd Maria. Het is vernederend.'

'Oké. Les één: niet met je volle mond praten. Dat is smerig. Les twee: ga een opleiding volgen. Meisjes houden van jongens met plannen.'

'O ja? Nou, jij hebt anders een baan en alles, maar de kerels lopen de deur hier ook niet plat, of wel?'

Hij had het gewoon als constatering bedoeld, maar zodra hij het had gezegd sloeg de stemming om. Suzie lachte niet meer. 'Je bent een goeie jongen,' zei ze, 'maar je hebt een gemeen trekje.'

Andy wilde zijn excuses aanbieden, maar hij wist niet hoe hij het onder woorden moest brengen. Hij werd al moe bij de gedachte om het te proberen. 'Whatever,' zei hij, en hij stond op. Hij duwde tegen Suzies deur alsof het iemand was die hem lastigviel.

Andy zag Bobo na school al op de parkeerplaats staan wachten terwijl hij de bovenkant van zijn aansteker open en dicht wipte. Hij droeg een strakke zwarte spijkerbroek en een zwarte Operation Ivy-hoodie, beide vol lapjes, scheuren en veiligheidsspelden.

'Maria!' riep hij, en hij schoof de schelpen van zijn koptelefoon opzij die zo groot waren als halve kokosnoten. 'Je bent er! Ik was bang dat we het voorgoed zonder je moesten doen toen Holland je eruit gooide.'

'Ik ben een overlever. Wat staat er vandaag op het programma?'

'Zelfde als altijd. We blijven hier een tijdje hangen tot we ons vervelen, dan gaan we weg. Ik heb tegen iedereen gezegd dat we elkaar om zeven uur bij The Crocodile zien. The Tuesdays spelen.' Bobo trok een verfrommeld pakje sigaretten uit de zak van zijn hoodie, stak er twee aan en gaf er een aan Andy.

'Wil je echt niet een beetje repeteren?' vroeg Andy.

'Je weet dat ik niet in die shit geloof. We moeten eerst een optreden hebben.'

'Het kan geen kwaad om voorbereid te zijn.'

Bobo schudde zijn hoofd. 'Je lijkt wel een wijf. Kom op, we gaan skaten.'

Samen rolden ze wat over de Hamilton-campus, sprongen over balken en van banken en maakten *sideswipes* tegen vuilnisbakken, totdat de zon begon te zakken en de sporters van Hamilton bezweet en afgepeigerd uit de sportzaal kwamen slenteren. Toen namen ze Andy's stationwagen, haalden wat bij McDonalds en reden naar de stad.

The Crocodile was een club voor alle leeftijden, waar ze een goede muziekinstallatie hadden en waar lekker veel vage types rondhingen. Rond zeven uur kwamen de zwaar vervormde klanken van de Bloody Tuesdays al tot ontploffing als een massavernietigingswapen. Andy en Bobo bestelden cola (oneindig veel lekkerder met een scheut rum uit de fles die Bobo in zijn kontzak had zitten) en gingen aan een tafeltje zitten. Halverwege de eerste set kwam de rest van de groep opdagen: Jess, Kevin en Misery, Bobo's vriendin. Ze had haar haren de week daarvoor groen geverfd en het stond haar goed.

Ze stortten zich in de moshende groep mensen en dansten, dat wil zeggen: Bobo en Misery stonden vooral tegen elkaar aan en zoenden. Op de een of andere manier kon Andy zelfs met die harde muziek het geklik van hun tongpiercings horen. Hij deed zijn best om het geluid te negeren.

Andy had Misery vorig jaar op de eerste dag na de zomervakantie leren kennen en hij had haar meteen leuk gevonden. Ze zat pas in de derde, maar ze was zelfverzekerd en cool en honderd procent punkrock. Jammer genoeg kwam ze Bobo tegen voordat hij een move had kunnen maken. Binnen een paar uur waren zij een stel. Eerst was Andy kwaad geweest, maar wat kon hij doen? Bobo was altijd al het alfamannetje binnen hun kleine roedel geweest: grappiger, gekker, minder bang om in de problemen te komen. Hij was al twee keer geschorst en het zou een wonder zijn als hij zijn eindexamen haalde.

De set was afgelopen en ze gingen terug naar hun tafel, drijfnat van hun eigen zweet en dat van vreemden.

'Wanneer speelt Perineum weer een keer?' vroeg Misery.

'Als deze dude een paar nieuwe nummers schrijft,' zei Bobo en hij gaf Andy een stomp tegen zijn schouder.

Perineum was hun tweekoppige punkrock/deathmetalband. Ze hadden in de zomer een paar keer in het voorprogramma van de Bloody Tuesdays gestaan, maar sindsdien hadden ze niet meer opgetreden. Andy had de afgelopen maanden best veel nummers geschreven, maar er zat niet één nummer bij dat geschikt was voor een leadzanger die dacht: muziek+trommelvlies = bokser+boksbal.

'Laten we naar buiten gaan,' zei Misery. 'Ik wil roken.'

De zanger van de Tuesdays, een grote vent met rood haar die zichzelf Bleeder noemde, stond al buiten met zijn bassist. Ze staarden allebei naar de lucht.

'Dat is echt zieke shit,' zei Bleeder.

Andy keek omhoog. De ster was helderblauw, zoals het midden van de vlam van de bunsenbrander bij scheikunde.

'Wat is dat?' vroeg hij. 'Een soort komeet?'

'Het zal wel een satelliet zijn,' zei Bleeder.

Jess schudde zijn hoofd. 'Satellieten bewegen.'

'Niet altijd.'

De deur van de club ging open en braakte een golf bierlucht

en muziek uit. Ze viel Andy op voordat hij haar herkende: Eliza Olivi, aan de arm van een of andere blonde gast met een belachelijk afrokapsel. Hij was ouder dan zij, en stomdronken.

'Eliza! Holy shit!'

'Hé, Andy.'

Ze leek zo snel mogelijk weg te willen, maar toen hij naar de ijsachtige blauwe ster wees, bleef ze er een hele tijd naar staan kijken. Toen liep ze weg zonder zelfs maar gedag te zeggen.

'Je ziet haar wel zitten, hè?' zei Bobo.

'Hou je bek.'

'Kom op. Het is overduidelijk. Jij bent de grootste maagd van Hamilton en zij is de grootste slet. Dat moet je in je voordeel laten werken.'

'Dude!'

Het sloeg helemaal nergens op. Natuurlijk zag hij Eliza zitten. En hij was niet de enige. Het verschil was alleen dat hij haar altijd al leuk had gevonden, ook toen ze nog een stille was op de achterste rij van de klas. Maar alles was veranderd nadat ze iets had uitgespookt met Misery's oudere broer, de basketballer. Het verhaal ging dat ze seks hadden gehad in de fotostudio, bijna zes maanden lang, tot zijn vriendin erachter was gekomen. Andy had altijd gedacht dat die roddels over Eliza's slettengedrag verzonnen waren, maar wat deed ze hier dan op een doordeweekse avond met een of andere gast uit The Crocodile?

Soms vroeg Andy zich af of hij eigenlijk wel iets van anderen begreep. Zijn ouders bijvoorbeeld; met hen was helemaal niks mis geweest totdat ze uit elkaar gingen. En alhoewel hij Bobo nog steeds als een soort broer zag, waren de dingen tussen hen totaal naar de klote sinds Andy vorig jaar hun 'pact' had verbroken. Ze hadden het er nooit over gehad, maar het hing boven hen als zo'n hemelsbrede Seattle-wolk waar dagenlang regen uit miezerde. Alleen in dit geval moest Andy een constante stroom beledigingen, stompen en minachtende blikken opvangen.

'Maria,' zei Bobo terwijl hij met zijn vingers knipte. 'Je zit wel heel erg diep na te denken. Moet ik een ambulance bellen?'

Andy blies een wolk rook uit en probeerde daarmee ook al zijn zorgen te laten gaan. Was Bobo nog steeds kwaad op hem? Vond Suzie hem een lul? En wat als Eliza het met een of andere loser met een afrokapsel deed en Andy tot z'n dertigste met niemand naar bed zou gaan? Maar misschien was het allemaal niet belangrijk. Dit was gewoon weer een shitdag, uit een leven dat soms een fabriek leek die gespecialiseerd was in het produceren van shitdagen.

'*Life sucks,*' zei Andy. Dat was natuurlijk een cliché, maar dat maakte het niet minder waar.

Bobo knikte. '*Blame it on the blue star,*' zei hij, met opzet de lyrics van Radiohead verdraaiend.

Andy bedacht dat hij inderdaad net zo goed die ster de schuld kon geven. Hij stak zijn middelvinger op naar de lucht.

'Fuck you, ster.'

ANITA

Het was een gewaagd plan. Zelfs toen ze langs oude Steve kwam, bij het portiershokje van Broadmoor, wist ze nog niet of ze het zou doorzetten. Ze drukte op een knopje in de zonneklep van de Escalade om het privéhek te openen dat toegang gaf tot haar huis. De oprijlaan was lang en recht met eiken aan beide kanten. Ze waren nog niet zo lang geleden gesnoeid waardoor de bovenkanten misvormd leken – de boomachtige variant van de Venus van Milo, met tientallen afgebroken ledematen in plaats van maar twee. Kijk maar uit, leken ze te willen zeggen, anders eindig je nog zoals wij.

Anita deed de voordeur achter zich dicht. De huishoudster, Luisa, liep met een grote stapel lakens door de hal naar de wasruimte.

'*Hola*, Anita.'

'Hé, Luisa.'

'*¡En Español!*' zei Luisa streng.

Anita had Spaans op school en Luisa gaf haar af en toe les en vertelde haar over de ondoorgrondelijke mysteries van de aanvoegende wijs, de verschillen tussen *ser* en *estar* en, als er verder niemand in de buurt was, een paar woorden rechtstreeks uit de straten van Bogotá die Anita nooit, maar dan ook nooit mocht herhalen.

'*Hola, Luisa. ¿Cómo estás?*'

'Niet slecht. Je opa en oma zijn terug naar Los Angeles dus ga ik het gastenverblijf schoonmaken. Niet dat er veel te doen is. Ze zijn zo netjes!'

'*Yo sé.*'

'Als mijn grootouders zijn geweest is het alsof er een orkaan voorbij is geraasd,' zei Luisa. 'Maar die opa en oma van jou... Ik merk nauwelijks dat ze er zijn.'

'*Si. Son locos.*'

'*Están locos.*'

'O ja. *Lo siento*, Luisa, maar ik ben een beetje in de war. Heb je mijn vader gezien?'

'*En la oficina.*'

'*Gracias.*'

Haar vaders kantoor had de warme sfeer van een koelkast. In feite had hij in het huis een directiekamer ingericht, met een grote glazen tafel en een dure futuristische stoel erachter. Langs de muren een heleboel archiefkasten met grijze plastic ordners die langs de muren stonden. Het enige voorwerp in de kamer waar letterlijk en figuurlijk wat leven in zat, was een grote koepelvormige kooi van roestvrijstaal. Binnenin hupte Bernoulli, de eenzaamste blauwe ara ter wereld, van de ene op de andere stok. Hij krijste en poepte en staarde uit het raam; verlangend, vermoedde Anita.

Toen ze het kantoor binnenkwam, zat haar vader die gekke roze krant te lezen die alleen gelezen werd door mensen wier levens om geld draaiden. Ze vond het grappig dat die krant juist roze was, van alle kleuren die je kon bedenken. Hij had beter kaki kunnen zijn of gestreept, of wat er dan ook bij een stropdas van een manager paste. Als ze haar vader die roze krant zag lezen, moest ze aan barbiepoppen en Hello Kitty-rugzakken en Claire's denken. Dat zei ze natuurlijk niet hardop.

'Jij bent vroeg thuis,' zei hij terwijl hij de krant dichtvouwde en op de tafel legde.

'Bijeenkomst van de leerlingenraad, maar in deze tijd van het jaar staat er weinig op de agenda.'

'Ik weet zeker dat je nog wel iets had kunnen bedenken om aan te werken, als je had gewild. Alleen je diploma halen is niet voldoende.'

Grappig, het was maar één druppel in die grote oceaan van kritiek waarin ze sinds haar geboorte dreigde te verdrinken, maar het was net een druppel te veel. Suzie O. had gelijk: er moest iets veranderen.

'Ik heb een zes min gehaald,' flapte ze eruit. En terwijl ze zag hoe de woede als een oprukkende troepenmacht naar haar vaders gezicht marcheerde, haastte ze zich om het uit te leggen. 'Het was maar één proefwerk, voor kansberekenen, dus mijn gemiddelde blijft hetzelfde als ik voor de rest gewoon goede cijfers haal. Mevrouw Barinoff zei ook dat het een "eenmalige misser" was.'

Toen haar vader eindelijk begon te praten, zag hij er net zo onbeweeglijk en ernstig uit als een atoomwolk aan de horizon. 'Anita, begrijp je wat een voorwaardelijke toelating is?'

'Ja.'

'Begrijp je dat Princeton de toelating kan herzien als je gemiddelde zakt?'

'Het was maar één proefwerk.'

'Als het één keer kan gebeuren, dan kan het vaker gebeuren.'

'En als ik niet naar Princeton ga, is dat nog niet het einde van de wereld,' zei Anita, die vanbinnen in elkaar kromp.

Haar vader stond op. Hij was niet echt een lange man, maar als hij kwaad werd, veranderde hij in een reus. 'Jongedame, wij hebben het besluit als gezin genomen, en elke keer als jij dat besluit ter discussie stelt...'

'Ik wil helemaal niet...' probeerde ze te zeggen.

'Élke keer als jij dat besluit ter discussie stelt,' onderbrak hij haar, 'is dat een teken van disrespect voor alles wat dit gezin voor jou heeft gedaan. Alles wat wij hebben opgeofferd zodat jij je bij een goede universiteit kon inschrijven. Ben je echt zo ondankbaar? Heb je echt zo weinig respect voor alles wat wij in jouw toekomst hebben geïnvesteerd?'

Dat was het gekke aan haar vader. Hij verdiende zijn brood met het doen van investeringen en gaandeweg was hij zijn dochter als een van die projecten gaan zien. En hoe werkte een investering? In het begin stopte je er geld in en na een tijdje verwachtte je iets terug. Vanwege de privélessen en de wekelijkse leesopdrachten en Franse les op zaterdagochtend. Vanwege het huisarrest en de preken en de 'woordenboekmaaltijden' (waarbij Anita's vader haar vroeg om de betekenis van vage woorden op te dreunen terwijl haar eten koud werd). Anita zat alleen maar op Hamilton omdat de opleidingsadviseur die haar vader had ingehuurd, had volgehouden dat ze meer kans maakte om op Princeton te worden toegelaten met een diploma van een openbare middelbare school. Alles wat ze deed moest gericht zijn op dat waar het om ging: zorgen dat haar vaders investering zich uitbetaalde. Maar het ging hem niet om geld. Het ging om prestige. Om succes. Het ging om een goed, zwart meisje met een titel van een topuniversiteit en een serieuze carrière: arts, politicus, ondernemer.

Maar misschien wil ik helemaal niet zo'n baan, wilde Anita schreeuwen. *Misschien vind ik niet dat ik alles hoef te doen wat jij wilt, alleen maar omdat ik onder jouw dak woon!*

De meeste mensen van haar leeftijd waren al met het moeilijke proces bezig om de ouder-kindrelatie te veranderen, om de strenge dictatuur om te vormen tot iets wat meer op een democratie leek. Maar zonder het te willen zag Anita haar vader nog steeds als een soort god. Een verachtelijke, eigenzinnige god, maar toch: een god. En normaal, op een gewone dag, als ze hier zou staan en geduldig zou moeten aanhoren hoe god haar een teleurstelling noemde en iemand die zijn plicht niet nakwam, dan was ze al in tranen uitgebarsten. Maar vandaag niet. Vandaag was

Anita sterk. Vandaag kon Anita zich inhouden. Want vandaag loog ze. Ze had helemaal nooit een zes min gehaald.

Het was een idee van Suzie O. geweest. Anita was naar haar toe gegaan omdat ze bang was dat ze op de rand van een zenuwinzinking balanceerde. De afgelopen twee jaar was het alsof ze in een woestijn zonder oase had gelopen: ze had constant haar best gedaan en was uitgeput. Anita had gehoopt dat alles voorbij zou zijn als ze op Princeton toegelaten werd, maar dat was niet zo. Integendeel: tegelijk met haar nieuwe vooruitzichten waren ook de verwachtingen weer hoger geworden. Het was alsof iemand haar had uitgedaagd om zo lang mogelijk onder water haar adem in te houden en alsof, toen ze eindelijk alle wereldrecords had verbroken en naar boven wilde zwemmen om haar overwinning op te eisen, de oppervlakte bevroren was.

'Misschien moet je hem een keer teleurstellen,' had Suzie gezegd.

'Hoe bedoel je? Ergens voor zakken?'

'Je hoeft het niet eens echt te verprutsen. Je doet gewoon alsof.'

'Waarom?'

'Omdat je dan zult zien dat de wereld niet vergaat als je vader iets afkeurt. En misschien ziet hij dat dan ook in.'

'Dat zal hij niet inzien. Dat weet ik zeker.' De tranen waren over haar wangen gerold voordat ze had kunnen bedenken dat ze zich moest inhouden. En toen had die stomme sukkel, Andy Rowen, haar betrapt. Hij had verbaasd gekeken, alsof hij nooit had verwacht dat zij in staat was om normale menselijke gevoelens te hebben.

'Wat het ook is, het is het niet waard,' had hij gezegd.

Wijze woorden, ook al kwamen ze van Andy. En die woorden gaven haar nu de moed om haar vaders kantoor uit te lopen terwijl hij nog met zijn preek bezig was.

'Jongedame?' riep hij. 'Jongedame, waar ga je heen?'

Ze vluchtte naar haar kamer en bleef daar heel stil staan; wachtend tot haar vader achter haar aan zou komen en verder zou gaan met zijn preek. Maar hij kwam niet: de enige reden daarvan kon zijn dat hij van schrik volslagen verlamd was. Ze deed de deur achter zich dicht en draaide de sleutel om. Toen pakte ze *Back to Black* van Amy Winehouse van de plank. Het was haar geheime ontspanningsritueel: de pick-up aanzetten, het volume zó hard zetten als het kon zonder dat de muziek tot beneden doordrong, en dan zichzelf in de kast opsluiten.

Ze deed het niet om alleen te zijn, alhoewel het fijn was om alleen te zijn. Ze deed het ook niet omdat het in de kast donker en warm en fijn was, alhoewel het dat allemaal was. Ze deed het omdat de kast de enige plek was – van de hele wereld, zo leek het soms wel – waar ze kon zingen zonder dat iemand haar hoorde.

Al vanaf haar achtste droomde Anita ervan om zangeres te worden. Maar toen haar ouders daarachter waren gekomen, hadden ze alles gedaan om die droom de kop in te drukken. Ze had pianoles gehad, totdat haar leraar de fout had gemaakt om toe te staan dat ze een nummer van Alicia Keys in haar repertoire opnam. Binnen een week was de piano in de woonkamer vervangen door een zware eikenhouten tafel en zat Anita op ballet. In de brugklas was het verplicht om in het schoolkoor te zingen, maar op de een of andere manier waren er altijd belangrijke familieverplichtingen als het koor een uitvoering had en dus kreeg Anita geen solo's meer. In de derde had ze auditie gedaan voor de schoolmusical – *Into the Woods* – en was ze gekozen voor de rol van de heks. Maar toen haar vader daar na twee weken repetities achter was gekomen, was hij de school binnengelopen en direct doorgemarcheerd naar de kamer van de directeur om hem duidelijk te maken dat zij thuis een strikte regel hadden: school ging boven buitenschoolse activiteiten. De rol ging uiteindelijk naar een mager blank meisje dat Natalie heette.

Anita's vader wist dat hij haar geen enkele speelruimte kon geven omdat de muziek in haar bloed zat. Anita's oom, Bobby, was saxofonist en toerde door het land met elke band die hem maar hebben wilde. Hij had geen vast adres, geen gezin – geen investeringen op welk vlak ook. Benjamin Graves zou eigenhandig elke jazzclub in Seattle in de fik steken om te voorkomen dat zijn dochter op die manier zou eindigen.

Maar niemand kon haar verbieden om in de kast te zingen. In de kast was er geen verschil tussen droom en realiteit, daar hoefde ze niet te kiezen welke weg ze zou volgen. Daar waren alleen de zware klanken van de strijkers, de doordringende tonen van de blaasinstrumenten en de vlugge trillingen van de gitaar, de verboden stem van Amy Winehouse die in een duet met Anita over de grens tussen leven en dood heen zong. En school, de universiteit en de overdreven ernstige uitdrukking op haar vaders gezicht verdwenen. Ze zong de hele plaat mee – elk couplet, elk refrein en elke brug – stoned als een junkie, totdat de laatste noot klonk en wegstierf.

Wat het ook is, het is het niet waard.

Anita voelde iets vreemds over zich heen komen, een gevoel van onafhankelijkheid dat alleen maar groter was geworden sinds Andy voor Suzies deur die ondoordachte opmerking had gemaakt. Het leek een beetje op wat ze soms voelde als het volle maan was. Dan kon ze van het ene op het andere moment opgewonden zijn of verdrietig of kwaad, zonder dat er een verklaring voor was behalve de stand van de sterren. Voordat ze zich kon bedenken, glipte ze naar beneden, langs haar vaders kantoor, langs Luisa en haar moeder en de geur van gegrilde kip, de voordeur uit en haar auto in. Theoretisch had haar vader haar geen huisarrest gegeven, maar dat zou een slechte smoes zijn als ze thuis zou komen.

Ze reed langzaam langs het ziekenhuis en nam de afslag naar de stad. Ze had de ramen open, ook al spetterden de regendruppels op haar arm. Esperanza Spalding speelde deze hele week in Jazz Alley en Anita wilde haar zien. Ze kende haar van YouTube. Esperanza Spalding was een wonderkind geweest en gaf op haar twintigste al les aan het Berklee College of Music. En nu was ze een ster.

De bezoekers van Jazz Alley waren veel ouder dan Anita, de meeste zo tussen de veertig en de vijftig. Ze ging aan een van de ronde tafeltjes zitten en bestelde een alcoholvrije shirley temple.

Ze had gehoopt dat het optreden van Esperanza haar moed en inspiratie zou geven, maar tijdens het concert werd ze steeds verdrietiger. Daar stond een waanzinnig getalenteerde artiest die haar leven leidde met de volumeknop op tien. En hier zat Anita, die in het donker naar haar keek en die een onbeduidend en ongelooflijk stil leven tegemoet ging. Aan het begin van de aanmeldingsperiode had Anita voorgesteld dat ze zich – behalve voor de topuniversiteiten die op haar vaders lijstje stonden – ook voor een paar conservatoria kon inschrijven. Het gevolg was dat haar vader zo'n woede-uitbarsting kreeg dat Luisa, zoals ze later vertelde, de telefoon had gepakt en de eerste twee cijfers van het alarmnummer al had ingetoetst.

Toen Anita de club uitliep, bedacht ze dat ze al in geen uren op haar telefoon had gekeken. Er waren natuurlijk tientallen gemiste oproepen en minstens evenveel voicemailberichten van THUIS. Ze luisterde er eentje half af, maar bij de eerste razende woorden had ze het weggedrukt en met één tik maakte ze haar inbox leeg.

Het was een doordeweekse dag dus er waren niet veel mensen op straat. Anita wandelde naar het water, naar het centrum van dakloos Seattle. Kartonnen dozen en slaapzakken. Onverzorgde haren, magere gezichten en kleren in de kleuren van duivenvleugels. Van onder een bankje bij een bushalte zag ze het wit van een paar ogen. De blik volgde haar, helemaal tot ze bij het zware gietijzeren hek met krullen en tierelantijnen kwam. Erachter glinsterde in het donker het water van de Puget Sound. Ze klemde haar handen om de gladde metalen spijlen en trok zichzelf op. Ze stelde zich voor dat ze hoger en hoger kwam, over de hoogste punten heen en dan het water in.

'Hé, sister.'

Ze draaide zich om en verwachtte om de een of andere reden dat daar een bekende zou staan. De man die achter haar stond was echter een vreemde. Hij was lang en zwart en er kronkelde een groot litteken over de onderste helft van zijn gezicht.

'Hé,' zei ze.

'Zoek je iemand?'

'Nee.'

'Je moet hier niet om deze tijd alleen rondlopen. Dat is gevaarlijk.'

Voordat ze iets kon terugzeggen, hoorde ze het geluid van een dichtslaande autodeur en kwam er een agent met grote, agressieve passen hun kant op lopen.

'Wat is hier aan de hand?' vroeg hij.

'Niks,' zei de vreemde.

De agent keek Anita aan.

'Niks, meneer.'

Hij leek haar niet te geloven. 'Loop jij maar even met mij mee. En jij' – hij wees naar de vreemde – 'blijft hier. Mijn collega wil even een praatje met je maken.'

'Whatever.'

Anita en de agent staken de straat over, voorbij de vrolijk knipperende lichten van de surveillancewagen.

'Wat doe je hier in je eentje, jongedame?

'Niets.'

'Heb je een lift nodig?'

'Mijn auto staat verderop in de straat.'

Hij legde een hand op haar schouder. 'Ga daar dan meteen naartoe, oké? Knappe meisjes zoals jij moeten voorzichtig zijn.'

'Bedankt.'

Ze liep over First Avenue terug naar boven. De helling was zo steil dat ze met haar hoofd iets naar achter liep, met haar gezicht als een telescoop naar boven gericht. Een eenzame blauwe ster sprong naar voren, dichterbij dan alle witte sterren, alsof hij was verschoven. Anita had het gevoel dat ze geen kant op kon, gevangen tussen de dodelijke aanblik van die ster en de kille behulpzaamheid van de agent achter haar. Ze wilde niet terug naar haar auto, maar ze wilde ook niet blijven waar ze was. Het liefst wilde ze helemaal verdwijnen.

Wat het ook is, het is het niet waard.

Ze zei de woorden hardop, maar ze klonken leeg, zo betekenisloos als dat op drift geraakte dwaallicht aan de hemel. Suzie O. had het verkeerd. Anita voelde zich niet ellendig door hoe de dingen waren. Ze voelde zich ellendig omdat ze altijd maar bleef hopen dat de dingen zouden veranderen. Als ze die hoop kon uitroeien, kon ze haar verdriet ook uitroeien.

Het was tijd om naar huis te gaan.

9

ELIZA

Was er iets ergers in de wereld dan wakker worden naast iemand naast wie je niet wakker wilde worden?

Hij heette Parker – dat wist ze dan tenminste nog. Hij lag op zijn buik te slapen, blond haar dat als een suikerspin rond zijn hoofd krulde, en nog een klein plukje onder aan zijn rug. Terwijl Eliza uit bed stapte en zich aankleedde, zorgde ze ervoor dat ze hem niet wakker maakte. Het kostte haar een kwartier om voor de spiegel de tekens te verbergen die verraadden dat ze een door alcohol aangewakkerde onenightstand had gehad. Ze draaide haar ongewassen haren in een slordige knot en stak er twee zwarte eetstokjes in. Het resultaat kon ermee door, maar hoe ze haar best ook zou doen om zich mooi te maken, make-up hielp niet tegen die bonzende koppijn. Daarvoor moest ze haar mix van kokoswater en Red Bull hebben – haar vriendin Madeline noemde het altijd een Bull Nuts. Iets anders kon ze nu niet naar binnen krijgen.

En dus bleef alleen de vraag over wat ze met Parker aan moest. Haar vader moest de laatste check-ups ondergaan en alle ontslagformulieren invullen dus hij zou niet voor twee uur thuis zijn, maar tegen die tijd moest deze viezerik wel weg zijn. En hij moest maar gaan lopen, want Eliza had hem met de auto mee naar huis genomen. Ze legde een briefje op het nachtkastje: *Als je dit leest, had je al weg moeten zijn.* Te bot? Misschien. Maar ze was te brak om zich daar druk om te maken.

Pas toen ze in de auto op de klok keek, drong het tot haar door hoe vroeg het nog was. Maar ze bracht liever een extra uur op school door dan thuis met een comateuze vergissing. Ze zette de radio aan en luisterde even naar het nieuws – een monotone opsomming van rampen in het buitenland – en zocht toen naar een andere zender; jarentachtigmuziek was ongetwijfeld beter voor je ziel.

De parkeerplaats bij Hamilton was zo goed als leeg. Eliza zette de radio harder, pakte een deken uit de achterbak en legde hem over de warme, zacht-ronkende motorkap heen. Ze ging erop zitten en leunde met haar rug tegen de voorruit...

Iemand schudde aan haar voet. Eliza opende haar ogen en zag een lucht die helemaal grijswit was, op die ene ongelooflijke blauwe stip na. Wat deed die daar nog?

'Goedemorgen, zwerver.'

Ze kwam overeind en keek recht in het grijnzende gezicht van Andy Rowen. Hij droeg een wijde spijkerbroek, een opengeritste hoodie en daaronder een T-shirt met de witte space-gezichten van The Cure.

'Zware nacht gehad?' vroeg hij.

'Nogal.'

'Viel Blondie tegen?'

Ze negeerde zijn vraag. 'Hoe laat is het?'

'Op mijn horloge...' – hij stroopte zijn mouw op en keek aandachtig naar zijn lege witte pols – '...is het ongeveer halverwege het eerste uur.'

'Echt waar? Fuck!' Eliza sprong van de motorkap.

'Waar maak je je druk om? Ik ga meestal rond deze tijd naar school, en hé, de wereld draait nog steeds gewoon door.'

Haar tas met boeken lag niet op de achterbank en niet in de kofferbak. Ze had zo'n haast gehad om Parker te ontlopen dat ze haar spullen thuis had laten liggen.

'Shit!' Ze ramde met haar vuist tegen de zijkant van de auto.

'Wauw,' zei Andy. 'Chill joh, het is maar school.'

Eliza ademde diep in en uit en begon met een kalme minachting te praten. 'Misschien verbaast het je, maar hé, er zijn dus mensen die bepaalde dingen wél belangrijk vinden. Dat zal je wel saai en stom vinden, maar ik spreek je over tien jaar nog wel, als jij nog steeds in de kelder bij je moeder woont en bij Taco Mundo werkt terwijl de rest van ons een leven heeft.'

Terwijl ze stampend de parkeerplaats overstak had ze al spijt van haar uitval; Andy was niet degene op wie ze kwaad was.

'Jezus,' zei hij, 'dat moet wel heel erg slechte seks zijn geweest.'

'Dat was het inderdaad,' zei Anita zonder om te kijken.

Maar ze was blij dat ze hem achter zich hoorde lachen.

Tijdens scheikunde kon ze zich niet concentreren. De blauwe ster dook steeds weer in haar gedachten op, zoals de herinnering aan een nachtmerrie. En elke keer als dat gebeurde, begon haar hart sneller te kloppen.

Ze dacht er niet aan om iemand ernaar te vragen, tot het pauze was en ze toevallig langs de tafel in de hoek van de kantine liep, het verst bij het raam vandaan. Misschien was het stigmatiserend om die tafel de 'nerdtafel' te noemen, maar je kon niet ontkennen dat je binnen school groepen had en een van die groepen bestond nou eenmaal vooral uit intelligente, niet erg aantrekkelijke, niet bepaald sociaalvaardige jongens en een paar meisjes, die nog niet hadden geleerd hoe ze zich moesten kleden en opmaken en dat ze zich dommer moesten voordoen dan ze waren. Het waren de meisjes die achterdochtig naar Eliza keken toen ze bij hen aan tafel ging zitten, alsof ze een afgezant van een stam Amazonevrouwen was die het manvolk kwam stelen. De jongens probeerden onverschillig te doen maar konden de onderhuids opborrelende bewondering niet verbergen.

'Hoi,' zei ze. 'Ik ben Eliza.'

Een jongen met dik bruin haar en een mislukt matje in zijn

nek stak zijn hand uit. Hij had een autoritaire houding over zich, helemaal in z'n element.

'Hoi Eliza, ik ben James.'

'Hoi James.'

Hij stelde de rest van de mensen aan tafel voor, maar Eliza onthield niet één naam.

'Je bent hier vanwege Ardor, of niet?' James' ogen hadden de fonkelende, bijna manische blik van een extreem intelligent iemand. Eliza wist dat ze behoorlijk slim was, maar briljante mensen gaven haar altijd een ongemakkelijk gevoel, alsof iemand meer van haar kon zien dan ze wilde.

'Wat is Ardor?'

'Dat is JPL's naam voor asteroïde ARDR-1388,' antwoordde een meisje zonder van haar Japanse strip op te kijken.

'Ardor,' zei James, 'is een *Near-Earth Object*, een NEO, een categorie waartoe asteroïden, meteorieten en kometen horen die dichtbij in een baan om onze planeet draaien. De Jet Propulsion Library houdt ze allemaal in de gaten. Dat is een deel van haar taak.'

'Is hij groot?'

'Groot genoeg om ons allemaal uit te roeien.'

'En waarom heb ik er dan niet eerder over gehoord?'

James' wenkbrauwen gingen omhoog. 'Hou je de website van de JPL in de gaten voor hun updates over NEO's? Lees je astronomietijdschriften?'

'Nee.'

'Zie je. Daar ga je al.'

Eliza deed haar best om te glimlachen ondanks deze meteorietenregen van minachting. 'Bedankt James, dat was heel nuttig.' Ze stond op. Vanaf de andere kant van de kantine keken Peter Roeslin en zijn vriendin tegelijkertijd haar kant op. Ze deed alsof ze hen niet zag.

‘Hé,’ zei James, en hij zwaaide om haar aandacht te trekken, ‘als je je soms afvraagt of je bang moet zijn voor Ardor, dat hoeft niet.’

‘Ik ben niet bang.’

‘Vast niet,’ zei hij, alsof hij haar maar gewoon gelijk gaf terwijl hij wist dat hij al had gewonnen. ‘Maar ik wilde je het vertellen voor het geval je je áfvraagt of je op een bepaald moment in de toekomst reden hebt om bang te zijn: daar is geen rationele onderbouwing voor. De kans op een botsing is heel erg klein. In feite is alles waar we bang voor moeten zijn al hier op planeet aarde aanwezig.’

‘Ik dacht dat je zei dat ik niet bang hoefde te zijn.’

‘Ik zei dat je niet bang hoefde te zijn voor een asteroïde. Dit is de eenentwintigste eeuw. De zeespiegel stijgt. Gestoorde dictators beschikken over nucleaire wapens. Corporatisme en het lamleggen van de media hebben de pijlers van de democratie om zeep geholpen. Wie niet bang is, is achterlijk.’

Er zat iets agressiefs in de manier waarop James dat laatste woord zei. Alsof hij op dat moment omringd was door achterlijken en zij zijn vijand waren.

‘Nogmaals bedankt, James.’

‘Geen dank. Pas goed op jezelf.’

Na school verzamelde zich een groep leerlingen op het grasveld voor de mensa om naar de hemel te kijken. Iemand had een telescoop uit het natuurkundelokaal meegenomen, al gebruikten ze hem vooral om achter in kelen te kijken en naar de kantoren op de bovenste verdieping van het schoolgebouw. Iedereen liep te dollen en lachte, maar Eliza had nog steeds een naar voorgevoel. Zelfs al had James gelijk, het was niet makkelijk om relaxed te blijven terwijl er een gigantisch rotsblok met ziljoen kilometer per uur door de lucht vloog.

Terug in de flat, zat haar vader naar het journaal te kijken. Ook al wist Eliza dat hij altijd even ziek was, waar hij ook was, thuis vond ze hem er toch altijd honderd keer beter uitzien dan wanneer hij in dat afschuwelijke helverlichte beige ziekenhuis lag, met al die piepende apparaten, mechanische bedden en de geur van de dood.

'Hé, pap.'

'Hé, Gaga. Iemand heeft op de keukentafel een liefdesbrief voor je achtergelaten.'

Een notitieblaadje met een kinderlijk priegelhandschrift op de voorkant, was dubbelgevouwen en als een klein tentje neergezet: *En nog bedankt dat je me hier in een buitenwijk hebt achtergelaten, bitch.*

'Wil je erover praten?' vroeg haar vader.

'Met geen woord.'

Ze ging op de zachte rode stoel naast de bank zitten. Op televisie zaten een paar bekende nieuwslezers over de asteroïde te praten. Het beeld ging over op een computeranimatie van het kleurloze rotsblok dat onder de kratergaten zat, als een kleine misvormde maan.

'...onze opmerkelijke nieuwe vriend zal nog een paar weken bij ons in de buurt blijven. De ARDR-1388, zoals de wetenschappers die hem hebben ontdekt hem hebben genoemd, heeft een echte naam gekregen en staat nu bekend als Ardor.'

De computeranimatie verdween en in plaats daarvan verscheen er een man in beeld met een witte baard en een bril met een metalen montuur. Volgens het onderschrift was hij Michael Prupick, professor astronomie en astrofysica aan de Universiteit van Washington, en hij kwam net iets te enthousiast over.

'Als Ardor uit zijn baan is gebroken dan zijn wij in staat om hem voorbij te zien schieten terwijl hij vanuit de Melkweg op weg is naar de oneindige ruimte. Near Earth Objects hebben door de grote Hollywoodfilms een slechte reputatie gekregen, maar voor astronomen zijn ze ongelooflijk nuttig, en dan hebben we het nog niet eens over het feit dat de mijnindustrie de mogelijkheden onderzoekt om asteroïden zoals deze in de nabije toekomst te gaan exploiteren voor zeldzame grondstoffen. Kortom: we zijn ontzettend enthousiast over de komst van Ardor.'

De nieuwslezers kwamen weer in beeld.

'De verkoopcijfers van telescopen bij kampeerwinkels en speelgoedzaken zijn deze week al met twintig procent gestegen...'

Eliza's vader zette het geluid uit.

'Welke arme sukkel heb je in een buitenwijk aan zijn lot overgelaten?'

'Zei ik net niet dat ik het daar niet over wilde hebben?'

'Stemde ik daarmee in?'

Ze bleven even zwijgend voor de televisie zitten terwijl de pratende hoofden op het scherm verdergingen met hun Muppet-achtige mondbewegingen, maar Eliza voelde dat haar vader energie verzamelde voor een nieuwe zet.

'Ik moet gewoon weten of je straks in staat bent om voor jezelf te zorgen. Nu ik richting... je weet wel, richting de marge schuif, en je moeder en alles...'

'Niet doen.'

'Ik zeg alleen dat dit soort dingen me nogal bezighouden, oké? Neem het me verdomme maar kwalijk.'

Eliza dacht dat de regels duidelijk waren ook al waren ze nooit hardop uitgesproken. Zij en haar vader zouden het niet hebben over 1) het feit dat hij vrijwel zeker binnen een jaar dood zou zijn, en 2) het feit dat Eliza's moeder verliefd was geworden op een andere man en met hem naar Hawaï was vertrokken. En nu verbrak haar vader beide regels in één keer. Ze stond op en ging naast hem op de bank zitten.

'Pap, wat is er aan de hand?'

'Niks. Ik weet het niet. Volgens mij komt het door dat kloterotsblok. Ik ben totaal over de zeik.'

'Ik heb het aan een paar mensen op school gevraagd. Zij zeiden dat we ons geen zorgen hoefden te maken.'

Haar vader haalde zijn schouders op. 'Misschien. Maar toch, voor het geval dat: zou je één ding voor me willen doen?'

Ze wist al wat hij zou gaan zeggen. 'Nee.'

'Kom op!'

'We hebben het hier al vaak genoeg over gehad. Als mama me wil spreken dan kan ze me bellen.'

'Dat heeft ze geprobeerd.'

'Het afgelopen jaar niet.'

'Omdat jij elke keer als ze met je wilde praten tegen haar zei dat ze een kutmoeder was en dan ophing!' Haar vader schreeuwde. Ze kon zich niet herinneren wanneer hij dat voor het laatst had gedaan.

'Dat verdiende ze.'

'Nee, dat verdiende ze niet! Ik heb haar gezegd dat ze moest gaan, Eliza!' Zijn stem werd weer rustiger en hij legde zijn hand boven op die van haar. 'Ik zei dat ze kon gaan. Omdat ze verliefd was. En het had geen zin om daartegenin te gaan. Het zou hetzelfde zijn om te proberen die klote-asteroïde' – hij gebaarde naar de televisie – 'tegen de houden met een balletjespistool. En ik weet hoeveel pijn het haar deed om weg te gaan.'

'Maar ze ging wel.'

Haar vader knikte. 'Ja. Ze ging wel.'

'En dat vergeef ik haar niet.'

'Tja, dat is iets anders. Ik vraag je alleen om met haar te praten.'

Eliza rolde met haar ogen. 'Jezus. Oké. Ik zal erover nadenken.'

'Mooi.' Hij tikte op haar hand. 'En, wat zullen we eten?'

'Ik had al iets bedacht.'

'O ja?'

'Ja. Ik wilde Pagliacci bellen en iets bestellen.'

Haar vader glimlachte, maar het was zo'n weemoedige glimlach, alsof hij iets miste wat er nog gewoon was. Zo'n glimlach die haar bijna aan het huilen maakte.

'Lijkt me een goed plan.'

ANITA

Anita had zich voorbereid op de ondervraging. Ze had zich voorbereid op de preek. Ze had zich voorbereid op de bedreigingen, het huisarrest, de negeermodus, de opgeheven vinger, het schuddende hoofd en al die andere ouderlijke onzin die onvermijdelijk zou volgen op haar eerste vlucht ooit uit huize Graves. Maar waar ze zich niet op had voorbereid, was de inbeslagname van haar autosleutel, waarmee ze ook de essentie van volwassen zijn verloor: de vrijheid om alleen te zijn. Elke ochtend bracht haar vader haar met de auto naar school en elke middag kwam haar moeder haar stipt om kwart voor vier ophalen om haar naar huis te brengen. Zelfs in huis werd Anita niet met rust gelaten. Om de twintig minuten klopte er iemand op haar deur om te controleren of ze niet een of andere Rapunzel of Julia-truc had uitgehaald en zich uit het raam had laten zakken.

En de radiozender waar haar vader in de auto naar luisterde was bijna net zo'n erge straf.

'Het nieuws van de dag over onze vriend Ardor van de bollebozen bij NASA,' zei een of andere schreeuwerige presentator, die je bijna dikker en dommer kon horen worden terwijl hij sprak. 'Je zou denken dat ze wel met iets beters konden komen, maar het enige wat ze daar kennelijk goed kunnen is onze belastingcenten uitgeven en klagen dat ze niet genoeg van onze belastingcenten krijgen, maar hé, wie ben ik om daar iets van te zeggen? Hoe dan ook, volgens de eerste schattingen bevond de asteroïde zich op ruim drie miljoen kilometer van de aarde op het moment dat zij ons zonnestelsel doorkruiste. Maar nu zeggen ze dat het eerder in de buurt komt van ruim tachtigduizend kilometer, wat in ruimtetermen betekent dat zij eigenlijk vlak langs ons zal scheren. En wat nou zo grappig is, die NASA-jongens hebben ons voortdurend lastiggevallen, tot vervelens toe, met hun gezeur over klimaatverandering en gaten in de ozonlaag en dat dat allemaal onze schuld was – dingen die helemaal niet belangrijk zijn – en nu zitten we met een asteroïde die we moeten zien te ontwijken alsof het een van die kogels uit *The Matrix* is, en die bollebozen zeggen doodleuk: "O ja, sorry, maar dit hebben we even niet zien aankomen." Dus zeg ik op mijn beurt: "Misschien moeten jullie je prioriteiten eens bijstellen." Na de muziek zijn we terug.'

'Hebben jouw leraren het over de opwarming van de aarde?' vroeg Anita's vader terwijl hij de radio zachter zette.

'Soms.'

Hij schudde zijn hoofd. 'Hoe kan het ook anders. Als je thuiskomt zal ik je een paar boeken geven. En die ga je lezen.'

'Oké.'

Het enige goede nieuws was dat het vandaag woensdag was en dat betekende dat er na school een bijeenkomst van de leerlingenraad was. Die vergaderingen konden twintig minuten duren maar ook twee uur, en Anita's moeder kon moeilijk op de parkeerplaats gaan zitten wachten. En dus kwam Luisa, en op haar kon Anita altijd rekenen als ze hulp nodig had. Het idee was om de vergadering zo snel mogelijk te beëindigen. Als Anita geluk had, bleef er genoeg tijd over om bij Dick's op Capitol Hill een hamburger te halen. Haar huisarrest was pas een week geleden ingegaan, maar ze verlangde nu al naar de smaak van de buitenwereld alsof ze tien jaar in de gevangenis zat en levenslang had gekregen.

Volgens het reglement van Hamilton moest elke klas in de

leerlingenraad vertegenwoordigd worden door een jongen en een meisje. Anita vertegenwoordigde de zesdeklassers samen met Peter Roeslin, de basketballer. De vijfdeklassers waren Stephen Durkee en Krista Asahara. Krista was zo'n overdreven enthousiaste streber die niet kon begrijpen waarom iemand het niet met haar eens was. Verder was ze ook overduidelijk verliefd op Peter. De vierde klas werd vertegenwoordigd door Chuck Armstrong en Julia Whyel, en de derde door Ajay Vasher en Nickie Hill. Alle lagere-klassers waren het altijd met Krista eens, over alles.

Anita verklaarde de vergadering voor geopend, ging razendsnel langs de punten van vorige keer (de haalbaarheid van één keer per maand een vegalunch en de vorming van een tafelvoetbalteam), en kondigde de agenda aan. Het enige belangrijke punt was het gala voor alle klassen waarbij de meisjes een jongen vroegen in plaats van andersom. Het feest moest nog een thema krijgen. Zoals altijd was het Krista die als eerste haar hand omhoogstak, alsof ze de toorts van het Vrijheidsbeeld vasthield, en dus kwam zij als eerste met haar idee.

'In de krant staat dus dat Ardor – je weet wel, die asteroïde – in de week van het gala langskomt. Dus waarom doen we niet iets met de ruimte? Niet sciencefictionachtig, maar meer een soort... astronomieachtig, met planeten en sterren en dat soort dingen.'

'Lijkt me geweldig,' zei Anita, die het licht aan het eind van de tunnel al kon zien.

'We kunnen zwart vilt op alle pilaren en muren doen,' zei Nickie, die met Krista's thema aan de haal ging. 'En we kunnen sterren maken met kerstlichtjes. Dat is supermooi maar ook goedkoop.'

Ajay bemoeide zich er altijd mee als het om het budget ging. 'We zouden mensen kunnen vragen om kerstlichtjes van thuis mee te nemen. Iedereen heeft wel een doos op zolder staan, en als ze het niet meer doen is het meestal een kwestie van een kapot lampje. We zouden ze kunnen maken.'

Krista straalde zelf als een nieuw lampje, want alles wees erop dat haar idee in goede aarde viel.

'Zullen we stemmen?' vroeg Anita terwijl ze haar blik rond liet gaan. 'Iedereen die voor het plan is om het gala een ruimtethema te geven kan nu "ja" zeggen.' Er klonk een koor van ja's. 'Perfect. Laten we ieder afzonderlijk brainstormen over hoe we het moeten aanpakken en dan zullen we tijdens de volgende vergadering stemmen over de beste plannen.'

Krista hield haar hand op en Nickie en Ajay gaven slappe, ploffende high fives.

'Goed. Dan hebben we alles gehad wat op de agenda stond. Is er nog iets anders waar iemand het over wil hebben?'

Anita was bang dat Chuck weer met zijn lievelingspunt zou komen: het onmogelijke, onbespreekbare en toch altijd weer tot verdeeldheid leidende onderwerp dat marihuana niet verboden mocht worden op het schoolterrein omdat het nu in de hele staat legaal was. Maar hij leek net zo graag weg te willen als zij.

'Dan lijkt het erop dat we klaar zijn,' zei Anita. 'Bedankt voor jullie aanwezigheid...'

'Het is echt een grap wat we hier doen.'

Alle hoofden draaiden zich om. Peter zat onderuitgezakt in zijn stoel en keek voor zijn doen ongewoon chagrijnig. Hij zei tijdens de vergaderingen meestal niet veel, tenzij het over sport ging of over voeding.

'Waar heb je het over, Peter?'

'Wat ik bedoel is: feesten en tafelvoetbal – moeten we ons niet om andere dingen druk maken? Kunnen we niet proberen om íéts te doen wat er in de echte wereld toe doet?'

'Zoals wat?' zei Anita, die de frustratie in haar stem niet wist te verhullen. De waarheid was dat ze het in feite met hem eens was.

Soms leek het inderdaad of ze alleen maar bezig waren met het opvullen van hun cv terwijl ze pizza aten op kosten van Hamilton. Maar moest hij hen nou uitgerekend vandaag op hun geweten aanspreken?

'Ik weet niet,' zei Peter, 'maar het is zo'n puinhoop op de wereld. Zelfs bij ons zijn er heel veel mensen die hun school niet afmaken of die verder geen opleiding gaan volgen. Kunnen we daar niet iets aan doen?'

Een lange stilte. En toen trok Krista uit de diepe put van haar verliefdheid een nieuwe emmer vol enthousiasme omhoog. 'Helemaal mee eens, Peter.'

Anita zuchtte. De vergadering was nog niet voorbij. Nog lang niet.

'Ideeën?' vroeg ze.

Peter was precies het soort jongen die Anita's ouders voor haar zouden uitkiezen. Of misschien was 'uitkiezen' iets te sterk uitgedrukt want het liefst zouden ze zien dat ze tot haar eindexamen niet eens met jongens praatte. Maar als ze dan toch met iemand ging daten dan zou hij hun eerste keuze zijn. Hij was een sporter, wat niet geweldig was, maar hij was wel een sporter die naar Stanford ging, en dat betekende dat hij hoe dan ook een goede carrière zou krijgen. Qua uiterlijk voldeed hij ook aan alles: lang, aantrekkelijk en zo blank als de dag (niet dat haar ouders zichzelf haatten of zo, maar ze associeerden blanke waarden wel met materieel succes en ze dachten dat de zwarte kinderen op haar school op z'n best profiterende hippies waren en op z'n slechtst verdorven drugsdealers). Anita kon zichzelf bijna met zo'n jongen samen zien. Ze durfde te wedden dat Peter een ster was in het ideale-schoonzoonspel en waarschijnlijk zag hij er zonder shirt supergoed uit. Er was alleen één probleem, en dat was geen klein probleem: hij was een beetje dom. Niet ongelooflijk dom.

Niet duwend-tegen-trekdeur-dom of 2 + 2 = 5-dom, maar gewoon net niet snel genoeg om een hint op te pikken. Niet scherp genoeg. En al zou hij zo een modeshow kunnen lopen, zonder die vonk was hij het niet voor haar.

De vergadering ging nog twee uur en een kwartier door en in die tijd bespraken ze van alles: van een gaarkeuken in de eetzaal en naschoolse lezingen over onderwerpen als hongersnood en de opwarming van de aarde, tot een ouderwetse cakeverkoop. Peter ging bij elk nieuw idee uit zijn dak en Krista en de lagere-klassers dus ook. Het was daarom aan Anita om rationeel te blijven.

'Daklozen op het schoolterrein toelaten, dat keurt het bestuur nooit goed.'

'Je kunt zoveel lezingen organiseren als je wilt, maar je kunt mensen niet dwingen om te komen.'

'Een cakeverkoop levert geen geld op.'

Aan het eind van de bespreking hadden ze het maar over één ding eens kunnen worden: ze zouden een groep vrijwilligers samenstellen die kinderen met leerproblemen met hun huiswerk gingen helpen. Het was niet hetzelfde als de planeet redden en het was geen bijdrage aan de wereldvrede, maar het was in elk geval iets. Krista was zo opgewonden over wat ze samen hadden bereikt dat ze na de vergadering iedereen gedag knuffelde.

Anita rende zowat het gebouw uit. Er was geen tijd meer voor een hamburger, maar ze zou misschien nog iets kunnen snacken en vijf minuten voor zichzelf kunnen hebben.

Luisa, die geduldig bij de rotonde stond te wachten, rolde het raampje van de Audi naar beneden.

'Hé, Luisa, vind je het goed als ik nog even naar Jamba Juice ren?'

'Zal ik je niet brengen?'

'Ik vind het wel lekker om wat beweging te krijgen, als je het oké vindt.'

'Natuurlijk. En gaat je vriend ook mee?'

Anita draaide zich om en zag dat Peter vlak achter haar stond.

'Dat is een geweldig plan,' zei hij. 'Ik doe een moord voor een Berry Razzmatazz.'

'O. Eh... Tot zo dan.'

Luisa lachte zo vrolijk naar Peter dat Anita zich schaamde.

Ze begonnen te lopen. Het regende, maar het was zo'n regenbui waarbij de druppels zo licht waren dat ze alle kanten op gingen en als sneeuwvlokken leken te zweven in de lucht. Anita wist dat er niks romantisch kon zitten achter Peters idee om met haar mee te lopen. Hij had een vriendin, een toonbeeld van saaie schoonheid dat je op elke tijdschriftcover tegenkwam. Er gingen wel geruchten dat hij een keer was vreemdgegaan, maar Anita hechtte niet veel waarde aan roddels. Ze probeerden mensen boven aan de ladder altijd naar beneden te halen. Toch voelde het vreemd om nu alleen met hem te zijn, want ze hadden buiten de leerlingenraad om nooit echt met elkaar gesproken.

'Dat was inspirerend, hè?' zei hij.

'Wat was inspirerend?'

'Nou, je weet wel, om te proberen een verschil te maken.'

Anita schoot in de lach. 'Peter, wat is er met je aan de hand vandaag? Je hebt bijna het hele jaar zitten slapen tijdens de vergaderingen en nu hou je een heel verhaal over sociale verantwoordelijkheid? Wat zit daarachter?'

Peter lachte schaapachtig. 'Ja, 't lijkt vast of ik ben doorgedraaid, hè? Ik eh... werk aan een paar dingen.'

'Wat voor dingen?'

'Dat is moeilijk uit te leggen.' Hij zweeg even, en ging toen verder. 'Anita, ben jij wel eens bang dat je je tijd verspilt?'

Kinderen en dronkaards spreken de waarheid, zeggen ze, maar een knappe atleet soms dus ook. Natuurlijk was ze bang dat ze haar leven verspilde. Ze maakte zich er de hele tijd zorgen om.

Misschien was het godslastering om het te zeggen, maar ze had het gevoel dat ze door God was voorbestemd om zangeres te worden. Waarom was ze anders geboren met een muzikaal talent? En als ze dat talent en die passie in de kiem liet smoren, was dat dan niet hetzelfde als niet naar God luisteren? Was dat niet veel erger dan haar vader niet gehoorzamen?

'Volgens mij maakt iedereen zich daar wel eens zorgen om,' zei Anita. 'Maar we zijn pas achttien. Je kunt je leven niet verspild hebben als je achttien bent. We hebben onze levens nog helemaal niet geleefd.'

'Maar je moet een keuze maken, toch? Het is net als dat gedicht over de tweesprong in het bos. Je wilt er niet aan het einde achter komen dat je de verkeerde weg bent ingeslagen, want waarschijnlijk kom je nooit meer terug op die plek. Op die plek waar de weg splitst, bedoel ik.'

'Eigenlijk gaat dat gedicht er juist over dat het niet uitmaakt welke weg je kiest.'

Peter keek haar verward aan. 'Weet je dat zeker?'

'Ja. Maar hé, wat weten dichters er nou van? Als die het echt wisten zouden ze niet altijd op zolderkamertjes in Parijs doodgaan aan syfilis.'

'Oké...'

Er zat bijna niemand in Jamba Juice en Anita's aandacht ging meteen naar het meisje dat achter de toonbank smoothies stond te maken. Ze liep soepel heen en weer tussen de bakken met bevroren fruit en de professionele blenders, en leek te dansen op een ander ritme dan dat van de topveertig-troep die uit de boxen aan het plafond schalde. Ze was zwart, iets te dik, maar met een soort relaxte arrogantie die je volgens Anita nooit bij te dikke blanke meisjes zag. Uit de zak van haar spijkerbroek kwamen de snoertjes van haar oortjes, die weer tussen haar dreadlocks verdwenen.

'Waar luister je naar?' vroeg Anita.

Het meisje trok een van de snoertjes los. 'Wat zei je?'

'Waar luister je naar?'

'Naar mezelf,' zei ze met een grote lach op haar gezicht. 'Hoezo? Heb je iets met muziek?'

'Iedereen heeft wat met muziek, toch?'

Het meisje wees naar een tafeltje bij de deur. 'Neem als je weggaat een flyer mee. Ik speel volgende week met mijn band in de Tractor Tavern. Jij en je vriend moeten ook komen; ik ben de beste uitvinding sinds gesneden brood.'

'Hij is mijn vriend niet,' zei Anita, maar het meisje had haar oortjes alweer ingedaan. 'Niet te geloven, hè?' zei ze tegen Peter, maar hij staarde intens naar het sapmeisje, met een rimpel in zijn voorhoofd en zijn ogen toegeknepen alsof hij haar ergens van verdacht. Het duurde een seconde voordat Anita doorhad dat hij aan het nádenken was. Hij was zo'n jongen die een speciale uitdrukking had voor nadenken.

'Wat is er?' vroeg ze.

Hij kwam dichter bij haar staan en praatte zacht. 'Ik dacht altijd dat zo'n flutbaantje het ergste zou zijn wat me kon overkomen, maar ik heb het gevoel dat dit meisje veel beter weet waar ze mee bezig is dan ik. Ik bedoel, kun jij je de laatste keer herinneren dat je je zó goed voelde?'

Het was waar, het meisje maakte een ongelooflijk blije en zelfverzekerde indruk. Anita wist dat Peters vraag een retorische vraag was geweest, maar op dat moment kwam het allemaal terug: de laatste keer dat zij zich zo goed had gevoeld had ze ironisch genoeg voor een open doodskist gestaan. Het was op de begrafenis van haar tante geweest, en ze hadden Anita gevraagd om tijdens de dienst 'Abide with Me' te zingen – het enige optreden dat haar ouders niet konden afzeggen omdat ze onmogelijk een smoes konden verzinnen. Na afloop had oom Bobby tegen haar gezegd dat ze eens moest nadenken over een zangopleiding.

Anita had gelachen. 'Ik denk niet dat mijn ouders dat leuk zouden vinden.'

'Maar jij wel, toch?'

'Misschien wel.'

'Doe het dan. Je kunt je eigen beslissingen nemen, Anita.'

Maar dat kon hij makkelijk zeggen. Hij was niet het grootste investeringsproject van Benjamin Graves. En investeringsprojecten werden niet geacht om hun eigen beslissingen te nemen; ze werden geacht te 'groeien'.

Anita keek naar het sapmeisje – het beste sinds de uitvinding van gesneden brood – dat tegen de zijkant van de blender tikte en de papieren beker tot aan de rand vulde. En ondertussen maakte haar hoofd soepel een achtvorm op de beat van de muziek. De beat van háár muziek.

PETER

'Waar gaan we nou naartoe?' vroeg Misery.

Peter zette een FBI-stem op. '*Classified information, miss.*'

Vanaf de passagiersstoel keek Stacy net lang genoeg van haar telefoon op om te zeggen: 'Ik hou niet van geheimen.'

'Heb vertrouwen,' zei Cartier. 'Mijn maat zou ons nooit de verkeerde kant op sturen.'

Peter wist bijna zeker dat niemand van hen was gekomen als hij hun had verteld waar ze naartoe gingen. Hij had alleen een paar vage hints over eten gegeven: tegen Cartier had hij het over gegrilde kippenvleugeltjes gehad, voor Stacy had hij het toverwoord 'macrobiotisch' gebruikt. Alleen Misery was niet zo makkelijk te verleiden (hij wist niet of ze sowieso wel eens iets at, tenzij je het inhaleren van een pakje Camel Light meetelde), dus had hij de hulp van zijn ouders moeten inschakelen en na hun strenge blik had ze ermee ingestemd.

Hun bestemming was Belltown, waar de beste restaurants van de stad zaten. Het was een van de gekke tegenstrijdigheden van Seattle: de leukste en de slechtste buurten bevonden zich in hetzelfde deel van de stad, als parallelle dimensies. Peter parkeerde voor de deur van een trendy café dat zo fel verlicht was dat het wel een stadion leek, en leidde zijn drie onwetende passagiers langs het elektronische gekrijs dat uit The Crocodile kwam. Ze bleven voor een restaurant staan dat er nogal apart uitzag. Het heette Friendly Forks. Binnen liepen obers gehaast heen en weer om tafels klaar te maken en kaarsjes aan te steken.

'Wacht even,' zei Misery. 'Is dit niet dat restaurant waar je eten wordt klaargemaakt door drugsverslaafden en criminelen?'

'Nou, ze accepteren ook niet-criminele vrijwilligers, maar ja, inderdaad.'

Zijn zusje lachte. 'Wicked.'

'Weet je zeker dat het veilig is?' vroeg Stacy. 'Straks stoppen ze scheermesjes in je lasagne of zoiets.'

'We zijn hier niet om te eten,' zei Peter.

Binnen, vlak bij de deur, stond een adembenemend mooi meisje met een honingkleurige huid en een geschoren hoofd over het enorme boek met reserveringen gebogen.

'Vrijwilligers?' vroeg ze.

Peter knikte. 'Ik ben Peter Roeslin. Dit is Samantha Roeslin, Cart...'

Peters zus onderbrak hem. 'Iedereen noemt me Misery.'

Het meisje bekeek Misery van top tot teen, van haar smaragdgroene haar dat in plukken onder haar zwarte wollen muts uitstak tot haar zelf gepimpte sneakers. 'Welkom Misery. Ik ben Keira. Lopen jullie maar mee.'

Stacy trok aan Peters mouw. 'Wat gaat er gebeuren?' Hij glimlachte alleen maar alsof hij het ook niet wist, en haalde zijn schouders op.

Keira liep door het restaurant naar achteren en bracht hen naar de keuken waar het al minstens vijfhonderd graden was en waar iedereen zo hard werkte dat ze in de verste verte niet geïnteresseerd waren in een stelletje middelbareschoolleerlingen. Uit de radio klonk iets Spaansachtigs met tokkelende gitaren, snerpende trompetten en zuivere koortjes. Keira tikte op de schouder van een beer van een vent die zich omdraaide alsof hij tegen een zware draaideur duwde. De meeste mensen bestonden uit ovalen en cirkels, maar hij leek uit blokken te zijn opgebouwd: een blokhoofd op een bloklichaam. Hij had een sikje en lange bakkebaarden en er klommen fijne groene getatoeëerde klimoptakken vanaf zijn witte kraag tot halverwege de rimpels in zijn nek. Hij had een groot, glimmend mes vast dat door zijn grote, rechthoekige hand klein leek.

'Jongens, dit is Felipe, onze chef-kok,' zei Keira. 'Felipe, dit zijn je kids van vanavond. Veel plezier.'

Cartier keek Keira na en zonder het zelf in de gaten te hebben floot hij zacht tussen zijn tanden door. Toen hij zich weer omdraaide keek hij recht in het strakke gezicht van de chef-kok.

'Sta je mijn vriendin te checken, *ese*?'

Opeens was iedereen in de keuken stil. In al die jaren dat Peter Cartier kende, had hij nog nooit gezien dat zijn vriend fysiek van iemand onder de indruk was. Maar terwijl hij naar de reusachtige chef-kok staarde, die met een mes zwaaide en die meer tattoos had dan een gangsterrapper, leek Cartier steeds kleiner te worden.

'Het spijt me, man. Ik wist niet dat ze...'

Plotseling stootte Felipe een lach uit die bijna net zo groot was als zijn lijf, en de andere mensen in de keuken lachten met hem mee.

'Ik hou je maar voor de gek, man. Ha! Je had je gezicht moeten zien. Wauw!'

Een van Cartiers beste eigenschappen was dat hij om zichzelf kon lachen, en toen hij het mes aanpakte dat Felipe hem gaf – met het handvat naar hem toe – was zijn lach oprecht.

'Dus dat betekent dat ze jouw vriendin níét is?'

'Ze is als een zusje voor me, wat dus voor jou nog steeds een no-go betekent.' Felipe bracht hen naar een lage counter van witte kunststof die onder de butsen, vlekken en tomatenpitjes zat. 'Jullie zullen vanavond de benen uit je lijf rennen, van de ene afdeling naar de andere, afhankelijk van wat we nodig hebben. Het grootste deel van het werk dat jullie gaan doen is niet voor het restaurant maar voor de cateringklus van morgen. Jullie gaan beginnen met de groenten. Wassen, drogen, schillen en hakken. Het komt erop neer dat jullie alles doen wat ik of iemand anders uit de keuken zegt.' Hij gaf een zwart haarnetje aan Stacy, die het aanpakte alsof het een dode spin was.

'Moet ik dit op?'

'Hygiënevoorschriften,' zei Felipe.

'Alleen ik?'

'Je vrienden hebben al iets op hun hoofd. En nu we het er toch over hebben: als je je haar, je gezicht, je reet of wat dan ook aanraakt, iets anders dan een mes of eten, dan was je verdomme je handen. Jullie gaan constant je handen wassen en daar beginnen jullie nu mee. En gebruik zeep, oké?'

Felipe slenterde naar het grote fornuis.

'Ik mag hem wel,' zei Cartier.

'Ongelooflijk,' fluisterde Stacy terwijl ze haar haar in een knot draaide en het netje eroverheen trok. 'Dit ding is waarschijnlijk nog nooit gewassen.'

'Zo chic als een tokkie,' zei Misery.

'Bek dicht.'

'Mocht je willen.'

Bijna een uur lang wasten en sneden ze groenten, totdat Felipe hen opsplitste. Peter en Misery kregen een half dozijn ingrediënten en een makkelijk recept voor een dressing en Cartier en Stacy leerden hoe ze rekeningen konden uitdraaien en met creditcards moesten omgaan. De deuren gingen om half zeven open en zodra de eerste klanten hun bestelling hadden gedaan, veranderde de keuken in een gekkenhuis. Er was steeds wel iemand die iets tegen Peter schreeuwde – meestal gewoon dat hij uit de weg moest gaan. De radio was iets zachter gezet maar de ophitsende klanken van de mariachimuziek knalden nog altijd door de ruimte. Stacy sneed in haar vinger terwijl ze een tomaat probeerde te ontvellen en keek alsof ze ging flauwvallen. Daarna werd ze verplaatst naar de afwasploeg. Rond acht uur was er een kleine pauze (net lang genoeg voor Stacy om Peter mee naar het steegje achter het restaurant te nemen en hem met een veelbetekenende blik te zeggen dat ze hier later een 'serieus gesprek' over zouden hebben), en daarna begon alles weer. Peter was bezig om met een vijzel en een stamper peperkorrels te pletten toen de muziek onderbroken werd voor een extra nieuwsuitzending in het Spaans. Felipe stond het dichtst bij de radio en hij was degene die schreeuwde dat iedereen stil moest zijn.

Boven het gesis en gespat uit was de stem van de nieuwslezer nauwelijks hoorbaar. Hij sprak zo snel dat Peter niet snapte hoe iemand hem kon begrijpen, zelfs als Spaans je moedertaal was. Uit het geratel kon hij maar een paar woorden opmaken: *presidente*, Ardor, *emergencia*.

'Wat zegt hij?' vroeg Stacy, maar het enige antwoord dat ze kreeg was 'Sst!'

Het fragment was voorbij en werd opgevolgd door een reclameboodschap. Iedereen keek bloedserieus.

Felipe zette de radio uit. 'Aan het werk,' zei hij. 'We hebben nog altijd klanten.'

Tegen de tijd dat de laatste gasten om de rekening vroegen, waren de vier vrijwilligers doorweekt van het zweet en de kookdampen en deed hun lichaam overal pijn. Ze gaven Felipe een hand ('Kom snel nog een keer,' zei hij, maar uit zijn toon kon je opmaken dat hij niet verwachtte dat hij een van hen nog eens zou terugzien) en, nadat Cartier keihard door Keira was afgewezen ('Ik heb een vriend die vier jaar ouder is dan jij, grapjas'), strompelden ze terug naar Peters auto.

'Zet de radio aan,' zei Stacy. Peter ging langs de zenders tot hij de vertrouwde kalmte hoorde van de publieke omroep.

'...er zijn tal van voorbeelden waarbij de president het Amerikaanse volk heeft toegesproken om te voorkomen dat er paniek zou uitbreken. Er zijn hier zo veel actiefilms over gemaakt dat het hele idee van zoiets als Ardor heel beangstigend is voor een leek. Iedere astronoom zal je echter vertellen dat de kans dat je binnen dertig seconden getroffen wordt door de bliksem groter is dan dat een asteroïde in botsing komt met de aarde. Het feit dat er een persconferentie wordt georganiseerd betekent niet dat men zich zorgen hoeft te maken.'

'Dank u, meneer Fisher.'

'Graag gedaan.'

'We spraken met Mark Fisher, ooit directeur van FEMA, nu professor aan de Universiteit van Georgetown. Of er sprake is van een noodsituatie weten we waarschijnlijk pas als de president zijn toespraak houdt. Onze verslaggevers zijn daarbij. Luister dus morgenavond naar NPR.'

'Jezus,' zei Stacy. 'Denken jullie dat er iets gaat gebeuren?'

'Nee joh,' zei Cartier. 'Dat zou belachelijk zijn. De ruimte is zo gigantisch. Hoe groot is de kans dat je een vliegtuig raakt als je een muntje in de lucht gooit? Volgens mij is de kans in dit geval nog kleiner.'

'Misschien is dit onze straf omdat we onze planeet al jaren zelf aan het vernietigen zijn,' zei Misery.

'Tss... word je zelf nooit moe van je eigen zwartgalligheid?' zei Stacy.

'Valt mee. Word jij nooit moe van je eigen domheid?'

'Misery!' zei Peter.

'Wat nou? Zij begon.'

Peter en Stacy hadden al ruim drie jaar iets met elkaar, maar de haat tussen zijn vriendin en zijn zusje was nooit zo heftig geweest als nu. En hoewel hij Misery niet echt de schuld gaf, kon je niet ontkennen dat Stacy min of meer dezelfde persoon was als aan het begin van hun relatie, terwijl Misery totaal veranderd was. Sinds het moment dat ze verliefd werd op Bobo, aan het begin van de derde, was het bergafwaarts met haar gegaan: alcohol drinken, sigaretten roken (en wie weet wat nog meer) en het leek wel of ze nooit meer huiswerk had. Peter en zij praatten zelden nog als vrienden met elkaar want het eindigde er altijd mee dat hij als een soort derde ouder klonk of als een voice-over van een antidrugsspotje.

'Nou, dat was een rare avond,' zei Cartier toen Peter hem afzette. 'Maar die Keira, die maakte veel goed.'

'Volgende keer lukt het.'

'Zeker weten, *brother*. Ik zie je morgen.'

Peter wilde het liefst met Cartier meegaan om een film te kijken en misschien een paar biertjes te drinken, maar er stond hem nog een pittig gesprek te wachten. Stacy was in elk geval zo aardig om te wachten tot ze met z'n tweeën voor haar voordeur stonden. Maar toen begon ze te schreeuwen.

'Waar sloeg dat in godsnaam op?'

'Hoe bedoel je?'

'Mij meenemen naar zo'n... plek!'

'Ik weet het niet. Gewoon, weer eens iets anders, dacht ik.'

'We gaan studeren, Peter. Wij hoeven niet van dat rotwerk te doen!'

'Ik dacht dat je het leuk zou vinden.'

'Leuk? Dacht je dat? Nou, ik vond het niet leuk. Ik vond het verschrikkelijk!' Stacy's hele gezicht stond gespannen en serieus en haar ogen gloeiden. Ze was op haar mooist als ze kwaad was, en dat wilde wat zeggen, want ze was normaal al zo ontzettend mooi. Peter had het niet kunnen geloven, de eerste keer dat ze met elkaar gingen, de eerste keer dat ze elkaar hadden aangeraakt, de eerste keer dat hij haar naakt had gezien. Waaraan had hij zoiets moois te danken? Maar zijn dankbaarheid was in de jaren erna langzaam naar de achtergrond geraakt en in plaats daarvan was er een soort constante ergernis gekomen. Dat was de reden dat hij Eliza vorig jaar in de fotostudio had gezoend. Omdat hij toen heel even niet dat mooie meisje wilde dat iedereen altijd leuk vond. Hij had naar iets anders verlangd. Iets wat eerlijker voelde of dieper ging. Of misschien gewoon naar iets méér.

'Waarom?' vroeg hij, en het uitspreken van dat ene woord voelde als iets enorms, alsof hij met zijn blote vuist een raam kapotsloeg.

'Waarom wát?'

'Waarom vond je het zo verschrikkelijk? Ik bedoel: we hebben vanavond iets goeds gedaan, dus daar zou je je goed over moeten voelen.'

'Ik ga hier niet eens op in, zó'n klootzak vind ik je.' Ze liep kwaad weg en smeet de deur achter zich dicht.

Peter liep langzaam terug naar de auto.

'Die keek kwaad,' zei Misery.

'Dat was ze ook.'

'Ja... Zij zou het nog leuker hebben gevonden als we puppy's waren gaan martelen of zoiets.'

Peter was te moe om zijn vriendin te verdedigen. 'Vond jij het dan tenminste leuk?'

Misery ging onderuit zitten en trok haar zwarte muts tot over haar ogen. 'Jawel. Maar alleen omdat ex-gevangenen übercool zijn.'

Peter lachte. En er kwam een onwelkome, oneerlijke gedachte in hem op: Eliza zou het vanavond niet verschrikkelijk hebben gevonden. Hij zag zichzelf naast haar bij de groenten staan, terwijl ze zwijgend bieten stonden te snijden, en daarna zouden ze naar een buitenlandse film gaan of zoiets. Ze zouden op de achterste rij van een bioscoopzaal zitten, hun vingers in elkaar gestrengeld en dan zou hij naar haar toe buigen en haar gezicht naar dat van hem draaien...

Peter wist dat het bijna hetzelfde was als vreemdgaan als hij zo aan Eliza dacht, maar hij kon er niks aan doen. Ergens boven zijn bewustzijn dwarrelden de fantasieën als dode bladeren naar beneden, en het gebeurde steeds vaker. Het maakte niet uit hoe vaak hij ze wegveegde, ze kwamen altijd weer terug.

Die nacht, toen hij een paar uur voordat het licht zou worden klaarwakker in zijn bed lag en Ardor precies in het midden van zijn slaapkamerraam fonkelde als het oog van een slapeloze demon, liet hij zijn gedachten eindelijk de vrije loop en stelde hij zich voor dat Eliza tussen zijn lakens glipte en hem zoende zoals ze die eerste keer had gedaan. Die fantasie bracht hem terug naar zijn dromen.

Het zou de laatste goede nachtrust zijn in een lange tijd.

ANDY

Ze hadden afgesproken om bij Andy thuis naar de toespraak te kijken. Hij had zijn eigen appartement – a.k.a. de Schoonmoeder – wat volgens iedereen de vetste plek van heel Seattle en omstreken was. Waar het op neerkwam was dat Andy's ouders uit elkaar waren gegaan, en dat zijn moeder daarna met een of andere vent was getrouwd die Phil heette. Phil had voor Microsoft gewerkt en was binnengelopen. Hij had nog een paar andere kinderen uit een eerder huwelijk maar die waren al afgestudeerd en verdienden zelf al bakken met geld, en dus vond Phil dat hij wel zo'n beetje klaar was met vadertje spelen (die conclusie had Andy's echte vader trouwens meteen na de scheiding voor zichzelf ook getrokken). Ondertussen wilde Andy's moeder gewoon een beetje genieten en ongestoord Phils geld uitgeven. Hun woning, een groot oud houten huis uit de jaren zestig, had een appartement dat afgescheiden was van de rest en dat Andy's moeder het 'schoonmoederappartement' noemde (nu simpelweg afgekort tot 'de Schoonmoeder'). Het was een ruimte met een tussenverdieping en boven was een keuken, een slaapkamer en een badkamer. De benedenverdieping was ingericht voor passief entertainment: een bank, een paar zitzakken en een televisie met een PS4.

Toen Andy thuiskwam was de rest er al; Bobo had een sleutel, kwam en ging wanneer hij wilde en behoorde min of meer tot het meubilair. Kevin en Jess zaten op de zitzakken en gaven een pijp aan elkaar door.

'Yo, Andy,' zei Jess. 'Wil je drinken of roken?' Hij had een baseballcap achterstevoren op zijn hoofd en droeg een basketbalshirt, en in zijn ene hand had hij een pijp en in zijn andere een blikje Monster waar waarschijnlijk drank aan toe was gevoegd. Jess was biologisch gezien een meisje, maar hij had een jaar geleden besloten zich als jongen te kleden en tegen iedereen gezegd dat hij vanaf dat moment een 'hij' was. Na de middelbare school wilde hij gaan werken en geld sparen voor een geslachtsveranderende operatie. Nu slikte hij om de paar dagen een soort testosteronsupplement en op zijn kin waren een paar dikke zwarte haren verschenen. Andy vond het best. Ieder zijn/haar ding.

'Misschien straks,' zei Andy.

'Hé, Andy.' Misery lag als een kat languit op de bank. Onder de rand van haar shirt was een smalle strook witte huid zichtbaar. Ze had haar haren een paar dagen geleden oranje geverfd en zag er nu uit als een Solero.

'Hé, Misery. Waar hangt Bobo uit?'

'In de keuken.'

Andy klom de halve trap op. Bobo stond voor het fornuis en las de aanwijzingen achter op een pak macaroni met kaas.

'Hé man. Ga je koken?'

'Ik word hier echt helemaal ziek van,' zei Bobo terwijl hij het pak omhooghield. 'Laten we wat bestellen.'

'Ik ben blut.'

'Vraag het aan Kevin.'

'Gast, doe jij het maar. Ik voel me shit als ik het hem moet vragen.'

'Jij drinkt net zo goed zijn bier als ik.'

'Dat weet ik, maar...'

Zonder waarschuwing gooide Bobo het pak macaroni naar Andy's hoofd. Het raakte de muur, explodeerde en de ongekookte elleboogjes kwamen als granaatscherven in Andy's nek terecht.

'Ik zei: vraag het aan Kevin,' herhaalde Bobo.

Andy kreunde. 'Oké. Maar die macaroni ga ik niet opruimen.'

'Yo, alsof ik daar zin in heb.'

Terwijl Andy wegliep knarste de pasta onder zijn schoenen.

'Hé,' riep hij toen hij beneden was alsof hij het tegen iedereen had. 'De kastjes zijn leeg boven. Misschien kunnen we pizza of zo bestellen. Wie heeft er zin om te bellen?'

Kevin, die net een enorme hijs van de pijp had genomen, stak zijn hand op. Zijn ouders waren stinkend rijk en strooiden, in tegenstelling tot Andy's stiefvader, met geld. Ze hadden een autozaak in het zuiden van Seattle en bijna de helft van alle auto's die in de stad rondreden hadden hun achternaam, Hellings, op de kentekenplaathouder staan. Met andere woorden: Kevin zat gebakken. Bobo zei dat ze nog jaren van hem konden bietsen als ze het spel slim speelden. Andy voelde zich er niet altijd lekker bij, maar aan de andere kant: vriendschap betekende toch altijd een soort transactie? Kevin hing bij hen rond en in ruil daarvoor zorgde hij voor games, hamburgers en wiet.

Kevin ademde eindelijk uit. 'O, man, deze shit is goed,' zei hij. Hij was zo iemand die heel onduidelijk en vaag werd als hij stoned was en het gesprek met de pizzeria duurde eindeloos: 'Willen we pepperoni? O, man, ik weet het echt niet. Wacht even. Jongens, willen we pepperoni? Nee, we willen geen pepperoni, alhoewel ik geen flauw idee heb waarom niet, want pepperoni is heerlijk. Wacht, ik ga het nog een keer vragen. Jongens, willen we echt geen pepperoni? Nee? Man, dat is waanzinnig stom.'

Andy ging helemaal aan de rand van de bank zitten zodat hij Misery niet per ongeluk aan zou raken, maar zij schoof naar hem toe en pakte zijn arm vast.

'Probeer je me te versieren?'

'Ik knijp 'm best wel,' zei ze.

Op de televisie was een leeg podium te zien met daarachter

het blauwe wapen van de president van de Verenigde Staten van Amerika. Ongeduldige fotografen lieten hun camera's flitsen.

'Bobo,' riep Andy, 'het begint bijna!'

'Ik kom!'

Zodra Bobo ging zitten, leunde Misery naar de andere kant en Andy's arm bleef eenzaam achter.

'Wat denk je dat hij gaat zeggen?' vroeg ze.

'Hetzelfde als altijd,' zei Bobo. 'Niks aan de hand. Gewoon verdergaan. Ik snap niet eens waarom jullie zo nodig moeten kijken. Op Netflix staat die film over die mensen die in een stoeltjeslift vastzitten en doodgaan. Totaal ziek.'

'Dit is historisch,' zei Kevin. 'Wil je niet weten wat er gaat gebeuren?'

'Jawel hoor, maar over twintig minuten staat het op YouTube en dan kunnen we de saaie stukken overslaan.'

Een of andere hipsterachtige vent met een bril kwam het podium op lopen om alleen maar te zeggen: 'Dames en heren, de president van de Verenigde Staten van Amerika.' Toen stapte hij opzij en kwam die goeie ouwe Obama het podium op met zijn vrouw en kinderen achter zich aan. Andy was fan van Obama; er waren foto's van hem waarop hij een joint zat te roken en hij wilde arme mensen en immigranten en zo helpen. Bovendien zag hij er altijd relaxed uit, zelfs als hij kwaad was. Zijn boosheid was de boosheid van iemand die vooral boos was omdat hij boos moest zijn. Ik ga liever lekker basketballen en relaxen, leek hij altijd te willen zeggen, maar ik heb een stelletje zenuwachtige eikels in mijn nek hijgen dus moet ik wel serieus kijken en de president uithangen.

'Er is iets geks met hem aan de hand,' zei Jess.

Het was waar. De president had niet dezelfde coole ik-heb-het-allemaal-al-geregeld-uitstraling als anders en zijn gezicht verraadde eigenlijk alles: geen glimlach. Geen glimlach voor het publiek. Geen glimlach voor de camera. Niet eens een glimlach voor zijn gezin.

'*My fellow Americans,*' zei hij. 'Ik sta hier vandaag voor u, nederig en hoopvol. De afgelopen dagen is er door veel verschillende mensen veel gezegd, en ik ben hier vandaag om duidelijk te maken wat geruchten en wat feiten zijn. Zoals de meesten van u weten, is er een paar dagen geleden een asteroïde in de ruimte gesignaleerd die de naam Ardor heeft gekregen. Het waren onze eigen astronomen van het Mount Wilson Observatorium in Californië die de asteroïde voor het eerst hebben waargenomen, maar sindsdien is het onderzoek naar Ardor wereldwijd opgepikt. Beste mensen, het is niet makkelijk om u te moeten vertellen dat volgens de laatste berekeningen van wetenschappers over de hele wereld de asteroïde min of meer afkoerst op de baan die onze aarde aflegt.'

Er barstte geschreeuw los in de conferentiezaal en Obama wachtte geduldig tot het geluid wegstierf. 'Tijdens mijn beëdiging als uw president heb ik gezworen dat ik zo transparant mogelijk zou zijn, maar met dit soort afstanden en snelheden is het onmogelijk om iets met zekerheid vast te stellen. De waarheid is dat we voorlopig niet veel meer zullen weten en misschien weten we pas iets zeker op het moment dat Ardor vlakbij is, en dat – zo is me verteld – zal over zeven à acht weken vanaf vandaag het geval zijn.'

De vrouw van de president, die als een standbeeld achter hem stond, huilde. Andy keek om zich heen in zijn kleine appartement en alles leek in één klap te zijn veranderd. Wie waren die vreemde mensen? Waren zij echt de beste vrienden die hij ooit zou hebben? Misery trilde en staarde met grote, vochtige ogen voor zich uit.

'Holy shit,' zei Kevin. 'Holy shit.'

De president ging verder. 'Over de gevolgen van een eventuele botsing moet ik helder zijn en ik kan het niet mooier maken dan het is. De asteroïde heeft op zijn breedste punt een doorsnede van achthonderd kilometer. Komt Ardor in aanvaring met de aarde dan zal de impact groter zijn dan de kracht van honderdduizend atoombommen. Maar deze botsing is verre van zeker en twee maanden is te lang om onze adem in te houden en ervan uit te gaan dat onze levens er niet meer toe doen. Tot dit gevaar voorbij is, en ik weet dat het voorbij zal gaan, zullen we bang zijn, maar we mogen niet toestaan dat ons land, onze levens, onze dagen geregeerd worden door angst. Het enige wat we nu kunnen doen – de enige Amerikaanse manier om hiermee om te gaan – is doorgaan met onze levens, in de nabijheid van onze dierbaren, en erop vertrouwen dat God ons zal beschermen. Dank u, en God zegene Amerika.'

Een indrukwekkend stroboscoopeffect van flitsers barstte los terwijl Obama het podium verliet. Andy merkte nu pas dat Misery zijn hand zo stevig vasthield dat zijn vingertoppen wit waren geworden. Dit was echt. Dit kon echt gebeuren.

'Wat zijn onze overlevingskansen?' riep een journalist, maar er was niemand meer op het podium om zijn vraag te beantwoorden. Ondertussen had Kevin zijn MacBook tevoorschijn gehaald en was hij druk op zoek op het web.

'Wat zeggen ze op internet?' vroeg Misery.

Kevin gaf geen antwoord. Hij klikte en typte en scrolde en opende tientallen vensters in zijn browser. Hoe kon het toch, vroeg Andy zich af, dat computerschermen altijd hetzelfde witblauwe licht gaven, welke kleur je ook op je scherm had? Het was precies dezelfde kleur als die van Ardor. De glazen van Kevins bril reflecteerden twee vierkanten vol kleine letters.

'Wat zeggen ze?' vroeg Misery opnieuw, en haar stem klonk opeens zo wanhopig dat de rillingen over Andy's rug liepen. 'Fuck, Kevin, wat zeggen ze?'

'Ik hoopte dat ik iets anders kon vinden,' zei hij terwijl hij van het scherm opkeek. 'Ze hebben het over twee derde.'

'Twee derde? Zesenzestig procent dus?'

'Ja.'

'Dus twee derde kans dat we het overleven en een derde dat we allemaal doodgaan?'

Kevin twijfelde, keek weer naar zijn scherm en schudde langzaam zijn hoofd. 'Andersom,' zei hij.

Misery stond op, draaide zich op haar plek om als een dier in het nauw dat een vluchtweg zoekt, en zakte toen op haar knieën ineen op de grond. Niemand ging naar haar toe om haar te troosten.

'Vind je het erg?' vroeg Bobo.

'Vind ik wat erg?'

'Je weet wel, dat je als maagd zal sterven.' Hij lachte.

Alle anderen waren een uur geleden al weggegaan. Niet lang daarna was Andy's moeder naar de Schoonmoeder gekomen, wat ze bijna nooit deed. Ze had gezegd dat zij en Phil de volgende ochtend vroeg naar Phils buitenhuis zouden gaan, in het oosten van Washington, waar ze zouden wachten tot 'al dit hysterische gedoe' voorbij zou zijn. Andy had tegen haar gezegd dat hij nog liever van de Space Needle zou springen dan zijn laatste dagen op aarde met haar en Phil in de middle of nowhere doorbrengen. Zij had hem een ondankbaar stuk vreten genoemd en de deur met een klap achter zich dichtgeslagen.

'Het was leuk om je gekend te hebben!' had Andy haar nageroepen.

Bobo en hij hadden het licht uitgedaan, maar ze waren alle twee veel te opgefokt om te kunnen slapen, dus deden ze een zak popcorn in de magnetron en gameden een paar uur achter elkaar zonder veel te zeggen.

'Raak,' zei Bobo zacht, terwijl hij weer een punt haalde door iemand te vermoorden. Hij gaf Andy virtueel op zijn donder.

'Hoe kan je je hier nou op concentreren?' vroeg Andy.

'Wat bedoel je?'

'Ik bedoel: ik zit hier een beetje in mijn broek te schijten. Hoe kan het dat jij dat niet hebt?'

'Weet ik veel. Ik denk dat ik het idee om dood te gaan gewoon niet zo eng vind.'

Op dat moment kreeg Bobo's avatar een plasmabal in zijn gezicht, alsof de PS4 hem kon horen. De helft van het scherm werd zwart. Bobo gooide de controller op de grond en liet zich achterover op de bank zakken.

'Wil je geen *respawn*?'

'Nee, man. Het lijkt helemaal nergens op wat je vanavond doet. Er is geen reet aan.'

Andy speelde nog een tijdje in zijn eentje door, totdat hij zag dat Bobo de mouwen van zijn hoodie had opgestroopt. Vanaf zijn polsen liepen twee dunne roze lijnen die bij zijn ellebogen onder de opgerolde zwarte stof verdwenen. Andy voelde vanbinnen iets verkrampen. Hij keek de andere kant op.

'Moet je dat nou doen?'

'Relax, joh. Ik ben er trots op.' Hij bewonderde zijn littekens. 'We kunnen het nog een keer proberen. Als die shit echt waar is.'

Andy zweeg.

'Ik neem het je niet kwalijk,' zei Bobo. 'Je was gewoon bang. Ik snap het wel. Het was best heftig.'

'Ik was helemaal niet bang.'

Als ze in dezelfde kamer waren geweest dan was alles anders gegaan. Maar toen ze het pact sloten, spraken ze af om het alleen te doen. De wekker op hun telefoons zouden tegelijkertijd afgaan, alsof het iets uit een James Bond-film was. Andy kon zich nu niet eens meer herinneren waarom hij ermee had ingestemd.

Bobo had het net uitgemaakt met Misery (tijdelijk, zoals later bleek), en zijn vader zat in een of andere kliniek omdat hij aan de drank was, dus hij had genoeg redenen. Maar Andy had niks ergs meegemaakt, niks anders dan de gebruikelijke shit. Het was belachelijk, maar het kwam erop neer dat het gewoon niet oké voelde om nee te zeggen. Zodra hij merkte dat hij het niet kon doen, had hij Bobo op z'n mobiel gebeld, maar er werd niet opgenomen, dus belde hij de politie. Later had een van de ambulancemedewerkers gezegd dat het maar een paar minuten had gescheeld. 'Je bent een held,' had die man gezegd.

Maar Andy wist dat dit niet waar was. Hij had zijn beste vriend in de steek gelaten. Hij was inderdaad bang geworden.

Bobo trok eindelijk zijn mouwen weer naar beneden, alsof hij een gordijn over het verleden liet zakken. 'Ik wou alleen maar zeggen: denk erover na. Je weet maar nooit.'

De klok sprong op half vijf.

'We moeten slapen,' zei Andy. 'School is na drie uur slaap helemaal kut.'

'Ik heb het al gegoogeld. School is morgen afgelast. Ze geven ons een lang weekend. Alsof we naar school zouden zijn gegaan.'

Het was niet eens in Andy opgekomen om niet te gaan. Maar Bobo had gelijk. Het had helemaal geen zin meer om naar Hamilton te gaan. Wat dat betreft had niets meer zin. Het sloeg ook nergens meer op om langs die afzichtelijke winkelcentra van Northgate te rijden om met wat mensen rond te hangen die hem geen reet konden schelen en die ook geen ene fuck om hem gaven. Was er eigenlijk wel iemand, één iemand, die hij zou missen?

'Eliza,' zei Andy, en het woord was als een deuropening die je in het donker bij toeval vond.

'Wat?'

'Eliza Olivi.'

'Wat is er met haar?'

Hoe kon het dat je een game bleef spelen, uur na uur, dag na dag, ook al was het slecht geschreven of was het verhaal saai? Je bleef doorgaan omdat je een opdracht had. Het maakte niet eens uit wat het was: een prinses redden of een buitenaardse wereld veroveren of een koning vermoorden. Andy zag Eliza voor zich zoals ze vroeger was: verlegen en bleek, verstild als een schilderij. Hij wilde haar ook veroveren.

'Ik ga met haar naar bed,' zei Andy.

Bobo lachte. 'Bullshit.'

'Honderd dollar als ik het doe voordat Ardor hier is.'

'Prima. Maak er maar duizend van.'

'Duizend?'

'Het is het eind van de wereld, Andy. Jezus. En we hebben het wel over seks, oké? We hebben het over hardcore geslachtsgemeenschap. *All the way.*'

'All the way?'

'Ja. En geen voortijdige ejaculatie of dat soort shit.'

'Deal.' Ze gaven elkaar een hand – een *gentlemen's agreement.* Natuurlijk was het voorbarig en stom en waarschijnlijk onhaalbaar. Maar je moest iets hebben om 's ochtends je bed voor uit te komen. Iets waar je op kon hopen. En Eliza zou voor Andy dat iets zijn.

Met een verpletterende meerderheid, in een verkiezing zonder concurrentie, was ze zojuist verkozen tot zijn levensdoel.

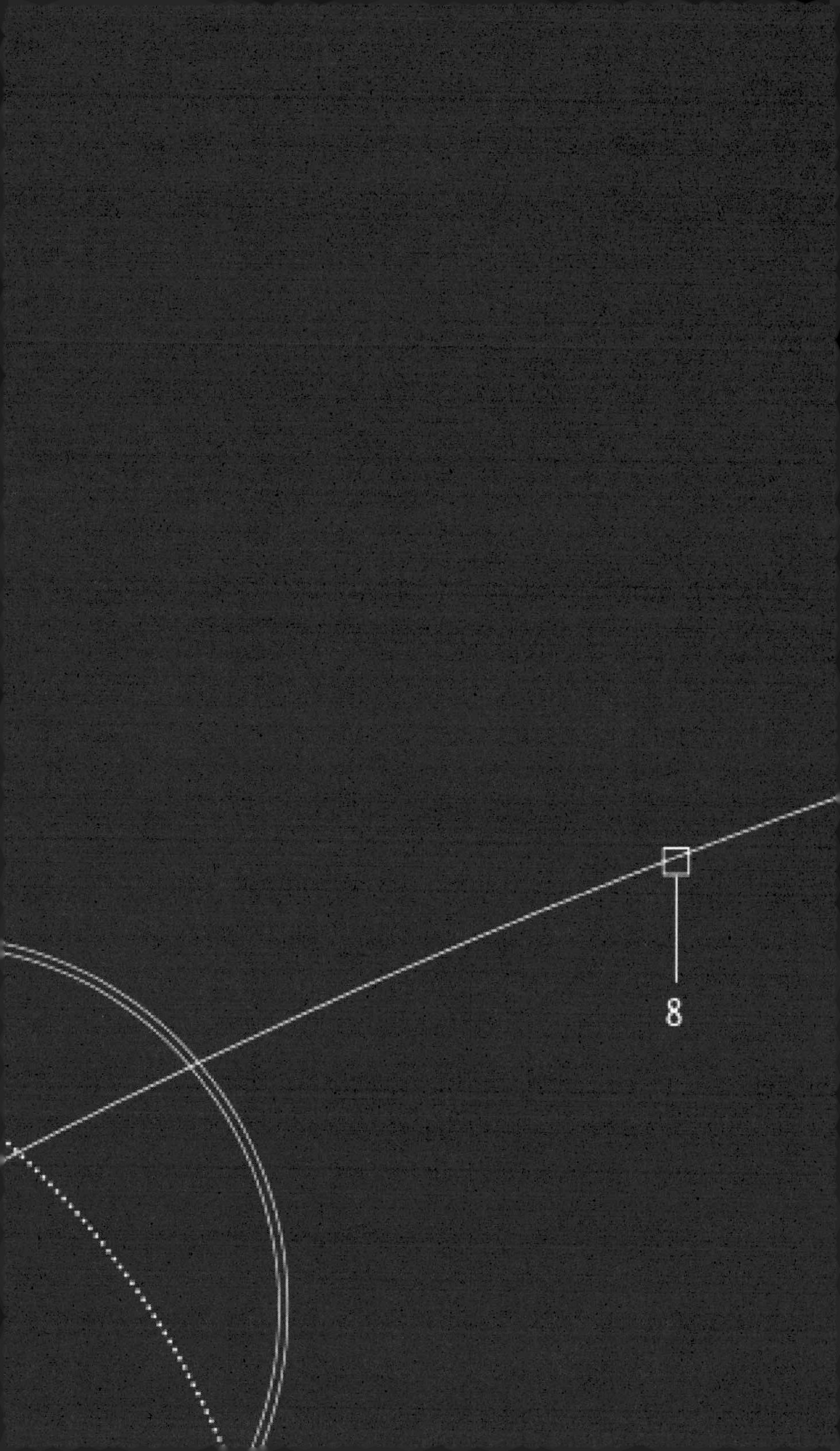
8

PETER

Toen het was afgelopen bleef Peter op de bank zitten terwijl zijn moeder hem vasthield. Zijn vader zapte langs alle zenders op zoek naar iemand die de toespraak van de president in elk geval deels zou tegenspreken. Ze huilden alle twee. Zijn moeder als een rivier, aan één stuk door; zijn vader als een slecht gesoldeerde regenpijp – trage druppels langs de randen. Peter hield van zijn ouders, maar op dit moment had hij er alles voor over om weg te kunnen, want zijn eigen gevoelens kregen geen lucht. Hij was nog maar achttien! Er waren zo veel dingen die hij nog niet had gedaan: een wereldreis maken, bungeejumpen, sushi eten. En waar had hij al die tijd op gewacht? Waarom had hij aangenomen dat tijd een soort onuitputtelijke bron was? Nu de zandloper kapot was bleek er geen zand in te hebben gezeten, zoals hij altijd had gedacht, maar een heleboel piepkleine diamantjes.

Peter voelde zijn shirt nat worden door de tranen van zijn moeder. Hij rilde. Zijn ouders zetten uit zuinigheid de thermostaat in huis nooit hoog. Heel even ging er een gekke gedachte door hem heen: dat kon nu, de kans dat ze de rekening ooit moesten betalen was niet groot. En hoeveel spaarrekeningen en trustfondsen zouden er de komende weken worden geplunderd? En hoeveel ingehouden ergernissen zouden er nu eindelijk aan het licht komen? Hoeveel buren zouden eindelijk de keffende chihuahua doodschieten die hen elke nacht uit hun slaap hield? Of, als je erover nadacht: waarom niet gewoon meteen die asociale buren zelf doodschieten die dat rotbeest niet binnen wilden houden? Plotseling was de wereld een heel gevaarlijke plek geworden.

'Ik ga Misery zoeken,' zei hij.

Peters moeder kreunde toen hij zich uit haar armen losmaakte; een lange spookachtige klank.

'Goed idee,' zei zijn vader. 'Maar kom direct weer naar huis, oké?'

'Natuurlijk.'

Misery was vast bij Andy Rowen – in de Schoonmoeder, waar haar groepje altijd uithing. Hij stuurde haar een berichtje dat ze over twintig minuten naar buiten moest komen; om de een of andere reden had hij helemaal geen zin om haar vriend nu te zien. Het nieuws over Ardor leek de wat-maakt-het-allemaal-uit-filosofie, die Bobo en zijn vrienden altijd hadden uitgedragen, te bevestigen. Peter voelde zich een loser omdat hij altijd zijn best had gedaan en bij de strebers had gehoord.

Ze stond al op de stoep op hem te wachten toen hij aankwam; in het licht van een lantaarnpaal. Onmogelijk dun, als een orchidee. Haar pompoenkleurige haren en haar gekke gescheurde kleren waren duidelijk bedoeld als een of ander statement, en Peter voelde zich daar opeens verantwoordelijk voor. Hij had altijd vermoed dat de opstandigheid van zijn zusje een reactie was op hem, omdat hij altijd de beste was en binnen de lijnen bleef. Hij was gewend geraakt aan haar sarcastische houding en de laksheid en die bizarre kledingstijl, maar wat hij nog steeds niet kon begrijpen was waarom een slim, knap meisje zoals zij de hele tijd bij zo'n drugsdealende engerd als Bobo wilde zijn.

'Hé, Misery.'

'Hé.'

In die ongemakkelijke ruimte tussen de twee autostoelen in sloegen ze hun armen om elkaar heen.

'Mama is helemaal hysterisch,' zei hij.

'Dat zal wel.' Zijn zus haalde een pakje Camel en een rode Bic-aansteker uit haar tasje. Peter wilde er iets van zeggen, maar bedacht toen dat longkanker ook een van die duizenden dingen was waar je je geen zorgen meer over hoefde te maken. 'Hé,' zei ze terwijl ze een wolk rook uitblies, 'vind je het erg als we niet meteen naar huis rijden? Ik moet er nu niet aan denken om in dat huis te zijn.'

'Allesbehalve erg.'

Het was een heldere, rustige avond. Na de bekendmaking waren de straten verlaten. Peter had geen bestemming in gedachten gehad toen hij was gaan rijden, maar bij het zien van het bord van Beth's Café – een varken met vleugels boven het oude NESBITT'S ORANGE-zonnescherm – stopte hij langs de kant van de weg en parkeerde.

Er rinkelde een bel toen ze de deur opendeden en de warme lucht en de geur van pancakes en spek kwam hun tegemoet. Beth's was altijd meer Misery's plek geweest dan die van Peter, maar het voelde goed om hier vanavond te zijn. De goedkope vierentwintiguurstent stamde uit de tijd dat de freaks van deze wereld nog niet in elke primetime-film te zien waren en op elke hoek van de straat stonden, toen ze nog echt hun eigen plek nodig hadden waar ze samen konden komen. Langs de L-vormige bar stonden op gelijke afstand van elkaar hoge rode krukken. De serveerster achter de kassa – een griezelige goth met een gezicht waar geen glimlach vanaf kon en dat vooral bestond uit gaten met metaal – begroette Misery, die duidelijk een bekende voor haar was. Niemand in het eetcafé leek erg aangedaan of hysterisch. Kon het zijn dat geen van hen het had gehoord, of waren ze nog in shock?

Peter en zijn zusje gingen in de doorgang tussen de twee ruimtes van het café zitten, precies tegenover de jukebox en de hoek waar de flipperkasten stonden te bliepen. Door de zachte digitale geluiden was de ringtone van Peters telefoon bijna niet te horen. Het was Stacy.

'Neem je niet op?'

Hij had sinds de toespraak nog niet eens aan zijn vriendin gedacht.

'Niet nu.'

'Dus je gaat er eindelijk een punt achter zetten?'

'Wát?' Maar Peter twijfelde iets te lang voordat hij 'Nee!' zei.

Misery lachte. 'Ga je het doen? Echt?'

'Ik zei nee, Misery.'

'Ja, maar je moest er wel over nadenken. Dat betekent dat het een kwestie van tijd is. Begin maar met aftellen.'

Zijn zus was zo oprecht gelukkig bij de gedachte dat hij het uit zou maken met Stacy, dat hij bijna geneigd was om het te doen, voor haar. Maar dat zou even oneerlijk zijn als het uitmaken omdat hij met een meisje wilde zijn dat hij nauwelijks kende.

Misery bestelde een zwarte koffie en hash browns. Peter besloot dat er geen beter moment was om Beth's omelet van twaalf eieren soldaat te maken dan nu. De zanger van het liedje uit de jukebox zong de hele tijd over een bom.

'Nu we het toch over uitmaken hebben,' zei Peter, 'hoe zit het met jou en Bobo?'

'Waarom zou ik het met Bobo uitmaken?'

'Omdat hij tuig is. En hij is te oud voor jou.'

'Twee jaar is niks en bovendien hou ik van hem, ook al is hij tuig.'

Er klonk gerinkel en vier mannen kwamen het café binnen. Het waren typische Beth's-gasten: helemaal in het leer met studs en een walm van verschraalde sigarettenrook om hen heen, en er ging zo'n dreiging van hen uit dat je zou oversteken als je ze in het donker op straat tegenkwam. Toen ze langs hun tafeltje liepen, hield een van hen zijn pas in. Hij kon niet ouder zijn dan dertig, maar hij had de tanige huid van een oude man; drugs, waarschijnlijk. Hij was kleiner dan de anderen: een meter vijfenzestig, maximaal, maar hij had iets waardoor je meteen wist dat hij de leider was. Toen hij met zijn handen op hun tafelblad leunde, zag Peter de tattoos op de knokkels: LIVE op zijn rechterhand, ONCE op zijn linker.

'Misery,' zei hij, 'je ziet er goed uit.'

'Hé, Golden.'

'En wie is hij? Zit je Bobo te bedriegen?'

'Dit is Peter, mijn broer.'

Peter stak zijn hand uit, maar Golden pakte hem niet aan. Zijn ogen waren staalblauw en zijn pupillen waren zo groot, hij móést iets van speed in zijn bloed hebben. Hij raakte de gouden ketting aan die minstens tien keer om zijn nek gedraaid was.

'Hé man, Peter, *my brother*.'

'Hé.'

'Zorg goed voor die kleine, hè?'

'Dat is wat broers doen.'

Peters telefoon ging weer. Golden keek naar het schermpje. Hij glimlachte een mond vol gouden tanden bloot. 'Praat maar snel met je mammie,' zei hij, en liep toen weg.

Het kostte Peter vijf minuten om zijn nog altijd huilende moeder ervan te overtuigen dat Misery en hij na het eten echt naar huis zouden komen. Ondertussen had de serveerster het eten voor hun neus gezet. Ze zuchtte en keek met een argwanende blik naar het hysterische gelach dat uit de speelhal kwam waar Golden en zijn vrienden zich hadden verschanst. Peter nam een hap van zijn omelet en realiseerde zich dat hij helemaal geen honger had. Het was tijd om het over het grote onderwerp te hebben.

'Dus,' zei hij, 'de dood.'

'Yep.'

'Hoe voel je je?'

'Ik weet het niet. Het lijkt zo onwerkelijk. Ik bedoel, wat moeten we nu doen? Wat gaat er gebeuren?'

'Niet veel goeds.'

Er klonk een rauwe schreeuw gevolgd door iets wat in stukken viel. Een halvemaanvormige scherf van een beker zeilde vanuit de speelhal over de vloer en kwam tegen Peters sneaker tot stilstand.

'Dus dat zijn de vrienden van Bobo, hè?'

'Vrienden is een groot woord.'

'Ja, ik snap nu wel waarom je met dat soort bijzondere mensen wilt omgaan.'

'Joh, hou nou maar op.'

Maar dit was te belangrijk en hij wilde het onderwerp niet loslaten, al werd het ruzie, al was het het enige wat hij nog zou bereiken voordat de wereld verging; hij moest zijn zus met beide benen op de grond zien te krijgen.

'Luister, Misery. Ik weet dat je Stacy nooit hebt gemogen en jij weet dat ik Bobo nooit heb gemogen, maar dat betekent niet dat je ze op één lijn kunt zetten.' Hij zag dat haar blik wazig werd. 'Bobo is een crimineel en het is zijn schuld dat je vanavond niet thuis was en dat je cijfers afgelopen jaar zijn gekelderd.'

Misery leunde opzij, tegen het raam naast het bankje. 'Hoor je zelf wel wat je zegt?' vroeg ze. 'Wie maakt zich nou nog druk om cijfers?'

'Ik maak me niet druk om cijfers, maar om iets anders.'

'Om wat dan?'

'Om... je ziel,' zei Peter terwijl hij zich afvroeg waar dat woord opeens vandaan kwam. 'Ik ken jongens zoals Bobo, Misery. Het boeit hen allemaal niets.'

'Ík boei hem. En je kent hem helemaal niet. Je hebt geen idee met wat voor shit hij in zijn leven moet dealen. Daarom doet hij zoals hij doet, en elke keer als ik hem gelukkiger maak, dan voel ik me goed. Hij geeft me een goed gevoel.'

'Misery, je bent toch niet op deze wereld om een of andere klootzak aan het lachen te maken?'

Zodra hij het had gezegd, wist hij dat hij te ver was gegaan. Misery sloeg keihard terug. 'Jij bent degene met een vriendin van wie je niet houdt,' zei ze. 'Ik heb Bobo nooit belazerd.' Ze stond op. 'En niet dat het jou iets aangaat, maar we zijn één keer uit elkaar geweest. En toen heeft hij een zelfmoordpoging gedaan. Dus, weet je, zo zit het dus.'

Zijn zus stormde het café uit terwijl Peter zich naar achteren liet zakken en moest verwerken wat hij net had gehoord. Het maakte wel één ding duidelijk: hij begreep nu hoe Bobo Misery aan zich had kunnen binden. Want wat is er meeslepender dan het idee dat je iemand kunt redden van de dood zelf?

Opnieuw klonk er hard gerinkel uit de speelhal. Een van de leden van Goldens groep kwam grijnzend en tegelijkertijd ineenkrimpend van de pijn naar buiten. Het bloed droop langs zijn hand en een grote glasscherf stak tussen zijn knokkels uit als een haaienvin. 'Mijn bal bleef in die kutmachine hangen,' zei hij, alsof dat alles verklaarde.

Onderweg naar huis weigerde Misery nog een woord met Peter te wisselen, dus keek hij maar om zich heen. Hij telde drie ambulances, twee brandweerwagens en zeven politieauto's. Het was al begonnen...

Toen ze thuiskwamen rende Misery direct naar boven, zonder iets te zeggen tegen hun ouders die in de woonkamer op hen hadden zitten wachten.

'Gaat het goed met haar?' vroeg zijn moeder.

Peter lachte wrang omdat het zo'n belachelijke vraag was, omdat al dat soort vragen de komende twee maanden belachelijk en gevoelloos en absurd zouden zijn.

'Ja, mam,' zei hij. 'Het gaat fantastisch met haar.'

ANDY

Ze renden rond als kippen zonder koppen. Leraren. Leidinggevenden. Conciërges. Het was net een kapotgetrapte mierenhoop van volwassenen die zo gewend waren dat ze overal controle over hadden, dat ze nog niet eens doorhadden dat de tijd van controle voorbij was. Naast Andy zat een groepje leerlingen dat nergens last van leek te hebben. Dat kwam waarschijnlijk doordat kinderen altijd met shit te maken hadden waar ze geen controle over hadden. Aan de andere kant, zelf voelde hij zich ook niet helemaal chill. Na een weekend waarin hij alleen maar stoned was geweest en alles had vermeden wat ook maar op een gedachte dreigde te gaan lijken, liep hij nu tegen een muur van terugslag aan. Vraag: hoe kon je het einde van de wereld tegemoetzien en niet gek worden? Antwoord: dat kon niet. Het enige wat je kon doen om normaal te blijven was zo veel mogelijk afleiding zoeken. Je moest de angst zien te smoren. Andy keek om zich heen of hij Eliza ergens zag: zijn sprookjesprinses. Normaal waren tijdens schoolbijeenkomsten alle stoelen bezet, maar nu bleven er op elke rij wel een paar plekken van spijbelaars vrij. Nogal logisch. Als Andy geen opdracht had gehad was hij ook niet komen opdagen.

Opeens raakte hij even verblind door een felle flits. Toen hij de honderden paarse sterretjes had weggeknipperd zag hij haar; half verborgen achter haar camera, met haar gezicht naar de zaal toe. Nog een flits. Heel even dacht hij dat ze foto's van hém nam, maar toen draaide hij zich om en zag hij haar echte slachtoffers.

Hamilton had voor de bijeenkomst een paar speciale gasten uitgenodigd: twee mensen van Seattle's Security Service, en voor elke toegangsdeur van de aula stond er een.

Dus het was hier ook al aan de gang: Big Brother rukte op.

Het hele weekend had Andy met Bobo door de straten van Seattle geslenterd om een indruk te krijgen van hun nieuwe stad. Hij had een soort onderduikmentaliteit verwacht: de straten spookachtig verlaten, apocalyptisch stil met van die verdroogde bollen onkruid die voorbij rolden en Mad Max die op zijn Harley rondreed. Maar er heerste helemaal geen Thunderdomestemming, het leek eerder of er een muziekfestival aan de gang was. Iedereen was naar buiten gekomen om op straat te spelen: van de verwarde drugsverslaafden tot de yuppen uit de nette wijken. Iedereen deed zijn best om er ondanks de februariregen wat van te maken. Als al die agenten er niet waren geweest, zou je bijna vergeten wat er echt aan de hand was. Ze waren nu echt overal. Waar je ook naartoe ging, je werd de hele tijd in de gaten gehouden door een of andere vetnek met een marinekapsel die je aankeek met een geef-me-één-reden-blik. Op de radio hadden ze het erover dat de politie werkeloze burgers wilde aannemen. ('Natuurlijk krijgen ze geen wapen,' had de politiecommissaris gezegd – dus als de shit uitbrak, had je echt ontzettend veel aan ze.) Kevin, de huishistoricus van Andy's groep, zei dat het altijd op die manier begon: een paar mensen kregen meer macht dan andere – alleen voor de openbare veiligheid, natuurlijk – en voordat je het wist gooiden deze goedwillende burgers met traangas, zetten ze de brandweerslangen aan en reden ze de treinen naar de kampen. Hij kletst uit zijn nek, had Andy gedacht, maar nu hij de smerissen achter in de aula zag staan, wist hij dat niet meer zo zeker.

Meneer Jester, de directeur van Hamilton, verscheen op het podium. Hij zweette als een schuldige moordverdachte die net drie uur verhoord was. Hoe die man directeur van wat dan ook had kunnen worden, was Andy een raadsel. Leiders moesten toch mensen zijn achter wie je aan wilde lopen naar het slagveld als de oorlog uitbrak? Maar als er op Hamilton ooit een veldslag zou plaatsvinden, dan was meneer Jester degene aan wie je zou vragen of hij achter wilde blijven om de barakken te vegen.

'Goedemorgen allemaal.'

De leerlingen antwoordden met één stem: 'Goedemorgen meneer Jester.'

'Ik zal het kort houden, als me dat lukt tenminste. Ik denk dat het heel belangrijk is dat we zo veel mogelijk doorgaan met onze dagelijkse bezigheden. Dat gezegd hebbende, er zijn wel enkele onvermijdelijkheden die voortvloeien uit de tragedie die ons te wachten staat. Dat wil zeggen: de eventueel tragische, eh... natuurlijke loop der dingen.'

Meneer Jester zei een heleboel, met een heleboel woorden die nergens over gingen. Om de paar seconden lichtte de zaal op door de felle flitser van Eliza's camera.

Bobo hing over de armleuning. 'Hé, als je haar aandacht wilt trekken, moet je iets doen waardoor je opvalt.'

'Zoals wat?'

'Wat heeft het nog voor nut om kansberekeningen te maken?' schreeuwde Bobo opeens. Meneer Jester stopte midden in zijn zin en de zaal begon te lachen. Een goede schooldirecteur zou hem direct weggestuurd hebben, maar meneer Jester keek alsof hij elk moment een totale Fukushimawaardige instorting kon krijgen. Bobo had altijd al een zesde zintuig gehad voor de zwaktes van anderen.

De directeur deed zijn best om zich niets van de onderbreking aan te trekken. 'Zoals ik al zei, geldt er theoretisch nog altijd een schoolplicht, alhoewel op dit moment het beleid op landelijk niveau opnieuw bekeken wordt. Ga alsjeblieft naar de lessen en volg je normale rooster. Alle buitenschoolse activiteiten zijn wel afgelast.'

'Zeg iets,' fluisterde Bobo.

'Gast, waarom help je me? Er staat geld op het spel.'

'Omdat ik wil dat het een echte weddenschap is, Maria, en je bent het nu al aan het verkloten.' Bobo zette weer een stem op: 'Geef antwoord: wat heeft het nog voor nut om kansberekeningen te maken?'

Meneer Jester keek knipperend de zaal in. 'Kansberekening is belangrijk omdat het een tak van wiskunde is. En wiskunde is belangrijk omdat cijfers, eh... de bouwstenen vormen van onderwijs, net als natuurkunde en geschiedenis en, eh...' Hij slikte de rest van zijn kronkelzin in. Weer ging de flitser af; dit keer vlak bij Andy's gezicht. Eliza had een foto van Bobo genomen! Met zijn domme geschreeuw was het hem gelukt om tot haar bewustzijn door te dringen.

'Luister eens,' zei meneer Jester. 'Ik probeer jullie iets belangrijks te vertellen, dus als jullie me even de tijd geven dan kunnen we...'

'Wat doen die smerissen hier?' schreeuwde Andy.

'Dat doet er nu niet toe. Dat zijn gewoon voorschriften.'

'Volgens welke voorschriften moeten er op een middelbare school gewapende politieagenten rondlopen? Waar zijn jullie bang voor?'

'Nergens voor, en zo is het wel genoeg, meneer Rowen.'

Andy negeerde hem; hij raakte opgewonden door de aandacht die hij trok. 'Hé, Hamilton, als jullie je zorgen maken om je rechten, kom dan na school naar de sporttribune. We moeten voor onszelf opkomen. Dit is hoe fascisme begint...'

Hij voelde een ruk aan zijn schouder; een van de smerissen had hem vastgegrepen en probeerde hem uit zijn stoel te sjorren.

'Godver, waar slaat dit op?'

'Dat is nou ook weer niet nodig, agent,' riep meneer Jester vanaf het podium.

'Laat me los, varken!' Andy wrong zich los uit de greep van de smeris en door de kracht waarmee hij loskwam, schoot hij naar voren tegen de metalen rand van de lege stoel voor hem. Een witte flits van de pijn en daarna het trage gekriebel van bloed in de haartjes van zijn rechterwenkbrauw. De woede verspreidde zich door de zaal als een rommelende aardbeving. Nog een witte flits, alleen kwam deze van Eliza's camera. Andy keek haar recht aan en lachte. Bloed droop naar zijn mondhoek.

'De tribune, als je vrijheid je wat waard is,' riep hij nog een keer voordat hij de trappen op werd gesleurd en mee naar buiten werd genomen.

Tijdens de pauze overlegden ze wat de volgende stap zou moeten zijn. Kevin wist zeker dat dit hun moment was, politiek gesproken – het enige waar iedereen op school het over had was Andy's verwonding – en ze moesten het ijzer smeden nu het heet was. Natuurlijk wist geen van hen wat dat 'smeden' dan eigenlijk inhield. Bobo stelde voor dat hij het woord zou voeren bij de tribune en Andy stemde daar maar wat graag mee in. Hij stond nooit graag in de schijnwerpers en het laatste wat hij wilde was dat er nog meer problemen zouden ontstaan. Hij had geluk gehad dat hij er met een hoofdwond vanaf was gekomen. ('Laten we dit niet groter maken dan het is,' had de agent gezegd terwijl hij een natte prop papieren handdoekjes tegen Andy's voorhoofd hield, 'en dan vergeten we de scène die je daarbinnen hebt gemaakt, oké?')

Ongeveer honderd mensen zaten na school op de tribune te wachten, allemaal met hun capuchons op tegen de miezerige regen. Het leken net rijen monniken die vergeten waren de kleur van hun pij op elkaar af te stemmen. Er waren veel verschillende groepjes die aan de oproep gehoor hadden gegeven. James Hurdlebrink was er (die van het mislukte matje en het absurd hoge IQ) samen met de gamers en de teamgenoten met wie hij aan wiskundewedstrijden meedeed. Verder waren de spijbelaars van bijna alle klassen komen opdagen (een wonder omdat ze nooit ergens aan mee wilden doen), de kunstzinnige types (meisjes die zich kleedden als Joan Baez en akoestische gitaar speelden en jongens die zich kleedden als Kurt Cobain en elektrische gitaar speelden, de mega-gay-theaterjongens en -meisjes, de redactie van de schoolkrant en de verzameling zielige gevallen die in het schoolorkest zaten). De bijeenkomst kreeg gewicht doordat de smeris die Andy had afgetuigd er ook was. Hij hield hen vanaf de andere kant van het sportveld in de gaten. Andy zag hem met een snelle beweging naar zijn Batmanachtige riem grijpen en even dacht Andy dat hij hen allemaal neer wilde knallen. Maar hij maakte alleen zijn portofoon los en zei iets in de microfoon.

Andy stond achter Bobo en probeerde ernstig en getraumatiseerd te kijken. Misery had zijn hoofd met verband omzwachteld alsof hij een mummie was zodat zijn wond erger zou lijken dan die was, maar het verband was nat geworden door de regen en het was zwaar en koud en stonk naar een muf ziekenhuis.

'Ik weet dat jullie allemaal hebben gezien wat er vandaag is gebeurd,' zei Bobo in de richting van de tribune die op de middelste lijn van het veld uitkeek. 'Misschien heeft het jullie verrast, maar het verraste mij niet. De klootzakken die het voor het zeggen hebben willen ons doen geloven dat mensen zoals wij een bedreiging vormen, maar jij en ik weten allang wie hier de echte vijand is. Ik heb het over hen!' Hij wees over het veld richting de agent. 'Zij zijn net zo bang als wij allemaal, alleen zij hebben wapens. Denk je dat ze zich druk maken als ze een of andere jongere neerschieten die lastig doet? Zij kunnen ook rekenen: zesenzestig-komma-zes procent kans dat ze zich nooit voor hun shit hoeven te verantwoorden. En zelfs als we over twee maanden nog in leven zijn, dan zal elke smeris in de straat een held worden genoemd, wat hij ook heeft uitgehaald. Buitengewone omstandigheden, zo zullen ze het noemen. We zijn aan hen overgeleverd, tenzij we ons verenigen.'

'En wat stel je voor?' vroeg James Hurdlebrink.

'Niks heftigs, op dit moment,' zei Bobo. 'We moeten afwachten en kijken hoe de dingen zich ontwikkelen. Maar we moeten wel overal op voorbereid zijn. We hebben een commandostructuur nodig.'

'En jij wilt zeker aan de top staan?'

'Waarom niet?'

James liet een wrange, minachtende lach horen die hem de afgelopen jaren vast al heel veel vriendschappen had gekost. 'Omdat dit achterlijk is. Wat kunnen we tegen een groep gewapende agenten beginnen?'

'We kunnen van alles doen.'

'Zoals wat?'

'Ik ken bepaalde mensen,' zei Bobo. 'Mensen die dingen voor elkaar kunnen krijgen. Wat dat betreft zal je me gewoon moeten geloven.'

James stak zijn handen in de lucht alsof hij zich overgaf. 'Zoals je wilt, onbevreesde leider.'

'Als verder niemand iets te zeggen heeft,' ging Bobo verder, 'dan kunnen we dit afronden. Ik zal vanavond een Facebook-pagina maken. Stuur me maar een vriendschapsverzoek, dan nodig ik je uit. En Misery heeft nog een korte mededeling.'

Misery zat op de achterste rij van de tribune en ging staan. 'Jullie zijn allemaal uitgenodigd om vrijdag om tien uur naar The Crocodile te komen voor de reünie van de band Perineum.

Wacht, laat ik het anders zeggen: jullie zijn niet uitgenodigd, jullie zijn verplícht om te komen. Zie het maar als jullie inwijding. Entree is vijf dollar.'

'Vrijdag is het toch Valentijnsdag?' vroeg iemand.

'Ja, dus?' zei Misery. 'Dan neem je je date maar mee.'

De menigte ging uit elkaar, en op dat moment zag Andy Anita Graves achter de tribune staan. Toen hij oogcontact probeerde te maken, draaide zij zich om en liep weg. Dat meisje werd met de dag vreemder.

'Kom op,' zei Bobo. 'Volgens mij moeten we wel een beetje gaan repeteren.'

'Waarom is Eliza niet gekomen?' zei Andy. 'Daar was het toch allemaal om te doen?'

'Ze was er, hoor. Ik zag haar foto's nemen vanaf de andere kant van het veld.'

'Echt?'

'Doe maar niet zo opgewonden, Maria. Dichterbij gaat ze niet komen.'

'Fuck you.'

Ze staken het veld over en liepen vlak langs de agent. Bobo kwatte een klodder spuug vlak voor zijn voeten, maar de agent zag het niet, of het kon hem niks schelen.

'Je had me wel even mogen zeggen dat we een optreden hadden,' zei Andy.

'Fuck dat optreden, man. Het is alleen maar om iemand te lokken.'

'Wat bedoel je?'

'Ik bedoel...' Bobo haalde diep adem, alsof hij kwaad was en wilde schreeuwen. '...dat we Golden gaan uitnodigen.'

'Golden? Als in je baas Golden?' Voor het eerst hoorde Andy ergens een zacht waarschuwend belletje rinkelen. Wat had hij in gang gezet met die scène vandaag tijdens de bijeenkomst?

'Hij is mijn distributeur, man. En hij heeft een hele groep om zich heen.'

'Een groep drugsdealers.'

'Heb je soms een probleem met drugsdealers? Want met mij kan je anders best goed opschieten.'

'Ja, maar jij verkoopt alleen wiet.'

Bobo deed alsof hij een pistool in zijn handen had en dat tegen Andy's voorhoofd hield. 'Wou je zeggen dat dat niet telt, *bitch*?'

'Ik wil alleen zeggen dat ik Golden een engerd vind.'

'Dat is precies waarom we hem nodig hebben. Nu gaat het alleen nog om Hamilton. Met Golden erbij kan het zich over de hele stad verspreiden. Dan zouden we echt iets kunnen doen, als het nodig is.'

'En zonder hem niet?'

Bobo schudde zijn hoofd. 'Als de pleuris uitbreekt hebben we echt niet genoeg aan een stel kinderen van de fanfareband.'

'Man, ik weet het niet hoor...'

'Fuck it,' snauwde Bobo opeens. 'Fuck you, met je slappe gedoe de hele tijd en je "misschien" en "ik weet het niet hoor". Kan ik erop rekenen dat je me gaat helpen of laat je me vallen?'

Ondanks het feit dat dat ene woord niet werd uitgesproken, hoorde Andy het wel. Het was het woord 'weer'. Maar misschien was het Andy's geweten dat tegen hem sprak.

'Oké. Golden kan naar het optreden komen...'

'Natuurlijk kan hij dat.'

'Maar alleen als je me één solonummer laat spelen.'

Bobo lachte. 'Gaat dit soms om Eliza?'

'Misschien.'

'Ik zou zeggen: go for it. Als ze tenminste komt.'

'Bedankt.'

'Het is wel goed.' Bobo gaf hem een klap op zijn rug. 'Als ze die rotstem van jou eenmaal heeft gehoord, is die duizend dollar van mij.'

ELIZA

Ze stond onder de douche toen de gedachte voor het eerst bij haar opkwam. Een zinloze vraag – hoeveel keer zal ik nog douchen? – gevolgd door een snelle rekensom. Zelfs als er tot het einde toe gewoon water en elektriciteit zou zijn, en ze zou elke ochtend en ook elke avond een douche nemen, dan nog zou ze nog maar ongeveer honderd keer douchen. En die statistische vraag leidde tot andere vragen. Twintig keer haren wassen. Honderd keer tanden poetsen. En alle dingen dan die buiten de badkamer plaatsvonden? Vijftig zonsopgangen. Vijfentwintig stiekeme masturbatiesessies (of minder, als de angst een negatieve uitwerking op haar libido had). Nog één keer vluchtig *Naar de vuurtoren* doorbladeren. ('Zelfs de steen waartegen men schopt, zal Shakespeare overleven.') Iedereen had het erover dat hun dagen geteld waren, maar je kon álles wel tellen. Elke keer als je een film keek was dat de laatste keer dat je die film keek, of de een na laatste of twee na laatste keer, of de drie na laatste keer. Elke kus was een kus dichter bij je laatste kus.

Het was een beangstigende lens om doorheen te kijken, naar een steeds beangstigendere wereld.

Zij en haar vader hadden dat eerste lange weekend vooral op de bank doorgebracht en het slechte nieuws voorbij zien komen. Van Amsterdam tot Los Angeles, overal waren rellen uitgebroken. Een recordaantal zelfmoorden binnen één enkele dag. De helft van de winkels in grote steden kon niet open omdat er geen personeel was (hoe vaak zou ze nog in een restaurant eten?). Eliza's vader stelde voor om te wedden van welk continent het volgende slechte bericht zou komen; hij won twee keer, beide keren met Azië. Op zaterdag besloten ze om het nieuws te laten voor wat het was en in plaats daarvan een James Bond-avond te houden. Eliza dacht dat het haar een beetje zou afleiden, maar zonder de constante nieuwsstroom uit de echte wereld nam haar verbeelding het over. Tijdens *Thunderball* (en was dit de laatste keer dat ze *Thunderball* keek?), zag ze voor zich hoe de gevangenissen van de Verenigde Staten als rijpe vruchten openbraken en zaden van chaos uitbraakten. Er sloop vast al een seriemoordenaar rond die onderweg was naar hun appartement; machete in de aanslag, de smaak van bloed in zijn mond.

Dat haar vader de apocalyps nogal licht opnam, hielp niet echt; ze had hem nodig voor het Anti-Existentiële-Angsten-Team. Dat was het punt met iemand die al ter dood was veroordeeld door de diagnose terminale kanker: het einde van de wereld was toch al in zicht. Maar kon het hem dan niet eens een beetje schelen dat zijn dochter nooit oud genoeg zou worden om zelf kinderen te krijgen, of om naar Europa te gaan of in een café alcohol te mogen drinken? Was dat niet een paar tranen waard?

'Het gaat gewoon niet gebeuren,' zei hij. 'Ik ben rustig omdat ik weet dat het niet gaat gebeuren. Zullen we nu weer verdergaan met het Timothy Dalton-tijdperk?'

Op zondagavond was ze het huis uitgegaan en naar de stad gereden, maar dat was niet vanwege haar sociale betrokkenheid; ze wilde gewoon haar vaders claustrofobische optimisme ontvluchten.

Er waren meer mensen op straat dan normaal, en het waren ook niet echt normale mensen. Subculturen, die ondergronds tot bloei waren gekomen en die zich altijd uit angst voor de gewone wereld verborgen hadden gehouden, hadden nu besloten dat het voor hen veilig genoeg was om aan het oppervlak te komen. Hele kolonies blinde aardwormen knipperden in het maanlicht voor het eerst met hun ogen: de punkers en de motorrijders, de weirdo's en de *druggies*. Ze waren overal met hun tattoos en hun piercings, hun jacks met de bloedrode A van *anarchy* erop gespoten; te hard lachend en zuipend zonder bang te zijn. Ze liepen van de ene naar de andere hoek en weer terug, doelloos, alsof ze op een leider wachtten die hun de weg zou wijzen.

De eerste foto die Eliza nam was van een meisje met een tattoo in haar gezicht en een baby die in een draagdoek tussen haar borsten hing. Het meisje stak precies op het moment dat de flitser afging haar middelvinger op, wat het beeld alleen maar beter maakte. De volgende foto was van een veteraan zonder benen met een bord waarop stond JE GAAT TOCH DOOD, GEEF ME GODVERDOMME WAT GELD. Daarna zat ze bijna een uur gefixeerd naar sierlijke loopings van de magere skaters bij SeaSk8 te kijken. Er brak een gevecht uit dat twintig minuten duurde, tot de politie eindelijk kwam om er een einde aan te maken. Ze had een heleboel foto's genomen van de agenten, die er nu nog sterk en uitgerust uitzagen. Over een paar weken zou dat wel anders zijn.

Ze nam foto's van een paar hippe, dure restaurants in Belltown die hun deuren al gesloten hadden, en toen kwam ze toevallig langs Friendly Forks, dat restaurant waar ex-verslaafden en ex-gevangenen konden werken om ervaring op te doen. Ardor leek hier niet veel invloed op de mensen te hebben; het personeel rende heen en weer om alles klaar te hebben voordat het spitsuur begon. Een jongen zat op zijn hurken bij het raam, spoot schoonmaakmiddel op het glas en veegde het met een doek weer weg. Achter hem liepen obers heen en weer om servetten te vouwen en stoelen recht te zetten. Het was opvallend hoe mensen gewoon doorgingen, of ze nu doodgingen aan alvleesklierkanker, aan drugs of aan de apocalyps zelf, terwijl zij bij de gedachte tranen in haar ogen kreeg. Ze bracht de zoeker naar haar gezicht en op dat moment kwam de jongen die het raam had geboend overeind. Ze drukte het knopje in, maar pas toen ze haar tranen had weggeveegd, herkende ze hem. Hij zwaaide en zij zwaaide terug, en binnen in haar ontstonden barsten in een ijslaag en stroomde een warm gevoel door haar lichaam; alsof je na een nacht vorst in een plas stapt waarvan de bovenste laag bevroren is.

Die maandag kwam Eliza goed voorbereid naar school. Ze had haar Exakta VX bij zich en een rugzak vol Ilford Delta 120-rolletjes. Ze wist dat de eerste dag terug de moeite waard zou zijn om vast te leggen, maar ze had niet verwacht dat het zo ontzettend waardevol zou zijn. De bijeenkomst zelf was al een goudmijn: die arme, zenuwachtige meneer Jester, die enorme agenten achter in de zaal, een heleboel lege stoelen en dan Andy die waggelend op zijn benen de zaal uit werd gesleurd terwijl het bloed over zijn hoofd liep. Politiegeweld op een middelbare school, prachtig vastgelegd in zwart-wit. Volgende stap: Pulitzerprijs.

En dat was nog niet het einde. Nadat Andy uit de aula was verwijderd, gingen alle ogen naar meneer Jester. Hij schraapte zijn keel. 'Ik ga verder: vanaf nu is het verboden om tijdens schooluren het terrein van de school te verlaten, dus ook tijdens tussenuren blijven jullie hier.' De menigte, die nu was opgewarmd, antwoordde met boegeroep en gefluit. Iemand gooide een pen naar het podium. Hij kaatste tegen de lessenaar en kletterde op de grond. Even later was het hek van de dam en zag meneer Jester een regen van spullen op zich afkomen: muntgeld en proppen papier, tubetjes lipgloss en Fruittella-blokjes, tampons en maandverband en zelfs een lange slinger ongeopende condooms die Eliza precies in het midden van haar zoeker had toen hij het hoofd van meneer Jester raakte.

De directeur probeerde de aanval met zijn armen af te weren en liep achteruit naar de zijkant van het podium. Meneer McArthur, een populaire geschiedenisleraar, stond op en rende naar het toneel. Eliza had in de derde klas les van hem gehad en één blok was over oosterse samenlevingen en westerse invloeden gegaan. Ze kon zich nog altijd zijn verhaal herinneren over zijn verblijf in China, halverwege de jaren negentig; toen had hij zijn gastvrouw beledigd doordat hij het woord 'paard' had gebruikt in plaats van 'moeder'. Hij was achter in de veertig en knap, voor zover leraren knap konden zijn. Het gerucht ging dat hij nog niet zo lang geleden met een man was getrouwd die Neil heette, maar op schoolevenementen kwam hij nog altijd alleen. Hij fluisterde iets in het oor van meneer Jester, die totaal in shock was, en ging toen zelf achter de lessenaar staan. Even later werden de leerlingen rustig, misschien omdat ze zelf ook waren geschrokken van wat ze hadden gedaan en van het feit dat ze daar kennelijk mee weg kwamen.

'Ik kan me alleen maar een voorstelling proberen te maken van hoe jullie je moeten voelen,' zei meneer McArthur. 'Dit is een ongelooflijk bizar iets waar we mee geconfronteerd worden, en dat geldt voor iedereen. Maar daarbovenop krijgen jullie ook nog eens te maken met regels en lijkt het of jullie school in een of andere politiestaat is veranderd.' Hij schudde zijn hoofd en floot even. 'Ik kan het jullie niet kwalijk nemen dat jullie behoefte hebben om met iets te gooien, maar voordat jullie je papierproppen, verfkogels en ballonnenslingers weer tevoorschijn halen, wil ik dat jullie twee dingen goed begrijpen. Ten eerste: dit zijn niet onze beslissingen. Wij passen de regels toe die ons door het schoolbestuur zijn opgelegd. Ten tweede: niets van wat we hier doen is bedoeld als straf. Het is juist bedoeld om jullie te beschermen. Niemand weet precies wat er de komende twee maanden gaat gebeuren, maar er lopen op dit moment heel veel wanhopige mensen rond, en in het beste geval zijn ze alleen maar wanhopig. Bob Dylan heeft eens gezegd – jullie kennen Bob Dylan toch nog wel?' Eliza en de anderen in de zaal lachten. 'Godzijdank. Ik heb een theorie die zegt dat het hele schoolsysteem in elkaar dondert op het moment dat leerlingen en leraren helemaal niet meer naar dezelfde muziek luisteren. Hoe dan ook, Dylan schreef dat je niks te verliezen hebt als je niks hébt. *When you got nothing, you got nothing to lose.* En Edmund Burke, een soort saaiere uitvoering van Dylan uit de achttiende eeuw, schreef dat degenen die veel te hopen hebben en weinig te verliezen, altijd gevaarlijk zullen zijn. En... veel mensen op deze aarde denken op dit moment dat ze niks meer te verliezen hebben, en het is onze taak om jullie tegen hen te beschermen. Ik wil jullie niet bang maken, maar de geschiedenis leert ons dat daar waar paniek is, de dood altijd op de loer ligt. Zo gaat dat nou eenmaal in de wereld.'

Hij gaf zijn luisteraars even de tijd om over die woorden na te denken voordat hij verderging. 'Maar volgens mij is het fysieke gevaar minder erg dan het psychologische gevaar, en daarom hebben Suzie O. en ik besloten om een discussiegroep te beginnen onder de naam "de troost van de filosofie". We komen elke middag bij elkaar, na het zesde uur. En ik realiseer me maar al te goed hoe slap dit klinkt, maar als je behoefte hebt om te praten over wat er allemaal gebeurt, kom dan alsjeblieft.' Hij boog naar de microfoon en voegde eraan toe: 'En als antwoord op meneer Boorsteins vraag, wil ik graag zeggen: de komst van Ardor heeft waarschijnlijk niets veranderd aan de relevantie van kansberekening voor de meeste van jullie, wat dus asymptotisch in de buurt komt van nul wanneer jullie in de buurt komen van meerderjarig.'

Na de bijeenkomst liep Eliza direct naar de kunstateliers. Ze voelde dat haar telefoon in haar rugzak trilde, maar ze nam de moeite niet om hem eruit te vissen. Haar moeder had haar de afgelopen paar dagen al minstens honderd keer gebeld, maar ze had niet één keer opgenomen.

In de verlaten doka zette ze haar lievelings-cd van Sigur Rós op (hoe vaak zou ze nog naar Sigur Rós kunnen luisteren?) en ze gaf zich over aan die vreemde ruimte tussen totale focus en totaal onbewust zijn, die nodig was om kunst te kunnen maken. Aan de lijn kwamen de beelden langzaam tot leven.

De vrouw met de baby; haar opgeheven vinger leek meer een wanhoopsdaad dan een gebaar van agressie. De dakloze met het bord en de omgekeerde hoed waar vaag glinsterende, vuile muntjes in zaten. De skateboarders die vochten om niets en tegelijkertijd om alles. Agenten die op bijna elke straathoek de wacht hielden. Agenten die een dronken zwerver hielpen om achter in een patrouillewagen te stappen. Overal agenten, als een hemelsblauwe belofte van de ellende die eraan zat te komen.

Eerst was Eliza bang dat ze zichzelf voor de gek hield, want de foto's leken belangrijk, belangrijker dan het belangrijkste wat ze tot nu toe had gedaan. Maar iemand moest de bewakers bewaken, had ze wel eens horen zeggen, en waarom zou zij diegene niet zijn? Hier stond Bobo, die schofterige woorden zonder inhoud naar de directeur schreeuwde. Hier had je meneer McArthur, die kalm stond te wachten tot de woorden doordrongen. Het beeld van de jongeren die al die troep naar meneer Jester gooiden; feestelijk en bedreigend tegelijkertijd, een kruising tussen carnaval en een Romeinse arena. Het zweet dat op een van de foto's op het voorhoofd van de directeur glinsterde vond zijn evenbeeld in een andere foto, met het glimmende bloed op het voorhoofd van Andy en de rode vegen die als oorlogsverf op zijn gezicht zaten.

Eliza had ooit met zichzelf afgesproken dat ze nooit, maar dan ook nooit een blog zou beginnen, tenzij iemand een pistool tegen haar hoofd zou zetten en zou zeggen: ik schiet je nu ter plekke dood tenzij je een blog begint (en zelfs dan zou ze het met tegenzin doen). Maar nu wist ze dat ze zich niet aan die afspraak kon houden. Ze wilde deze foto's met de wereld delen. Dat moest.

De schooldag was net afgelopen toen ze eindelijk uit de doka kwam. Ze had vijf uur binnen doorgebracht en alle uren gespijbeld (naar hoeveel lessen zou ze nog gaan?). Er had zich een verbazingwekkend grote groep bij de tribune verzameld: alle weirdo's en nerds van Hamilton, als een vlucht kraaien boven op de banken, ernstig kijkend op een plek die was bedoeld om te juichen. Vanaf de andere kant van het veld nam ze een paar foto's.

Haar telefoon trilde weer. De volgende ochtend zou ze zeven nieuwe voicemailberichten hebben: zes waarbij de verbinding werd verbroken zonder dat er iets werd gezegd, met het netnummer van Honolulu, Hawaï, en één lang warrig verhaal van een zekere Andy Rowen die duidelijk dronken was. Het enige wat ze min of meer kon verstaan waren de woorden 'karass', 'duprass' en 'wampeter'. Maar dat was morgen.

Vanavond zou ze haar vijfentwintig beste foto's op haar nieuwe Tumblr-pagina zetten: Apocalypse Already. Ze zou het hele verhaal van de bijeenkomst van die ochtend in de bijschriften vertellen, en ze zou de foto's van school en die van de stad bij elkaar zetten en laten zien dat er van die agenten op Hamilton eenzelfde dreiging uitging als van het tuig dat in de buitenwijken op straat rondliep. Ze kon niet uitleggen waarom ze het nodig vond om nog een blog toe te voegen aan een wereld die toch voor 66,6 procent zeker zou vergaan, behalve dan dat ze ook niet wist wat ze anders moest doen, omdat ze niks anders kón doen. Net zo goed als ze ook niet zou kunnen uitleggen hoe het kwam dat haar blog in de daaropvolgende vierentwintig uur viral zou gaan en zij in één klap een soort beroemdheid zou worden – een kleine ster – die net zo ongemerkt en zonder weerstand in het publieke bewustzijn wist binnen te dringen als Ardor in de kosmos. Ardor, die met elke tel weer een stuk dichterbij was, net als het einde van een verhaal.

ANITA

Acht dagen na de persconferentie, op een mistige valentijnsochtend, pakte Anita stiekem een kleine koffer in. Ze nam voor een week kleren mee (met een beetje mixen en matchen kon ze er nog wel langer mee doen), haar toilettas (dit moest een groot gebaar zijn in de naam van onafhankelijkheid, geen protestactie tegen persoonlijke hygiëne), en een slaapzak en een kussen (voor het geval het erop neerkwam dat ze op de achterbank van de Escalade moest slapen). Zoals zij het zag, deed ze twee dingen tegelijk om te ontsnappen: ze liep weg en ze liep ergens naartoe. Het eerste deel was duidelijk. De laatste paar dagen waren haar ouders de draad helemaal kwijtgeraakt. Woensdag had haar vader een bord vol eten tegen de muur gesmeten, vervolgens had hij met zijn servet zijn mond gedept, heel beleefd zijn excuses aangeboden en was toen weggelopen. Haar moeder pakte het op een andere manier aan. Zij verborg al haar angsten achter een afbrokkelende façade van vrolijkheid, als de dikke laag foundation die sommige meisjes opdeden om hun acne te verbergen. Anita zag haar ouders nu van een enorme, galactische afstand. Voor de eerste keer in haar leven had ze medelijden met hen. Ze zaten alle twee zo vast in hun manier van doen; ze waren zo ongelukkig, zonder het zelf te weten. Maar het was haar taak niet om hen te helpen. De enige die ze kon helpen was zichzelf.

Het ergens naartoe rennen was moeilijker uit te leggen. Ze wist alleen dat er daarbuiten iets was, iets wat haar riep, en als ze nu niet zou gaan, zou ze niet nog een kans krijgen. Dit was (volgens haar moeder in elk geval) het einde van de wereld, de Opname. De Tweede Komst. Anita had het allemaal gehoord, in de meest afschrikwekkende details werd het omschreven, elke slaperige zondagmorgen weer. In de Openbaring van Johannes – openbaring in het Grieks was *apokalypsis*, had een of andere voorganger haar verteld – stond dat het einde der tijden de terugkomst van Jezus aankondigde. Maar dat was in dit geval wel erg onwaarschijnlijk, tenzij hij van plan was om als ruimtecowboy in een witte toga mee te liften op een asteroïde. Anita had altijd gevonden dat het laatste boek van het Nieuwe Testament niet erg goed bij de rest paste. Je begon met die ontzettend aardige jongen die met prostituees omging en vergiffenis predikte, en je eindigde met eeuwige verdoemenis en de hoer van Babylon. Dat was het eerste geweest wat haar geloof aan het wankelen had gebracht, en niet lang daarna, in de derde klas, kantelde het nog verder tijdens biologieles. En volgens de eindeloze reeks preken die ze had gehoord, betekenden deze twijfels dat haar het eeuwige hellevuur te wachten stond. Fijn vooruitzicht.

Anita wist dat ze de dood met angst en beven tegemoet moest zien, maar hoe kon het dan dat ze een ongelooflijke lichtheid over het bestaan voelde terwijl ze haar koffer dichtritste? Waarom had ze de hele tijd een glimlach op haar gezicht en kon ze niet ophouden met neuriën toen ze de deur achter zich dichtdeed? En hoe kon het dat ze zat te lachen toen ze langs het portiershokje van Broadmoor reed, alsof de bekrompenheid van achttien jaar huichelen nu van haar afgleed, alsof ze al die tijd met gouden kettingen vastgeketend had gezeten en ze die nu als ongekookte spaghetti tussen duim en wijsvinger kon doorbreken. Het maakte haar ook een beetje bang; had je het zelf wel door als waanzin langzaam bezit van je nam? En áls je het doorhad, was dat dan genoeg om je ertegen te beschermen?

De stemming op Hamilton was natuurlijk niet erg uitgelaten, dus moest Anita haar blijdschap verborgen houden. Bijna de helft van de leerlingen kwam niet meer naar de lessen, waardoor de gangen groter leken en stiller waren. Sommige lessen, vooral die waarin Ardor helemaal niet werd genoemd, werden surrealistische oefeningen in het negeren van dat wat niet te negeren viel. Anita's hersenen, waar ze normaal gesproken altijd op kon vertrouwen, haalden trucjes uit met de berekeningen op het bord en verving ze door willekeurige gedachten en dagdromen. Ze glipten uit het heden naar de toekomst en vroegen zich bijvoorbeeld af hoe het optreden in The Crocodile vanavond zou zijn. Alhoewel ze zich niet kon voorstellen dat ze Andy's muziek leuk vond (puur gebaseerd op hoe hij zich kleedde), had ze wel het idee dat ze ernaartoe moest gaan om te luisteren.

Na de laatste les ging Anita naar de discussiegroep die meneer McArthur en Suzie O. organiseerden. Het was nu al haar favoriete deel van de dag. Deze week bespraken ze de oude filosofen. Anita had de afgelopen avonden over de stoïcijnen, de cynici, de epicuristen en de hedonisten gelezen. Socrates geloofde dat in een perfecte wereld iedereen deed waarvoor hij geboren was. Dat betekende dus dat je een fundamentele regel van het universum overtrad als je iets anders ging doen terwijl je wist dat het je roeping was om zanger te worden.

Het onderwerp van vandaag was geluk – heel toepasselijk, gezien Anita's gemoedstoestand. Maar na het lezen van alle teksten begreep ze nog steeds niet waar haar plotselinge blijdschap vandaan kwam.

'Sommige mensen geloven dat het onmogelijk is om gelukkig te zijn wanneer je geconfronteerd wordt met de dood,' zei meneer McArthur. 'Maar volgens Epicurus is er geen reden om bang te zijn voor de dood omdat we er nooit kennis mee zullen maken. Terwijl we bestaan is de dood er niet en als de dood komt, zijn wij er niet meer.'

'Dat slaat toch nergens op,' zei een jongen uit de vijfde. 'Ergens op wachten is het ergste. Als je een injectie moet halen en je zit in de wachtkamer, bijvoorbeeld.'

'Epicurus zou zeggen dat het stom is ergens op te anticiperen. Waarom zou je je leven lang zorgen maken om iets wat nog niet heeft plaatsgevonden?'

'Ik begreep de hedonisten niet,' zei Krista Asahara, Anita's enthousiaste wraakgodin uit de leerlingenraad. 'Hoe zou je leven eruitzien als je de hele tijd alleen maar genot nastreeft?'

'Fantastisch,' zei iemand lachend.

'In feite waren de hedonisten een stuk minder egoïstisch dan je zou denken,' zei Suzie O. 'Ja, ze vonden genot het belangrijkste van alles, maar ze vonden ook dat de meeste mensen niet begrepen wat echt genot was. De hedonisten vonden rechtvaardigheid en deugdzaamheid de echte genoegens van het leven, terwijl seks en maaltijden maar een paar uur genot geven.'

'En dat is dan nog optimistisch,' zei meneer McArthur.

'Hangt ervan af met wie je bent,' antwoordde Suzie, en iedereen lachte.

Meneer McArthur had gelijk gehad: je kon inderdaad troost vinden in de teksten van al die mensen die hadden geprobeerd om erachter te komen wat de zin van het leven was. De eerste keer dat de discussiegroep bij elkaar was gekomen had Suzie O. gezegd dat het geheime doel van de filosofie was om uit te zoeken wat de beste manier is om te sterven. Gek dat de meest depressieve dingen zo troostend konden zijn.

Anita zei tijdens de bijeenkomsten niet veel. Er kwamen meestal een stuk of twintig leerlingen en zoals zo vaak in zo'n groep, waren er altijd een paar die graag namens iedereen het woord voerden. Maar die vrijdag liep ze na de discussiegroep achter Suzie aan naar haar kamer in de bibliotheek.

Toen Anita binnenkwam, zat de leerlingenbegeleidster al te

skypen met een knap meisje dat op haar studentenkamer zat.

'Hé, Suzie. Ben je bezig? Ik kan ook morgen wel terugkomen, hoor...'

'Nee, geen probleem.' Ze draaide zich om naar het meisje op Skype. 'Ik bel je straks terug.'

'Oké,' zei het meisje, en ze zette haar camera uit.

'Wie was dat?' vroeg Anita.

'Mijn dochter. Ze is vierdejaars aan de universiteit van New Jersey.'

'Ik wist niet dat je een dochter had.'

'Maar nu wel. En, wat is er aan de hand?'

'Ik had een beetje een gekke vraag.'

'Ik ben dol op gekke vragen.' Suzie keek Anita vragend aan terwijl die de juiste woorden probeerde te vinden. 'Waar het op neerkomt is dat ik me afvraag of ik me zorgen moet maken, om mezelf.'

'Hoezo?'

'Omdat ik... zo gelukkig ben.'

Suzie fronste. 'Je maakt je zorgen omdat je gelukkig bent?'

'Ja.'

'Voel je je hyper?'

'Nee, ik voel me eigenlijk heel rustig.'

'En hoe komt dat, denk je?'

'Ik neem aan omdat ik me realiseer dat niets er echt toe doet.' Even hoorde ze in haar hoofd de woorden van 'Bohemian Rhapsody', dat nummer van Queen: *nothing really matters...*

'Weet je dat zeker? Er bestaat nog een kans dat we het overleven, hè?'

'Dat weet ik. Maar ik bedoel niet dat niks er nu meer toe doet. Ik bedoel dat het er nooit iets toe deed. Als alles toch zo kwetsbaar is, dan was het nooit echt zo, snap je? Ook zonder asteroïde kan ik morgen zomaar doodgaan. Dus waarom zou je je druk maken? Wat Andy zei klopt. "Wat het ook is, het is het niet waard."'

'Andy is een goede jongen, maar als ik jou was, zou ik hem niet als filosofisch licht zien. We hebben allemaal iets nodig om in te geloven.'

Anita haalde haar schouders op. 'Misschien.' Ze wist eigenlijk niet precies wat ze uit dit gesprek hoopte te halen; de leerlingenbegeleidster zou haar echt niet gaan vertellen dat ze niet gelukkig mocht zijn. 'Wat studeert je dochter?'

'Economie.'

'Het is vast moeilijk dat ze zo ver weg zit, hè?'

Suzie glimlachte, maar plotseling verkreukelde haar hele gezicht, als een papieren zak. 'Shit, sorry,' zei ze, en ze sloeg haar handen voor haar gezicht.

'O, dat geeft toch niet.'

Anita sloeg haar armen om de brede schouders van de leerlingenbegeleidster en ze hield haar vast tot het schokken weer ophield, alsof het alleen wat turbulentie was geweest. Ze probeerde zich te herinneren wanneer ze haar moeder voor het laatst had zien huilen. Had ze dat eigenlijk wel eens gezien?

'Het is op dit moment gewoon een pijnlijk onderwerp,' zei Suzie terwijl ze een zakdoekje uit een Kleenex-doos trok die in een schildpad verstopt zat. 'Ik had verwacht dat ze meteen naar huis zou komen, maar haar vriend woont in New York en die wil ze niet achterlaten. En onze band is niet altijd even goed geweest.' Ze snoot haar neus. 'Het spijt me echt, Anita.'

'Dat hoeft niet.'

'Nou, lekkere steun ben ik. De leerlingen willen iemand zien die de boel op een rijtje heeft.'

'Geloof je het zelf?' zei Anita. 'Volgens mij moet je bij iedereen die hier komt gaan huilen. Dan weten ze dat het oké is als ze zich niet goed voelen.'

'Dank je.' Suzie kneep in haar handen en knipperde de laatste tranen weg. 'Oké. Ik geloof dat het wel weer gaat. En ook al heb ik al mijn geloofwaardigheid als begeleidster verspeeld, volgens mij heb ik mijn punt wel duidelijk gemaakt.'

'Welk punt?'

'Er is nog steeds tijd om dingen te doen die belangrijk zijn. Al is het maar er voor iemand zijn die instort.' Suzie pakte Anita's hand vast en kneep er even in. 'Dat moet je niet vergeten.'

De laatste keer dat Anita in de stad was geweest was bij het optreden van Esperanza Spalding, en de dingen waren duidelijk veranderd. Er waren zo veel mensen op straat, alsof er net een groot concert afgelopen was en niemand naar huis wilde. The Crocodile was afgeladen, van muur tot muur allemaal misfits – ouwe rockers in leren broeken vol studs, vrouwen met korte haren die elkaars hand vasthielden, metalheads met lange baarden en armen die net zo vol met tattoos zaten als de muren van de wc's met graffiti. Anita ging aan de bar zitten, alleen met haar koffer en een glas sinaasappelsap, en ze voelde zich bang en eenzaam en opgewonden tegelijkertijd. Ze had het echt gedaan. Ze was van huis weggelopen.

Het enige wat ze nu moest doen was een plek vinden waar ze kon slapen.

De eerste band bestond uit vier jongens die net zo goed deelnemers van een wedstrijd voor Dracula-lookalikes hadden kunnen zijn. Een van hen speelde op een elektronisch kerkorgel. Daarna kwam een groepje skinheads het podium op; de zanger vond het leuk om de hele microfoon in zijn mond te stoppen terwijl hij erin schreeuwde. De dansvloer leek wel een binnenplaats van een inrichting voor criminele gekken.

Rond tien uur strompelden Andy en Bobo het podium op en begonnen hun spullen klaar te zetten. Ze hadden allebei gedronken. Hun muziek was rommelig, saai en tegelijkertijd keihard. Bobo's maniakale geschreeuw kwam nauwelijks boven de harde pieptoon van de versterker en het constante geratel van de bekkens uit en er viel geen woord van te verstaan. Hij was best een redelijke frontman – zelfverzekerd en uitsloverig genoeg en helemaal niet bang om voor lul te staan – maar de nummers zelf waren totaal niet te volgen.

Anita was teleurgesteld. Hoewel ze het had kunnen weten, had ze toch iets magisch verwacht. Het enige wat ze van Andy's 'band' had gekregen was dat soort wanhoopsgevoel dat ze altijd kreeg nadat ze naar echt afschuwelijke muziek had geluisterd. Dat, en piepende oren.

Na een tijd – het was niet duidelijk hoeveel nummers ze hadden gespeeld, het konden er twaalf maar ook twee zijn geweest – strompelde Andy achter zijn drumstel vandaan. Hij was zo ontzettend dronken dat je het aan elke beweging kon zien. Zijn armen en benen leken wel overvolle waterballonnen en toen Bobo hem de gitaar overhandigde, liet hij die bijna vallen. Hij grijnsde sullig naar het publiek – lief, bijna.

'Dit is een nummer dat ik heb geschreven; het gaat over niet willen dealen met problemen van anderen. Misschien herken je er iets in. Of niet. Hoe dan ook, het heet "Save it".'

Hij sloeg een paar verkeerde noten aan voordat hij een langzame arpeggio te pakken had, helder en zacht, terugkaatsend als een elastiekje. En wat daarna uit de speakers kwam was ongetwijfeld het wonderlijkste wat ze had gehoord sinds het nieuws dat er een asteroïde op de aarde afkwam die hen binnenkort allemaal naar het hiernamaals kon blazen. Het kleine skate-ettertje met zijn te strakke jeans en een pony die de hele tijd voor zijn ogen viel, maakte soulmuziek. Zijn stem was kwetsbaar en onzeker en het publiek was in de war omdat de sfeer van de muziek opeens zo anders was, en zelfs Andy leek niet helemaal te snappen wat hij deed, maar Anita had de boodschap luid en duidelijk begrepen, als een neonbordje dat haar de vluchtroute richting toekomst wees, als: bij de tweede ster rechts en rechtdoor tot de ochtend. Als het lot.

7

ANDY

Je kon van Bobo zeggen wat je wilde, maar hij wist wel hoe hij mensen op de been moest brengen. Tegen de tijd dat Perineum het podium op ging, zat The Crocodile bomvol. Hun laatste optreden was een paar maanden geleden geweest en terwijl Andy op de kruk achter het afgeragde drumstel ging zitten, voelde hij de vlinders in zijn buik verdrinken in de vier glazen bier die een aardige ober hem had gegeven. De lampen waren te fel en het lukte hem niet om de goede afstand tot de snaredrum te vinden.

'Hallo Crocodile!' zei Bobo. 'Wij zijn Perineum en dit is ons eerste nummer!' Andy telde af. Op de een of andere manier begon hij precies op tijd terwijl hij zijn lichaam niet eens bewust opdracht gaf om te gaan drummen, en toen nam de flow hem mee op de bizarre speedtrip die punkrock was, het smeet hem van het refrein naar het couplet en weer terug. Het ene nummer ging over in het andere. Hij was onmiddellijk drijfnat van het zweet – een goed geoliede machine die de beat liet komen en gaan als een paar ruitenwissers – en door een regenboogwaas heen zag hij dat er wild gemosht werd; een chaos van armen, benen en leer. Was Eliza er ook? Ze moest er zijn. Als het niet zo was beging het universum een vergissing. Ze worstelden zich door tien van hun twee minuten durende nummers heen tot Andy in de gaten kreeg dat het publiek stil was geworden. Bobo bood hem zijn gitaar aan.

'Hé,' zei Andy in de microfoon. 'Ik ga nu iets doen wat een beetje anders is. Ik hoop niet dat jullie het erg vinden.'

'Ik wel,' schreeuwde iemand. Andy hield zijn hand boven zijn ogen en zag Golden staan, vlak voor de rand van het podium. De schakels van zijn ketting fonkelden in het licht.

'Dit is een nummer dat ik heb geschreven; het gaat over niet willen dealen met problemen van anderen. Misschien herken je er iets in. Of niet. Hoe dan ook, het heet "Save it".'

Hij begon te spelen. Het was geen nummer waar je op kon moshen. Het was geen punk. Niet eens rock. Hij had het meer dan een jaar geleden geschreven en het ging over een meisje met wie hij in de derde iets had gehad, tot hij erachter kwam dat ze hartstikke gek was (ze beweerde dat ze 's avonds anderhalf uur lang haar tanden poetste omdat ze het 'zo'n lekker gevoel vond'). Hij hoorde geen boegeroep en niemand riep dat hij het podium af moest, dus heel slecht konden ze het niet vinden, ook al was het applaus slap en werd het gejuich harder toen Bobo de microfoon weer overnam. Hij gebaarde naar Andy dat hij de beat moest inzetten voor hun laatste nummer.

'Bedankt dat jullie op deze mooie valentijnsavond hiernaartoe zijn gekomen,' schreeuwde Bobo boven de drums uit. 'Zoals jullie misschien weten gaat dit concert vanavond over meer dan alleen muziek. Dit is het begin van een beweging. Als we niet voor onszelf kunnen opkomen worden we vermorzeld.' Het publiek joelde. 'Dus als je ook maar een reet om je vrijheid geeft, geef dan je e-mailadres aan mijn meisje hier.' Hij wees naar Misery. Ze zat op de rand van het podium en werd even uitgelicht door de spotlight. Ze had zich speciaal voor vanavond uitgedost als een echte punkrockslet: een korte geruite zwart-roze rok en een spinnenwebpanty, een strak roze topje en een zwarte strik in haar haar. Misschien wilden ze gewoon met een knap meisje praten, of misschien kwam het doordat er een megagrote langeafstandsraket in de vorm van een stuk steen op hen afkwam, maar Andy zag dat er mensen om haar heen kwamen staan.

Ze speelden hun laatste nummer. Andy voelde de opwinding van het optreden als gesmolten lava uit zijn bloed stromen en om er iets anders voor in de plaats te voelen nam hij snel een paar van de tequilashots die Golden steeds bestelde. Hij schuifelde tussen de menigte door op zoek naar Eliza, maar stond plotseling oog in oog met Anita Graves.

'Hé,' riep hij. 'Het is Anita Bonita!' Hij sloeg zijn armen om haar heen. Zijn shirt was drijfnat en zijn zweet moest minstens voor de helft uit alcohol bestaan.

'Hé, Andy. Het was heel leuk, jullie set.'

'Echt? O, te gek!'

'Nou, niet de hele set, maar dat ene nummer dat jij zong. De rest was behoorlijk shit.'

'O. Cool.' Hij voelde zich gevleid en tegelijkertijd beledigd. 'Eh... Heb je hier nog iemand anders gezien?'

'Iemand anders?'

'Van school, bedoel ik.'

Anita keek om zich heen. 'Er zijn hier heel veel mensen van school.'

'Ja, maar ik bedoel: heb je iemand in het bijzonder gezien? Een specifiek meisje?' Andy wist niet goed hoe hij naar Eliza moest vragen zonder echt naar Eliza te vragen.

'Je bent dronken, Andy. Volgens mij is het tijd om naar huis te gaan.'

'Helemaal niet! De jongens gaan naar de Cage. Volgens Golden kan hij ons wel naar binnen krijgen.'

'Is dat een uitnodiging?'

'Wil je mee? Dat is helemaal geweldig! Anita Bonita in de Cage!' Hij drukte haar weer tegen zich aan.

'Maar ik rij,' zei ze.

De buitenlucht haalde Andy weer een beetje uit zijn roes, in elk geval genoeg om te bedenken hoe vreemd het was dat Anita naar het concert was gekomen. Hij wilde er wel naar vragen, maar ze gaf hem de kans niet.

'Heb je nog meer nummers zoals dat ene nummer dat je zong?'

'Een paar. Maar ik...'

'Heb je er ooit aan gedacht om je nummers door iemand anders te laten zingen?'

'Ik neem aan, dat zolang...'

'En wat zou je ervan vinden om samen aan een paar nieuwe nummers te werken?'

'Nou, Bobo en ik proberen...'

'Wie zijn je muzikale helden?'

Het was alsof hij werd geïnterviewd door een *Rolling Stone*-journalist met ADHD. Er leek een eeuwigheid te verstrijken voordat Anita een parkeerplaats had gevonden en Andy aan haar ondervraging kon ontsnappen.

'We zijn hier nog niet over uitgepraat,' waarschuwde Anita.

'Zo'n idee had ik al.'

De Cage was de beste motorbar van Seattle. De gevel bestond uit een aaneengesloten rij van in de grond geslagen palen en voor de deur stond een ontzettend brede zwarte man met een oranje truckerscap op. Toen Andy en Anita eraan kwamen, keek hij op van zijn boek – *De zin van het bestaan* – en stootte één enkele schorre kuch uit.

'En jullie zijn? Zestien?'

'We zijn hier met Golden,' zei Andy.

'En jij bent al stomdronken, of niet?'

Andy keek schuldbewust naar Anita. 'Ik hou hem wel in de gaten,' zei ze.

De uitsmijter zuchtte en keek weer in zijn boek. 'Whatever. Ik stop er morgen toch mee.'

Aan de andere kant van de muur met palen was een grote binnenplaats. Golden en zijn crew zaten aan een tafel in het midden en hadden al grote glazen schuimend bier voor zich staan. Bobo zat rechts van hem en het was hem kennelijk gelukt om de aandacht van de drugbaron te trekken. Andy was altijd al onder de indruk geweest van hoe ontzettend streetwise zijn beste vriend was. Toen ze nog brugklassers waren ging hij al gewoon een praatje maken met junkies, gangleden en daklozen, alsof hij een van hen was.

'Wie is nou Golden?' vroeg Anita.

'Hoofd van de tafel. Die kerel is een van de grootste dealers van de stad. Vet, hè?'

'Dealer? Bedoel je drugsdealer? En dat vind jij cool?'

'Ik weet het niet. Dealers verdienen bakken met geld. Zelfs Bobo verdient zo een paar honderd dollar per week.'

'Muzikanten zijn veel cooler dan drugsdealers, Andy. Zij eindigen meestal niet in de gevangenis.'

Maar Andy luisterde niet langer. Hij wilde weten waar Bobo en Golden het over hadden. 'Wacht heel even, oké?'

'We kunnen hetzelfde doen maar dan op een veel grotere schaal,' zei Bobo. 'Op die manier heb je genoeg mensen als het zover is. Maar we moeten wel nu beginnen. Volgend weekend bijvoorbeeld.'

Golden knikte wijs, als een generaal in overleg met zijn luitenant. Zijn ketting had precies dezelfde kleur als het bier dat voor hem op tafel stond. Hij merkte Andy op, die langzaam dichterbij kwam.

'Hé Andy, goede set vanavond.'

'Oh, thanks.'

'Onze Bobo wil voor volgende week een fissa organiseren. Vind jij dat een goed idee?'

'Bobo zit vol goede ideeën,' zei Andy, maar hij was zo dronken dat hij de vraag alweer half vergeten was. 'Ik bedoel: wat hij ook zegt, ik doe mee. Ik wil gewoon zo veel mogelijk lol trappen voordat het voorbij is, snap je?'

'Ik snap je, Andy. Ik snap je helemaal.' Golden gebaarde dat Andy dichterbij moest komen. 'Zal ik je iets vertellen?'

'Natuurlijk man.'

'Heb je ooit iemand iets horen zeggen over mensen die de kans krijgen iets groots te doen?' Andy schudde zijn hoofd. 'Fucking Shakespeare. Die heeft dat geschreven.'

'Wauw.'

'Precies. Zodra ik over die asteroïde hoorde, Andy, heb ik een besluit genomen. Dit was mijn kans om iets groots te doen. Ardor geeft mij die kans. En jou misschien ook.'

'Oké.'

Golden hief zijn glas op. 'Op grootsheid.'

En opeens had Andy ook een glas in zijn hand. Hij sloeg het achterover – wodka, of iets anders? – en toen hield hij zo'n beetje op te bestaan. Hij herinnerde zich niet dat hij aan de andere kant van de tafel ging zitten en met Anita praatte. Hij herinnerde zich niet dat ze even later weggingen en dat hij aan de passagierskant uit het raampje van haar Escalade kotste. Hij herinnerde zich niet dat hij vertelde waar hij woonde. Hij herinnerde zich zeker niet dat hij op zijn telefoon de Facebook-pagina van Eliza zocht (en had ze altijd al 4.254 vrienden?) om haar telefoonnummer te vinden zodat hij een voicemailbericht van vijf minuten kon achterlaten. Eigenlijk was ongeveer alles wat had plaatsgevonden nadat hij van het podium was gekomen de volgende ochtend verdwenen, alsof iemand de bizarre potloodschets van die avond had gepakt en hem met een grote roze gum had uitgewist.

Hij werd wakker met een koppijn die zo puur en perfect was, dat het hem verbaasde. Hij kreunde een lange woordloze kreun; het geluid van onontkoombaar lijden.

'Mooi,' zei iemand, 'je bent eindelijk wakker.'

'Eliza?' Andy zat in één klap rechtop. Op zijn futon zat Anita Graves, met een boek op schoot.

'Nee,' zei ze – al was dat inmiddels wel duidelijk – 'ik ben Eliza niet.'

PETER

Nadat ze was weggelopen stond hij zeker nog een halve minuut doodstil met zijn arm omhoog, als een hardboard figuur van een zwaaiende man. Het was de zondag na de persconferentie en het was de eerste keer dat ze hem ook daadwerkelijk zag staan sinds ze elkaar een jaar geleden in de doka hadden gezoend. Ze had een grote koptelefoon op en een of andere ouderwetse camera om haar nek, en op dat moment schoof het zwarte oog van de lens voor haar eigen bruine ogen en nam ze een foto van hem. Kleine zwarte vlakjes die verschoven terwijl de lens openging, een vluchtige zwaai, en toen was ze verdwenen.

Felipe zag alles gebeuren.

'Is dat een vriendin van je?'

Peter liet eindelijk zijn hand zakken. 'Zoiets. Vind je het goed als ik even gedag ga zeggen?'

'Erachteraan, man!'

Maar hij kreeg de strakke knoop van zijn schort niet snel genoeg los en toen hij naar buiten rende, was Eliza verdwenen. Heel even voelde hij een steek in zijn maag uit bezorgdheid voor haar, en toen bedacht hij hoe belachelijk dat was. Wat betekende ze nou voor hem? En hij voor haar? Helemaal niks.

Peter werkte die week elke avond als vrijwilliger bij Friendly Forks, en dat deed hij niet alleen omdat hij hoopte dat Eliza terug zou komen; hij vond de verbondenheid in de keuken fijn en ook het gevoel om met iets praktisch bezig te zijn. Veel restaurants in Seattle hadden hun deuren al gesloten, dus Friendly

Forks had meer klanten dan ooit. Peter was in het begin alleen maar getolereerd, niet meer dan dat, maar nu waren de jongens in de keuken eraan gewend dat hij er was en behandelden ze hem als hun vervelende maar ook lieve kleine broertje. Ze leerden hem zelfs een paar woorden Spaans, net genoeg om de strekking van hun grove taal te begrijpen als ze hem weer eens uitmaakten voor, zoals Felipe het zei: '*El lavaplatos mas gringo en todo el continente americano*', wat zoiets betekende als: 'De witste vaatwasser van heel Amerika.'

Peter deed het niet alleen vanuit de goedheid van zijn hart, maar ook omdat hij wanhopig op zoek was naar afleiding. Het hele 'twee derde kans dat alles om hem heen en alles waar hij van hield er over een paar weken niet meer zou zijn' hield hem constant bezig. Hij sliep maar een paar uur per nacht. Elke keer als hij zijn ogen dichtdeed zag hij de asteroïde dreigend boven het dak van zijn huis schijnen, zijn zusje in het frame van haar raamkozijn met haar ogen wijd opengesperd, terwijl het licht steeds groter en feller scheen en ten slotte alles wit werd. Dan schrok hij wakker uit zijn halfslaap en rende naar zijn slaapkamerraam en zag meestal alleen de gewone sterren die er altijd waren, ver weg en even onverschillig als altijd (Ardor was zijn specifieke blauwe kleur kwijtgeraakt en hield zich als een geheim agent op tussen de ongevaarlijke sterren). Dan ging Peter weer verder met zijn gedraai en gewoel. Het enige slaapmiddel dat hielp was de zonsopgang. Het was geruststellend om te zien dat de aarde weer langzaam naar de ochtend draaide en het was het enige wat zijn zwarte gedachten even kon onderbreken. Terwijl de hemel weer kleur kreeg, zakte Peter eindelijk in slaap om een paar uur later weer wakker te schrikken van het schelle gebliep van zijn wekker. Niet naar school gaan was voor hem geen optie, hoe vaak zijn moeder ook zei dat ze wilde dat hij thuis bleef. Wat zou hij de hele dag moeten doen? Bij haar zitten en haar troosten? Wachten tot zijn vader van zijn werk thuiskwam, wat elke dag later was omdat er steeds minder mensen op kantoor kwamen en ze de taken moesten verdelen?

Nee, de oplossing was om constant bezig te blijven zodat je geen moment de tijd had om na te denken. Het eerste weekend na het nieuws was hij vrijdag en zaterdag bij zijn familie gebleven en op zondag had hij Stacy mee uit lunchen genomen. Hij had zijn excuses aangeboden voor het feit dat hij haar die avond bij Friendly Forks min of meer had gedwongen om in de keuken te werken en zij had het hem vergeven. Met die hele toestand in de wereld zat hij niet te wachten op ruzie of verdriet omdat ze een punt achter hun relatie zetten (hoe blij zijn zus daar ook van zou worden). Hij had zelfs Stacy's goedkeuring om door te gaan met zijn vrijwilligerswerk ('Ik begrijp er niks, maar dan ook helemaal niks van, maar ik vind het wel bijzonder dat jíj het graag wilt doen'), en het was zijn lievelingsplek geworden. In het restaurant had hij geen tijd om over de eindigheid van het leven te piekeren of zich voor te stellen hoe degenen van wie hij hield smolten. Vanaf het moment dat de eerste gasten aan tafel gingen tot aan het moment dat Felipe de keuken inspecteerde en zei 'Het is fucking schoon', was er niets behalve het werk.

Op Valentijnsdag sloten ze kort na middernacht en lieten ze beleefd de laatste gasten uit, die een beetje aangeschoten de zaak verlieten. Het was zo druk op straat dat het wel leek of er in de hele stad een buurtfeest aan de gang was. Peter stond er in zijn eentje op de stoep voor het restaurant naar te kijken, toen iemand hem ineens een stomp tegen zijn schouder gaf.

'What's up, witte?'

Het was Felipe en achter hem stond Gabriel, zijn souschef. Peter had nooit echt met Gabriel gesproken. Hij was een van die werk-werk-en-werktypes. Er werd gezegd dat hij gevraagd was om als chef bij Starfish te komen werken, wat een van de betere visrestaurants was. Dat was vlak voordat Ardor zichtbaar werd en ze bij Starfish de boel hadden gesloten. Het was een indrukwekkende prestatie, gezien het feit dat hij een zwarte ex-gevangene was met een lang litteken over zijn gezicht, van zijn jukbeen naar zijn kin. Hij had zo de slechterik in een Bondfilm kunnen spelen.

'Ga je naar huis?' vroeg Felipe.

'Ik heb met mijn vriendin afgesproken. Je weet wel; Valentijnsdag.'

'Ga mee. We gaan wat drinken.'

Peter zou een leukere nacht met Stacy hebben als hij een beetje dronken was, bedacht hij. 'Weten jullie het zeker?' Om de een of andere reden keek hij naar Gabriel, die knikte. 'Oké. Eén biertje.'

In tegenstelling tot Gabriel was Felipe iemand die aan één stuk door kon praten. Het leek hem niet eens te kunnen schelen of iemand naar hem luisterde of niet – en dat was perfect als afleiding, om nergens anders aan te hoeven denken. Hij vertelde een of ander bizar verhaal over een rijk meisje met wie hij op de middelbare school iets had, en het verhaal was zo lang dat het pas was afgelopen toen ze hun bestemming hadden bereikt. Ze liepen door een smal steegje. De rode lamp in de muur van houten palen verlichtte een klein bordje van open ijzerwerk: THE CAGE.

Boven de binnenplaats hing meer rook dan op het podium tijdens een heavy metal-concert. De rook kwam van een grijze groep motorrijders in leren broeken met studs, en van brede, ondergetatoeëerde latino's die net hun laatste dienst van wat dan ook erop hadden zitten. Er waren een stuk of vijftien vrouwen en de meeste van hen konden makkelijk voor mannen doorgaan als er problemen waren.

'Zoek een plek,' zei Felipe. 'Ik haal het eerste rondje.'

Peter bleef achter met Gabriel. 'Gaan jullie hier vaker naartoe?'

'Ja.'

'Lijkt me een coole plek.'

'Het is te doen.'

Een groep punkers verderop barstte plotseling in luid gelach uit. Peter herkende een paar van hen: Golden, de crimineel die hij in Beth's Café had ontmoet, en Bobo, die idioot die iets met zijn zusje had. Gelukkig was Misery er zelf niet.

'Ken je die gasten?' vroeg Gabriel.

'Vaag.'

'Ze zijn fout.' Hij haalde een joint uit zijn achterzak en stak hem aan. 'Wil je?'

'Nee, dank je.'

'Zes dollar voor drie Buds,' zei Felipe toen hij terugkwam van de bar. 'Beste plek van de stad.'

Het bruisende, koude vocht stroomde prikkelend door Peters keel naar zijn maag en spoelde alles weg. Het was waarschijnlijk het lekkerste biertje dat hij had gedronken sinds zijn eerste, op een steiger aan Lake Washington. Cartier en hij hadden een hele lauwwarme sixpack achterovergeslagen (die Cartiers oudere broer voor hen had gekocht) en ze hadden tot zonsopgang over onzin zitten praten.

Net toen hij zich een beetje begon te ontspannen, sloeg iemand met een harde klap op hun tafel. De glazen rinkelden.

'Onze *big man* in de achterbuurt van de stad. Ben je verdwaald?' zei Bobo. Zijn woorden plakten aan elkaar van de alcohol. Golden stond vlak achter hem.

'Gewoon wat drinken met mijn vrienden,' zei Peter.

'Waarom ben je vanavond niet naar mijn fucking optreden komen kijken?'

Peter herinnerde zich vaag dat hij op school een paar flyers had zien hangen, maar hij had niks met punkrock. 'Ik wist niet dat je zou spelen.'

'Nou, ik heb gespeeld, en het was vet. Misery was er ook. Jouw zus. Mijn vriendin. Maar ze is al naar huis. Ze zei dat je haar de hele tijd in de gaten hield en dat ze niet te laat thuis kon komen. En nou zit je hier. Waar slaat dat op?'

'Ze is jonger dan wij. Maar goed om te horen dat ze toch luistert.'

'Eh... ja, misschien heb je gelijk.' Bobo keek even omhoog. 'Ardor. Je kan gewoon voelen dat hij er is, hè? Hij komt naar ons toe. Hij wil bloed zien.'

'Hé, *ese*, wil je onze avond verpesten?' vroeg Felipe, net aardig genoeg om de spanning te breken. 'We proberen die shit juist te vergeten.'

Bobo lachte. 'Sorry. Dat is dat hoofd van me. Helemaal fucked up. Goed om je te zien, big man.'

Terwijl de anderen wegliepen, deed Golden een stap naar voren. Hij legde zijn hand op Gabriels schouder. 'We missen je in The Independent, G. Als je ooit weer mee wilt spelen, laat het me weten, oké?'

Gabriels antwoord was een lange pluim rook, en verder niks.

'Drugsdealers,' zei Felipe toen ze weg waren. 'Dat zijn altijd klootzakken. Omdat ze geen vrienden hebben. Iedereen wil altijd iets van ze. Daar worden ze gemeen van.'

'Ken je Golden al lang?' vroeg Peter aan Gabriel.

Gabriel schudde zijn hoofd. 'Hij kent me niet. Hij kende iemand die op me leek. Ik haal het volgende rondje.'

Hij stond op en liep naar de bar.

'Het is een lang verhaal,' zei Felipe, 'en het heeft lang geduurd voordat hij zijn leven op de rit had.'

Peter had het verhaal graag gehoord maar op dat moment klonk er aan de andere kant van de houten muur geschreeuw. Een paar mannen op de binnenplaats keken op, maar niemand deed iets. Zelfs Felipe, die net een slok wilde nemen, liet zich daar maar heel even van weerhouden en sloeg toen zijn bier achterover.

Een meisje gilde.

Peter stond op, maar Felipe greep zijn pols vast. 'Nee, man,' zei hij. 'Bemoei je er niet mee.'

Peter trok zijn arm los. In de steeg vlak voor de Cage stond de groep van Golden in een kring ergens omheen. Peter worstelde zich tussen de mensen door en zag Golden die een straathoertje bij haar keel greep. Het meisje had warrige haren en ogen die als landmijnen diep in haar kassen lagen.

'Wat doe jij, verdomme?' zei Peter.

Golden was heel even afgeleid en het meisje pakte haar kans om met haar scherpe klauw vol fel gelakte nagels uit te halen naar zijn arm. Hij liet haar los en ze kwam onmiddellijk overeind, zette het op een rennen en duwde met haar broodmagere armen de toeschouwers opzij. Bobo viel achterover en kwam met een bloedneus weer overeind. Ik moet ook wegrennen, dacht Peter, maar het was te laat. Er had zich een nieuwe cirkel gevormd en dit keer stond hij in het midden.

Golden kwam naar voren, veel te dichtbij. 'Ben je achterlijk of zo?' Zijn irissen waren groot en zwart en alleen aan de randen was nog een zweem grijs te zien, als twee verduisterde zonnen. 'Je hoeft geen antwoord te geven; alleen aan die kop van je kan ik al zien dat je van je leven nog geen dag hebt gewerkt en waarschijnlijk heb je geen idee wat het betekent om je geld te moeten verdienen. Dat meisje was me geld verschuldigd.'

'Daarom hoef je nog geen geweld te gebruiken.'

Golden glimlachte. 'Geweld? Noem je dit geweld?' Hij ging met zijn hand naar zijn hals en maakte de sluiting van zijn ketting los. Soepel en glimmend gleden de schakels van zijn nek en de ketting ontrolde zich als de lange zakdoek van een goochelaar. 'Ik durf te wedden dat je geweld alleen van films kent – daarom herken je het niet. Wat je net zag was geen geweld, dat was intimidatie.' Golden begon de ketting om de vingers van zijn rechterhand te wikkelen en verhulde langzaam de vier getatoeëerde letters op zijn knokkels. 'Intimidatie is dreigen met geweld. Goede intimidatie is net een marteling; het maakt alle angsten in je wakker. Maar geweld is iets anders. Geweld is als een bliksemflits. Het is voorbij zodra het begint.'

Peter was zelden bang – als basketballer van één meter negentig had je daar weinig reden voor. Maar toen Golden de ketting helemaal om zijn vingers had gewikkeld en een vuist maakte, zag hij de rollende spieren in zijn onderarmen en de opgezwollen aderen, als een geheim web dat verborgen was geweest onder de oppervlakte van zijn huid. Peter begreep dat een slag van die vuist veel schade zou aanrichten. Zo'n slag gaf iemand alleen als hij je neus wilde breken, je kaak wilde verbrijzelen en je tanden eruit wilde slaan. Zo'n slag gaf iemand alleen als hij je wilde uitschakelen.

En de enige belachelijke gedachte die door zijn hoofd schoot was dat Eliza hem nooit meer zou zoenen als hij geen tanden meer had.

'Waar wil je dat ik je raak?' vroeg Golden.

Voordat Peter kon antwoorden, klonk er één eenvoudige klik, ergens vlakbij. Iedereen draaide zich om en bij de deur van de Cage stonden Felipe en Gabriel. Felipes gezicht was rood van woede, maar het was de ijzig-kalme Gabriel die het pistool in zijn hand had. Wat een vreemd ding eigenlijk, dacht Peter, een pistool. Het was een speelgoedding waar hij het grootste deel van zijn leven mee gespeeld had, en als het geen speelgoed was, was het een rekwisiet in films over agenten en dieven en helden dankzij wie alles toch nog goed kwam. Het was makkelijk om te vergeten dat pistolen ook echt konden zijn, in het echte leven.

Golden keek recht in de loop. 'Alleen een mietje neemt een

blaffer mee als er gevochten moet worden,' zei hij. Terwijl hij in de loop bleef kijken, haalde hij uit en raakte Peter met de achterkant van zijn hand tegen zijn wang. De ketting deed pijn, maar Peter wist dat het maar een schijnbeweging was. Golden wilde het veld verlaten zonder zijn waardigheid te verliezen. Peters grootste angst was dat Gabriel toch zou schieten, en dan zou de hel losbarsten.

Maar er klonk geen schot. Golden wikkelde de ketting langzaam van zijn hand en deed hem weer om zijn nek. Zonder een woord liep hij weg, af en toe steun zoekend tegen de muur in de steeg.

'Nu heb je meer te vrezen dan alleen een asteroïde,' zei Bobo. Het bloed bij zijn neus was al opgedroogd, en toen hij lachte barstte de korst en dwarrelden er rode sneeuwvlokken naar beneden.

Hoe had meneer McArthur het ook alweer genoemd?

Een pyrrusoverwinning.

Drie dagen later stond Peter voor de mensa te wachten. Hij trilde op zijn benen, maar niet omdat hij bang was voor Golden, en zeker niet voor Bobo. Hij was bang voor een tenger meisje met bruin haar en een lichtgroene tanktop aan. Vanaf de andere kant van het plein zwaaide ze naar hem. Ze gooide haar haren over haar schouder en lachte – totaal onwetend.

Kon liefde zo snel verdwijnen? Of wilde dit zeggen dat het nooit echt liefde was geweest?

Er was niets meer waarachter hij zich kon verschuilen. Als hij het voor de ruzie met Golden nog niet wist, dan was het hem daarna helemaal duidelijk geworden. En na nog een weekend met alleen maar slapeloze nachten waarin hij zich voorstelde hoe de laatste momenten op aarde eruit zouden zien, werd het hem duidelijk dat hij, wanneer hij zou opkijken om Ardor de dampkring binnen te zien dringen, bloedrood door de hitte van de wrijving, niet Stacy's hand wilde vasthouden. Of de asteroïde nou voorbij zou schieten als een slechte bovenhandse pass, of hen zou raken als een enorme vuist omwikkeld in vuurrode kettingen, Ardors keiharde boodschap was al aangekomen: het leven is fucking kort.

'Hé, liefje,' zei Stacy, en op dat moment zag ze het raamwerk van korsten op zijn gezicht. Ze strekte haar arm uit om zijn wang aan te raken, precies op de plek waar ze hem even later uit volle macht een mep zou geven en bijna alle wondjes weer open zou halen die een rooster van bloed op haar handpalm zouden achterlaten. 'Wilde je me daarom niet zien op Valentijnsdag? Wat is er gebeurd?'

Hij pakte – voor de laatste keer, zo zou later blijken – haar hand vast. Een paar dagen daarna besloten zij en haar ouders Seattle te verlaten om naar hun buitenhuis bij Lake Chelan te gaan. Ze zou de moeite niet eens nemen om hem te bellen en gedag te zeggen.

'Heel veel,' zei hij. 'En daar moeten we het over hebben.'

ANITA

'Eliza?'

Anita keek op van haar boek – Immanuel Kants *Kritiek van de zuivere rede.*

'Nee, ik ben Eliza niet.'

Andy knipperde met zijn ogen als een berenjong dat uit zijn winterslaap ontwaakt. Hij had nog dezelfde kleren aan als tijdens het concert en zijn haar leek op een avant-gardebeeld: allemaal hoeken en uitstekende punten. 'Jij bent Anita,' zei hij.

'Goed zo. En nu je bed uit en onder de douche, voordat er doden vallen.'

Andy rook aan zijn oksels en grijnsde. 'Goed idee.'

Anita trok zich terug in de woonkamer waar ze ook geslapen had, op een bank waarin je zo diep wegzakte dat het was alsof je in een hangmat lag. Die nacht was haar hand een paar keer in een plooi gegleden en ze had zich afgevraagd hoe iets zanderig en tegelijkertijd vochtig kon zijn. Nu, in het kille daglicht, haalde ze de kussens van de bank, schudde die op en sloeg al het stof, muntjes en geplette Skittles weg die zich eronder verzameld hadden.

Na een minuut of tien (zo simpel was het leven van een jongen!), kwam hij uit de slaapkamer in een spijkerbroek die onder de gekleurde markerteksten zat en een T-shirt met een portret van George W. Bush en de woorden 'The Decider' eronder.

'Mijn hoofd voelt als een nummer van My Bloody Valentine,' zei hij. 'Koffie.'

Ze reden naar de dichtstbijzijnde Denny's en kregen een plek voor het raam aangewezen met een panoramisch uitzicht op de parkeerplaats.

'Zo, dat was wat, gisteravond,' zei Anita.

Andy ging met zijn hand door zijn haar en transformeerde de sculptuur (die de douche van nog geen twee minuten had overleefd) tot een nieuwe vorm. 'Heb ik echt een bericht achtergelaten op Eliza's voicemail?'

'Tss, je mocht willen dat het gewoon een bericht was. Het was een monoloog. Het was een episch gedicht.'

'Jezus.'

'Hé, als ik zo'n bericht zou krijgen, zou ik me gevleid voelen. Of ik zou me zorgen maken. Een van de twee. Maar wat zie je eigenlijk in haar?'

De serveerster, een dikke vrouw van in de zestig met geblondeerd haar en uitgegroeide wortels, zette Andy's koffie neer. 'Dankjewel, Claire,' zei hij. Anita wist niet of het nou heel erg lief was of heel verdrietig als je het personeel van Denny's bij hun voornaam kende. Hij blies in zijn kopje en nam een slok. 'Ik weet het niet. Eliza is cool.'

'Dat is het enige? Ze is cóól?'

'Hou op met je kruisverhoor, oké! En trouwens, ik ben degene die hier de vragen zou moeten stellen.'

'Hoezo?'

'Omdat jij pas echt een weirdo bent!'

'Nee, dat ben ik helemaal niet,' zei Anita, maar stiekem vond ze het leuk dat hij dat zei want het was weer eens iets anders dan dat iemand haar een stijve megatrut vond.

'Jawel, dat ben je wel. Want, wat doe je hier, bijvoorbeeld? En sinds wanneer ga jij naar punkrockconcerten en motorclubs en breng je de nacht door in het huis van een jongen? Dat is niet de Anita Graves die ik ken.'

'Dan ken je Anita Graves misschien helemaal niet.'

'Ik ken de Anita Graves met wie ik een keer een werkstuk voor natuurkunde moest maken.'

'Als ik me goed herinner heb je weinig aan dat werkstuk gedaan.'

'Dat is precies wat ik bedoel. Je was echt...' Hij maakte twee vuisten en schudde die een beetje heen en weer.

'Spastisch?'

'Gespannen. Je wilde die hele week niet één keer een blowtje met me roken.'

'Ik heb niks met drugs.'

'Nee... maar zelfs als ik even wilde stoppen om te snacken deed je alsof ik wilde spijbelen om heroïne te scoren. En ga jij volgend jaar niet naar Harvard?'

'Princeton. Nog niet definitief.'

Andy legde zijn handen met hun palmen naar boven op tafel, alsof hij net iets bewezen had. 'Zie je wel. Dus wat doe je dan opeens hier, met een sukkel zoals ik? Is dit zo'n asteroïde-komt-en-we-gaan-er-allemaal-aan-ding?'

Anita haalde haar schouders op. 'Misschien. Ik bedoel, waarschijnlijk. Maar dat betekent nog niet dat het een slecht idee is. Weet je, volgens mij ben ik namelijk de enige die een stuk gelukkiger is sinds we weten dat Ardor eraan komt. Het was een soort wake-upcall, snap je? Ik doe al m'n hele leven wat er van me verwacht wordt, en alleen maar omdat ik dacht dat mensen zoals jij, mensen die alleen maar deden waar ze zin in hadden, de dommen waren. Maar nu denk ik: wie is er nou dommer? De jongen die zijn eigen dingen doet of het meisje dat probeert de dingen van een ander te doen?'

'En dus... wat is jouw ding?'

'Ik wil zingen,' zei ze zonder te aarzelen. 'Daarom kwam ik naar je optreden.'

'Wil je bij Perineum komen?'

Anita schoot in de lach. 'Nee! Alsjeblieft niet!'

'Oké, maar je hoeft niet zo lullig te doen, hoor.'

'Sorry, ik eh... ik ben niet echt een punkmeisje. Maar het nummer dat jíj zong? Dat was prachtig! Ik bedoel... ik kon mijn oren niet geloven.'

Andy verborg zijn glimlach door snel een slok te nemen. Hij was duidelijk niet gewend aan complimenten. Anita vroeg zich af of kinderen op die manier verpest konden worden; omdat niemand ooit iets zei als ze wat goeds deden en ze daarom uiteindelijk helemaal geen zin meer hadden om hun best te doen.

'Welk nummer was het?' vroeg hij.

'Hoe bedoel je?'

'Welk nummer heb ik gezongen?'

'Serieus, weet je dat niet meer?'

Andy schudde sullig zijn hoofd, en toen schoten ze allebei in de lach. Hun eten werd gebracht: hash browns met uitgebakken spekjes, en poffertjes met een geribbelde boterkrul in een kuipje. Anita kon zich niet herinneren wanneer ze voor het laatst bij Denny's had gegeten. Het was heerlijk.

'Mag ik je misschien iets anders vragen?' vroeg Andy met volle mond.

'Tuurlijk.'

'Waarom moest je toen die ene keer in de bibliotheek huilen?'

Anita had nog nooit iets aan iemand over haar ouders verteld, alleen aan Suzie O., maar misschien kwam dat omdat niemand er ooit naar had gevraagd. 'In een notendop? Omdat mijn vader een klootzak is en mijn moeder het altijd met hem eens is. Ze hebben ontzettend hoge verwachtingen van me, en zelfs als het me lukt om die waar te maken, zijn ze nog niet gelukkig. Ik dacht dat alles zou veranderen als ik op Princeton werd toegelaten, maar het werd alleen nog maar erger.'

'Mijn ouders verwachten helemaal niks van me,' zei Andy.

'Dat moet fijn zijn.'

'Dat denk je maar.'

De serveerster kwam en schonk nog een keer koffie voor hem in. 'Ongelooflijk, hoeveel koffie jij kan drinken,' zei Anita. 'Ik zit na één kop al te stuiteren.'

'Ik heb weerstand opgebouwd.'

'Soms ben ik bang dat ik niet genoeg slechte gewoontes heb om muzikant te zijn. Mijn oom is saxofonist en ik heb hem wel eens tien koppen koffie achterelkaar zien drinken, en een halve fles bourbon, trouwens. Misschien wordt het tijd dat ik ook een of andere verslaving zoek. Drank. Drugs. Of met iedereen naar bed gaan zoals...' Ze slikte de rest van de zin in, maar het was al te laat.

'Zoals Eliza?'

'Sorry.'

'Het geeft niet. Die naam heeft ze nou eenmaal tegenwoordig.'

'Dat is toch niet de enige reden dat je in haar geïnteresseerd bent, of wel?'

'Nee! Ik vind haar leuk. Echt leuk. En ik had ook gewoon iets nodig, snap je? Door Ardor. Ik moest iets hebben wat ik wilde...'

'Ik snap het helemaal. Ik heb ook iets nodig. Van jou.'

'Zoals?'

'Ten eerste: ik wil muziek maken. Ik kan zingen, jij kan spelen. Deal?'

'Deal. Wat nog meer?'

'Ik wil een feest organiseren en daar heb ik je hulp bij nodig. En dat betekent dat je naar de vergadering van de leerlingenraad moet komen.'

Andy deed alsof hij aan een strop om zijn nek omhoog werd

getrokken. Hij praatte door terwijl hij langzaam heen en weer bungelde. 'Ik neem aan dat dat me wel lukt.'

'Bedankt.' Ze zuchtte diep. 'En er is nog iets.'

'Kom maar op.'

'Ik moet een soort van bij je intrekken.'

Die woensdagmiddag sleepte Anita Andy mee naar de discussiegroep zodat ze hem niet uit het oog zou verliezen voordat de vergadering van de leerlingenraad begon. Ze was bang dat hij zich zou misdragen, zoals tijdens de bijeenkomst in de aula, of dat hij in slaap zou vallen, maar hij deed gewoon mee. Hij had de artikelen niet gelezen (natuurlijk niet), maar dat nam niet weg dat hij heel erg betrokken was bij de discussie. Een uur lang hadden ze het over twee dingen: iets wat je de 'categorische imperatief' noemde en wat inhield dat je 'niets moest doen waarvan je niet vond dat het een wet moest worden', en het 'utilisme', wat een theorie was die zei dat de beste keuze altijd die keuze was die leidde tot het grootste geluk van het grootste aantal mensen, wat de situatie ook was.

Andy stak zijn hand op. 'Dus als ik iemand een trap voor zijn ballen geef, en daar moeten een heleboel mensen om lachen, dan is het oké?'

Meneer McArthur dacht even na. 'Ervan uitgaand dat we de omvang van het plezier versus de omvang van de pijn kunnen meten? Ja.'

'En zelfs als negenennegentig procent van de mensen op deze planeet de inslag van Ardor niet zou overleven, dan zou het nog steeds goed kunnen zijn als degenen die het wel overleven en hun kinderen uiteindelijk véél gelukkiger zouden worden?'

'Yep.'

Andy ging achterover zitten en schudde zijn hoofd. 'Dat is behoorlijk zieke shit.'

In deze nieuwe postasteroïde wereld kon je dit soort taal gewoon gebruiken als je met een leraar praatte.

Na de les gaf Suzie Andy een stomp tegen zijn schouder. 'Anita, heb jíj deze pessimist meegenomen?'

'Mijn schuld. Hij is mijn einde-van-de-wereldproject.'

'Hé, Suzie,' zei Andy terwijl hij naar het vloerkleed keek. 'Nog sorry, van vorige keer toen ik bij je was. Ik was in de war.'

'Het geeft niet. Het zit iedereen hoog. Maar ik hoop dat je naar onze kleine bijeenkomsten blijft komen. Je had goede bijdragen.'

'Bedankt. Het was minder saai dan ik had gedacht.'

'Andy!' zei Anita.

Maar Suzie lachte. 'Van bijna iedereen zou ik dat een rotopmerking vinden, maar van Andy Rowen, die bijna alles saai vindt, is dit een behoorlijk serieus compliment.'

'Precies,' zei Andy grijnzend. 'Suzie, je begrijpt me helemaal.'

Na een snackpauze (waarin Andy Anita broodjes pindakaas met barbecue-hamchips leerde eten) liepen ze naar de vergadering van de leerlingenraad. Het was de eerste vergadering na de persconferentie over Ardor en de raad was al gekrompen: van acht leden naar vijf. Helaas was Krista Asahara niet onder de afwezigen.

'Wat doet híj hier?' vroeg ze terwijl ze naar Andy wees.

'Ik heb hem uitgenodigd,' zei Anita. 'En we zijn toch met te weinig.'

'Volgens het reglement moeten we twee derdeklassers en een vierdeklasser erbij hebben.'

'Volgens mij is het reglement op dit punt discutabel. En Andy is meegekomen omdat we een paar nieuwe ideeën voor het eindejaarsbal hebben uitgewerkt die we graag met jullie willen delen.'

'Voor het eindejaarsbal?' vroeg Stephen Durkee. 'Gaan we dat nog doen dan?'

'Natuurlijk gaan we dat doen,' zei Krista. 'De leerlingen hebben het nodig, voor het moreel.'

'We hadden dus een ander plan bedacht,' zei Anita. 'Het feest staat gepland voor over drie weken, maar wij willen het op de avond houden voordat Ardor komt.'

Krista keek haar geschrokken aan. 'Maar we weten niet eens precies wanneer dat is.'

'Maar tegen die tijd wel.'

'Maar hoe kunnen we het dan plannen? Het is absoluut niet uitvoerbaar.'

Andy wipte op twee poten van zijn stoel naar achteren. 'Hé, Krista, het spijt me dat ik het zeg, maar je doet echt rete-irritant op dit moment.'

'Ik weet niet of dat nou zo'n zinvolle bijdrage is aan deze discussie,' zei Anita terwijl ze haar glimlach probeerde te verbergen.

'Sorry. Maar ze zit echt zo ontzettend te zeuren, en dan ook nog vlak bij mijn oor. En zo moeilijk is het allemaal niet; we moeten gewoon een plek vinden waar we altijd terecht kunnen en dan kunnen we de boel klaarzetten ook al weten we nog niet precies wanneer het begint.'

'Het bal wordt in de gymzaal gehouden,' zei Krista. 'Of is dat zeurderig van me om dat te zeggen?'

'Jeez, dit is toch geen eindejaarsbal meer? Het is een feest voor het einde van de wereld! En dat vindt niet in de gymzaal plaats, want het wordt véél te groot voor de gymzaal, want iedereen mag uitnodigen wie hij wil. Familie. Onbekenden die je op straat tegenkomt. Nodig wat mij betreft je dealer uit, whatever. Het wordt verdomme Het Feest voor het Einde van de Wereld!'

'Dit slaat helemaal nergens op,' zei Krista, en ze keek naar de anderen op zoek naar steun. 'Peter, jij gaat hier niet mee akkoord, toch?'

Maar Peter antwoordde niet. Hij staarde uit het raam en volgde helemaal niet wat er binnen in het lokaal gebeurde. Hij had een vreemde plek op zijn wang, een soort patroon van rode littekens alsof hij op een tennisracket was gevallen dat bespannen was met prikkeldraad. Er werd gezegd dat hij het had uitgemaakt met zijn vriendin. Misschien had zij hem met haar perfect verzorgde nagels te pakken gehad.

'Peter!' zei Krista.

Hij knipperde met zijn ogen en keerde terug naar de kamer. 'Sorry, waar gaat het over?'

'Ze willen een gewoon feest geven in plaats van het eindejaarsbal!'

'O ja? Perfect. Dat eindejaarsbal is altijd verschrikkelijk.'

Krista wist niet wat ze moest zeggen en voor het eerst had Anita medelijden met haar. Wat moest een slijmbal nou beginnen als de hiërarchie van het hele universum in elkaar stortte?

'Laten we stemmen,' zei Anita. 'Wie is er voor?' Alle handen gingen omhoog, zelfs die van Krista, die heel goed wist wanneer iets een verloren zaak was. 'Het Feest voor het Einde van de Wereld gaat door, is unaniem besloten.'

'Prima,' zei Krista, die zich alweer aanpaste aan de nieuwe status-quo. 'En wie gaat er draaien op dat superfeest?'

Andy sloeg op tafel. 'Alsjeblieft geen fucking topveertig-R&B-shit, dat kan ik je wel vertellen. Dit feest moet meer zijn dan weer diezelfde ouwe troep.'

'Wat stel je voor?'

'Blij dat je het vraagt...' Andy werd onderbroken door het rinkelende geluid van een digitale marimba. Hij haalde een versleten Nokia uit zijn zak.

'Tijdens de vergaderingen zetten we onze telefoons altijd uit,' zei Krista.

Maar Andy staarde met grote ogen naar het schermpje.

'Hoor je me niet? We zetten onze telefoons...'

Andy keek naar Anita. 'Zij is het,' zei hij. 'Ze belt me.'

De telefoon ging nog een paar keer over voordat Anita doorhad over wie Andy het had: Eliza, die reageerde op het legendarische voicemailbericht dat hij vrijdagavond had ingesproken.

'Help me, wat moet ik doen?' Andy keek naar de telefoon alsof het een wonderlamp was die hem juist drie wensen had aangeboden, maar hij moest ze wel binnen drie seconden opnoemen.

'Opnemen, slimmerik! En niet raar doen.'

'Oké.' Hij stond zo snel op dat hij over zijn stoel struikelde.

'Dus...' zei Krista toen Andy het lokaal uit was. 'Als we dan nu weer verder kunnen gaan, wat bieden we als entertainment aan, als het geen dj mag zijn? Kennen jullie iemand bij het Symfonieorkest van Seattle of zo?'

'Nee,' zei Anita, en ze had het gevoel dat ze al haar hele leven had moeten wachten om het te mogen zeggen: 'Ik ben het entertainment.'

ELIZA

Eliza paste de hoek van haar laptopscherm aan zodat ze zelf in het midden kwam te staan. Je eigen gezicht zien zoals andere mensen je zagen was net zoiets als de hele tijd hetzelfde woord herhalen totdat het zijn betekenis verloor en gewoon een verzameling klanken werd. Als Eliza te lang in de spiegel keek, zag ze geen mens meer maar een soort buitenaards wezen, met buitenproportionele borstelige wenkbrauwen, een brede neus en griezelige trollenoren.

'Eliza, ben je er nog?'

Uit het speakertje van haar laptop klonk de superopgewekte stem van Sandrine Close, redacteur van Closely Observed, een populaire website over jonge fotografen en hun werk. Sandrine, een beeldschone twintigplus hipster met vuurrood haar, had Eliza uitgenodigd om op de site te 'verschijnen' in een live video-interview over het onderwerp van Apocalypse Already. Ze had een hippe bril op met een smaragdgroen jarenvijftigmontuur en een bijpassende blouse met een diep decolleté dat een driehoek lichte huid vrijliet waarvan de onderste punt net buiten beeld viel.

'Ja.'

'Ben je er klaar voor?'

'Ik voel me een beetje *underdressed*.'

'Je ziet er geweldig uit. Oké. We tellen af. We zijn nu bij zes, en we gaan de lucht in bij drie, twee, een...' Sandrine lachte stralend. 'Hallo, bezoekers! Ik ben hier samen met een heel bijzondere gast: fotografe en blogster Eliza Olivi. We hebben afgelopen week aandacht geschonken aan Eliza's werk, maar als je nog niet naar haar blog bent gegaan, Apocalypse Already, klik dan op de link onder aan deze pagina. Eliza houdt een fotoblog bij over de effecten van Ardor in Seattle en daarbij gebruikt ze haar eigen school als metafoor voor de maatschappij in haar geheel. En als je het mij vraagt: het is echt fantastisch.'

'O, dank je.'

'Eliza, je bent in één klap beroemd geworden. Vertel eens hoe dat voelt.'

'Het is surrealistisch. Nou is op dit moment alles surrealistisch en daarbij vergeleken is het dus weer vrij normaal.' Ze lachte maar hield daar snel mee op omdat ze geen idee had of mensen meelachten of niet. 'Ik had nooit verwacht dat mensen interesse zouden hebben in wat ik doe. Misschien zouden ze dat ook niet hebben als die foto's van Andy er niet bij hadden gezeten.'

'Andy is de jongen die werd aangevallen door die politieagent?'

'Ja.'

Sandrine keek even op een blaadje dat ze kennelijk buiten beeld in haar hand hield. 'En zie je wat jij doet nou voornamelijk als een esthetisch of als een politiek project?'

'Ik weet niet goed wat je bedoelt.'

'Nou, zoals die foto die je "Friendly Forks" hebt genoemd. Sommige mensen zien in die foto een verhaal over de belangeloze goedhartigheid van vrijwilligers in een wereld die op de rand van de afgrond wankelt; andere mensen denken dat hij in scène is gezet, met een knap jong model en een hele set, helemaal volgens de regels van de esthetiek.'

Dachten mensen echt dat Peter een model was? Eliza kon zich voorstellen dat hij daar zelf om zou moeten lachen, al wist ze niks van zijn gevoel voor humor. Ze hadden elkaar nog steeds niet gesproken, maar sinds de dag dat ze die foto had genomen, had ze het gevoel dat er tussen hen iets broeide – alsof hun ontmoeting voorbestemd was, of verdoemd... Ze zag er een metafoor in, de vraag was alleen wie van hen een wereldvernietigende asteroïde was en wie de blauwe planeet die iedereen met rust liet.

'Ten eerste is niet een van mijn foto's in scène gezet. En wat betreft hun betekenis; daar probeer ik niet te veel over na te denken. Ik bedoel, natuurlijk wil ik de dingen laten zien die de politie of de regering of de school geheim wil houden, maar dat is maar één kant ervan. Ze zeggen altijd dat fotografie een poging is om het tijdelijke of vergankelijke te vangen. En opeens is alles tijdelijk geworden. Het is net of Ardor dat andere soort licht is dat we hiervoor nog niet hadden en het schijnt overal en zet elk object en iedere persoon op deze planeet in een ander licht, en dat wil ik vastleggen, voordat het voorbij is.'

'Is dat geen prachtige gedachte?' zei Sandrine. 'Blijven doorgaan. Met alle berichten over Los Angeles en New York waar het leger is ingeschakeld, om nog maar niet te spreken over de bomaanslagen in Londen en in het grootste deel van het Midden-Oosten, horen we niet zoveel over Seattle. Maar jouw foto's laten zien dat de stad er niet zonder kleerscheuren vanaf komt. Veel van jouw beelden laten plunderaars en drugsdealers in actie zien. Mijn vraag is: ben je nooit bang? Ik neem aan dat die mensen het niet prettig vinden om door jou gefotografeerd te worden.'

'Waar moet ik bang voor zijn? Over ongeveer zes weken bestaat de wereld niet meer.'

'En je ouders? Maken zij zich geen zorgen?'

Eliza twijfelde. Ze negeerde nog steeds haar moeders telefoontjes en haar vader had één keer naar haar website gekeken en toen gezegd dat ze absoluut door moest gaan met het project, wat er ook gebeurde. En het vreemde was dat iets in haar hoopte dat hij haar zou vragen om te stoppen. Niet dat ze dat dan zou doen, helemaal niet. Ze wilde alleen dat hij het zou vragen.

'Ik woon alleen met mijn vader, en hij is zelf grafisch vormgever en fotograaf, dus het enige wat hij belangrijk vindt, is dat ik iets goeds maak.'

'Daar heb je geluk mee. Nog één laatste vraag, Eliza. Je bent zo'n ontzettend mooi meisje. Ik weet zeker dat iedereen wil weten of er een speciaal iemand in je leven is.'

En wat had het te betekenen dat Peter onmiddellijk door haar hoofd flitste, als een of andere pavloviaanse reactie?

'Nee, er is niemand.'

'Wat jammer. Oké, dat waren mijn vragen. Eens kijken wat voor vragen de luisteraars hebben.'

Eliza beantwoordde een vraag over haar blog ('Ik ben een grote Francis Ford Coppola-fan'), drie persoonlijke vragen over haar leven ('Hetero, maar ik verheug me op mijn experimentele fase', 'Geldt "slecht voor mij" ook als type?' en 'Missionaris, denk ik, maar ze zijn allemaal goed'), drie vragen over haar technische werkwijze en twee vragen over haar favoriete fotografen. Daarna bedankte Sandrine haar onzichtbare publiek en sloot de livefeed.

'Goed gedaan, Eliza.'

'Echt?'

'Ja, zeker. Je kan in de toekomst echt veel bereiken. Als je dus zeg maar, een toekomst hebt. En hé, als je ooit naar New York komt: het lijkt me ontzettend leuk om me met jou in die experimentele fase te storten.'

'O. Dank je.'

Sandrine knipoogde en sloot de sessie af. Eliza klapte de laptop dicht. Aan de andere kant van de tafel keek Andy op van het boek dat hij aan het lezen was – van Immanuel Kant nog wel.

'Iemand hier heeft er een aanbidder bij,' zei hij pesterig.

'Hou je kop.'

Hij had geluk gehad, uiteindelijk. Toen Eliza Andy's dronken gewauwel voor de eerste keer had gehoord, had ze het voicemailbericht niet eens helemaal afgeluisterd. Ze dacht er pas een paar dagen later weer aan, toen ze met Madeline zat te skypen. Eliza had gehoopt dat Madeline na het nieuws terug zou komen naar Seattle, maar ze was kennelijk verliefd geworden op een jongen van de kunstacademie, en aangezien bijna haar hele familie aan de oostkust woonde, hadden haar ouders in afwachting van Ardor besloten om ook die kant op te gaan.

Eliza wist niet wat ze gekker vond, het feit dat ze Madeline misschien nooit meer zou zien of het feit dat Madeline een echte relatie had.

'Je moet genoeg lol trappen voor ons alle twee, oké?' zei Madeline. 'En je moet me alles vertellen. Heb je al waanzinnige het-is-het-einde-van-de-wereldseks gehad?'

'Niet echt. Maar ik heb wel letterlijk het meest bezopen voicemailbericht van de eeuw ontvangen.'

'Heb je het nog?'

'Ja... maar alleen omdat ik anders ook naar al die berichten van mijn moeder moest kijken. Het gaat echt ver, wat ze doet.'

'Daar hebben we het straks wel over. Ik wil eerst het verhaal van die dronken gast horen.'

'Echt? Wil je het niet liever over de diepgaande issues met mijn moeder hebben?'

'Nope.'

'Oké.' Eliza scrolde vlug naar beneden: mama, mama, mama, mama, mama, mama... tot ze het vijf-minuten-en-tweeënveertig-seconden-bericht vond van een onbekend nummer.

'Het is wel een soort van lief,' zei Madeline toen het afgelopen was.

'Maar hij is totaal van de wereld.'

'Nou en? Hij klinkt... romantisch gestoord.'

'Ik ben het precies voor de helft met je eens.'

Maar nadat Eliza Skype had afgesloten, luisterde ze nog een keer naar Andy's bericht. Deze keer viel haar iets op wat haar eerder was ontgaan; een bijzonder woord, vreemd maar vertrouwd. Ze googelde 'cuirass' en toen 'corass', en uiteindelijk begreep de zoekmachine waar ze op uit was en liet haar de resultaten voor 'karass' zien. Het altijd behulpzame Urban Dictionary definieerde het woord als 'een groep mensen die op een bijzondere, kosmische wijze met elkaar verbonden zijn, terwijl ze oppervlakkig gezien niets met elkaar gemeen hebben'. Hoe had ze dat woord kunnen vergeten? Het kwam uit Kurt Vonneguts *Cat's Cradle*, een van haar lievelingsboeken toen ze in de vierde zat, en het ging over een absurde wereldreligie. Het had een apocalyptisch einde dat meer dan een beetje van toepassing was op de situatie waarin de wereld zich nu bevond.

Misschien was het toeval van Andy's kant, maar het maakte iets in haar los en een paar dagen later belde ze hem terug.

'Ik ben niet geïnteresseerd in iets romantisch of wat dan ook,' zei ze tegen hem. 'Als je dat aankan, laten we dan om half zeven bij Bauhaus afspreken. En haal het niet in je hoofd om bloemen mee te nemen.'

Toen ze aankwam, zat hij al op haar te wachten, dus sloop ze om het tafeltje heen om iets te bestellen en voerde een kleine verkenningsexpeditie uit. Haar grootste angst was dat hij het alsnog verkeerd zou interpreteren. Het einde van de wereld was tenslotte op komst, en veel mensen deden rare dingen. De afgelopen dagen waren wetenschappers met nieuwe berekeningen gekomen en ze hadden de komst van Ardor nu vastgesteld op de nacht van 1 april, wat een grap. Het aftellen kon beginnen: nog veertig dagen te gaan. Dat betekende voor de mensheid zoiets als dat de barman de laatste ronde al had aangekondigd, en de waarden en normen zakten naar beneden als slipjes bij een concert van Justin Timberlake. Andy had duidelijk zijn best gedaan voor deze afspraak: zijn haar was pas geknipt en gekamd, hij had een broek aan die gewoon paste en een trui in plaats van een hoodie. Dat kon hij niet allemaal zelf bedacht hebben; daarvoor was de verandering te groot. Hier moest een vrouw of op z'n minst een homo bij betrokken zijn geweest. Maar was dit dan de outfit van een jongen die de hint begrepen had?

'Nou, je hebt me zover gekregen. Ik ben er,' zei ze terwijl ze zachtjes haar schoteltje op de tafel zette.

Andy had een koffiekopje voor zich staan dat al bijna leeg was. 'Ja,' zei hij, 'niemand is opgewassen tegen een goede dronken voicemail.'

'Oké, één ding, alleen om honderd procent zeker te weten dat we wat dit betreft op één lijn zitten: geen seks, nu niet en in de toekomst niet. Begrepen?'

'Begrepen. En elkaars handen vasthouden?'

'Nee.'

'Geen kaarten op Valentijnsdag?'

'Ik vermoord je. Bovendien gaan we waarschijnlijk geen Valentijnsdag meer meemaken.'

'Oké. Laatste vraag: betekent geen seks ook geen kinky rollenspel waarin jij de oudere lerares speelt en ik de ondeugende leerling die een flink pak slaag nodig heeft?'

'Dat betekent het, ja.'

'Ik snap het. Oké. Ik ben toch mijn katholieke-meisjes-schooluniform vergeten.'

Eliza lachte en Andy leek opgelucht omdat hij haar aan het lachen had gemaakt. De ongemakkelijkheid tussen hen werd iets lichter.

'Dus jij denkt dat wij samen in een karass zitten?' vroeg ze.

'Natuurlijk. Lijkt me logisch, toch? Ons leven lijkt op dit moment precies op een roman van Vonnegut.'

'Die verhalen lopen meestal niet goed af.'

'Dat klopt.'

Eliza nam een slok van haar koffie – nog ongeveer veertig kopjes te gaan, ervan uitgaande dat ze zich aan haar één-per-dag-afspraak hield. Ze had niemand over haar nieuwe morbide gewoonte verteld, maar ze nam aan dat Andy het wel leuk zou vinden. 'Ik ben dus begonnen om in mijn hoofd iets raars te doen,' zei ze. 'Als ik bijvoorbeeld mijn sokken aantrek, dan denk ik: oké, nu nog maar veertig keer mijn sokken aantrekken. En als ik naar de maan kijk, vraag ik me af hoe vaak ik nog naar de maan zal kijken. Zelfs toen ik net mijn koffie bestelde, rekende ik automatisch uit hoeveel kopjes koffie ik waarschijnlijk nog zal drinken.'

Andy hield zijn kopje omhoog. 'Ik moet op een goeie tweehonderd kunnen komen, als ik gefocust blijf, wat me dan met die koffie wel moet lukken. Ik zou alleen graag nog iets hebben om me op te focussen; naast mijn eigen naderende einde, bedoel ik.'

'O ja, bijna vergeten: ik wilde je nog om advies vragen.'

'Echt?' Hij leek oprecht heel verbaasd.

'Waarom niet? We zitten in dezelfde karass, toch?'

'Verdomme, inderdaad.'

'Ik ben dus een paar dagen geleden met een blog begonnen en het is al best wat geworden. Maar misschien slaat het ook nergens op en dan kan ik er beter mee ophouden.'

'Apocalypse Already, bedoel je?'

'Ken je het?'

'Jess, die vriend van me, had het op Reddit gezien. Het is supervet.'

'Echt waar?'

'Totaal. Je moet ermee doorgaan. Volgens Bobo is het belangrijk dat iedereen weet wat voor klotezooi het op Hamilton is.'

'O ja? Nou, volgens mij is Bobo zelf ook behoorlijk naar de klote.'

Andy verstijfde, alsof iemand net zijn moeder had beledigd. Eliza herinnerde zich hoe erg zij het vond toen haar vader het haar kwalijk nam dat ze met Madeline omging. Hij had een keer gezegd dat ze eruitzag als 'een stripteasedanseres die zich voor Halloween als hoer had verkleed'.

'Bobo is slimmer dan de meeste mensen denken.'

'Dat geloof ik wel,' zei Eliza, die een stapje terug deed. 'Maar hij lijkt me wel een beetje... Ik weet het niet, losgeschoten-achtig.'

'Misschien.' Er viel een stilte. Andy dronk de rest van zijn koffie op. Hij zette het kopje met een klap terug op tafel. 'Hé! Ik bedenk me net dat jij ons ook ergens mee kunt helpen!'

'Met wat?'

'Met het feest dat Anita en ik organiseren.'

'Anita Graves? Wacht... zijn jullie een stel?'

'Wát?' Andy keek haar bijna beledigd aan. 'Nee joh! We werken gewoon samen, voor dat feest. En ik geloof dat we nu ook een band zijn.'

'Zingt ze?'

Eliza wist niet veel van Anita, behalve de verzameling bijvoeglijke naamwoorden die iedereen kende: rijk, ambitieus, slim, afstandelijk.

'Alsof Janelle Monáe en Billie Holiday een baby hebben gekregen. Het is waanzinnig.'

'Sinds wanneer luister jij naar Billie Holiday?' vroeg Eliza.

'Hoezo? Kan ik alleen naar The Cramps luisteren omdat ik punkkleren draag? Doe niet zo bekrompen. Maar goed, wat ik dus wilde zeggen was dat we dat feest willen organiseren op de avond voordat Ardor komt. Ik bedoel: kolossaal. Niet alleen voor Hamilton, maar voor heel Seattle, of nog groter. Maar we wisten niet hoe we het bekend moesten maken. En opeens heb jij al die mensen die naar je website komen, toch? Dit is... het lot, of zoiets.' Andy keek in zijn kopje. 'Wacht even. Als ik aan de tweehonderd wil komen voordat Ardor er is, moet ik er nog eentje gaan halen.'

Als er één ding duidelijk werd, dan was het dat Ardor het vreemdste in iedereen naar boven haalde. De grootste sukkel van de school ging samenwerken met iemand die zelfs na een margarita met valium in een hangmat op het strand van Cancún nog niet zou kunnen ontspannen. En nu bleek dat zij een soort geheime soulzangeres was en de sukkel was waarschijnlijk de nieuwe Paul McCartney. Het moest niet gekker worden.

Andy stond bij de bar grapjes te maken met de barista – een gothmeisje met spelden dat hem kennelijk kende.

Ik vind hem leuk, dacht Eliza. Misschien niet op de manier waarop hij zou willen, maar wel als een vriend. Sinds Madeline van school was, had ze niemand meer in haar buurt laten komen. Als ze mensen wilde zien, dan ging ze naar een of ander feest of ze ging in haar eentje uit. Er was altijd wel iemand die zin had om met een knap meisje te praten, zolang ze tenminste niets belangrijks te melden had. Maar dat had ze wel. Dat had ze al een hele tijd.

Toen Andy met hun koffie terug bij het tafeltje kwam, haalde hij een zilveren heupflesje uit zijn rugzak en schroefde het dopje los.

'Zal ik 'm Irish maken?'

'Waarom niet?'

Hij deed er een scheutje bij – en nog één en nog één – en ergens in het uur erna begon ze vrijuit te vertellen: over haar leven, dat in een nachtmerrie was veranderd sinds dat met Peter was gebeurd, over haar vaders ziekte, zelfs over haar moeder en de voicemailberichten die zich opstapelden als plak op een kies waar je moeilijk bij kwam.

'Je moet haar terugbellen,' zei Andy.

'Waarom?'

Hij haalde zijn schouders op. 'Omdat ze zich er in elk geval druk om maakt.'

'Twee jaar geleden kon het haar niks schelen.'

'Misschien niet. Maar nu wel. Geloof me, dat betekent wat. En bovendien, dit is het einde van de wereld. Het is je laatste kans op verzoening. Tijd om op die trein te stappen, want er komt er niet nog een.'

Eliza, die licht in haar hoofd was door de Baileys en die het tot haar eigen verbazing heel erg naar haar zin had, bedacht hoe vreemd het was dat ze een maand geleden nog geen woord met Andy zou hebben gesproken tenzij een leraar haar zou hebben gedwongen, en nu overwoog ze zelfs om zijn raad op te volgen.

Eliza had het de hele tijd al verwacht sinds Apocalypse Already in de lucht was, maar die vrijdag werd er dan toch op haar schouder getikt; door mevrouw Cahill, de receptioniste. Ze stond half over Eliza's tafel gebogen en verpestte met haar strenge administratieblik in één keer de hele sfeer in het scheikundelokaal.

'Eliza Olivi,' fluisterde ze, alhoewel iedereen stil was geworden en haar toch wel kon horen, 'de directeur wil je graag zien.'

Eliza kon er niks aan doen, maar terwijl ze met mevrouw Cahill mee naar boven liep, zag ze zichzelf als een gevangene die zich door de lange gang naar de elektrische stoel sleepte. Elk klaslokaal waar ze langs liep was een cel en uit elke cel klonk het wanhopige gekrijs van het krijt op het bord en het gezucht van gemartelde jongeren die hun dagen – misschien wel hun laatste dagen op aarde – moesten besteden aan de achterliggende oorzaken van de Peloponnesische Oorlog en de beste manier om in het Duits de weg te vragen.

'Heb ik iets verkeerds gedaan?'

'Dat moet je aan meneer Jester vragen.'

Toen ze bij de administratie kwamen, wees mevrouw Cahill naar de deur van de directeur en verdween toen zelf in haar hok alsof ze een apparaat was, zoals een stofzuiger die rustig in de hoek staat te wachten tot hij weer nodig is.

Meneer Jester merkte niet eens dat ze binnenkwam. Hij staarde langs de stoffige strepen van de jaloezieën uit het raam, naar de parkeerplaats van Hamilton. Hij droeg helemaal geen schooldirecteurachtige kleren: een gekreukelde cargobroek en een sjofel T-shirt met een afbeelding van Jim Morrison op de voorkant.

'Hallo,' zei ze.

Hij sprong overeind. 'Jezus, je laat me schrikken.' Zijn ogen lagen diep en hij had donkere wallen. Het weinige haar dat om de kale atol op zijn hoofd heen groeide, zat door de war en was vet. Ze zag dat het optrekken van zijn zware mondhoeken een ware herculestaak was. 'Hoe gaat het met jou, Eliza?'

'Oké, denk ik, gezien de omstandigheden.'

'Waar wil je na de zomer gaan studeren? New York geloof ik, hè?'

'Als New York dan nog bestaat. Hoe weet u dat?'

'Ik heb je blog gelezen, uiteraard! New York is geweldig, maar druk. Ik zou er niet meer tegen kunnen, al die herrie en dat verkeer, maar een jong iemand zoals jij; jij redt je daar wel.'

Een lange stilte. 'U wilt dat ik de site uit de lucht haal, hè?' vroeg ze.

De gebotoxte uitstraling verdween van zijn gezicht. 'Het gaat er niet om wat *ík* wil, Eliza. Ik geloof in kunst, in de vrijheid van meningsuiting en al die dingen.' Hij wees naar Jim Morrison op zijn T-shirt en Eliza vroeg zich af of hij het speciaal voor dit gesprek had aangetrokken. 'Maar de foto's die je hebt genomen hebben de school al heel veel ellende opgeleverd. En ik zeg het je eerlijk: als je hiermee doorgaat kom je in de problemen.'

'Is dat een dreigement?'

De directeur legde zijn handen plat op het bureau. Zijn stem klonk wanhopig, manisch bijna: 'Nee! Het is een smeekbede! Kijk...' Hij zocht tussen de rommel op zijn bureau en haalde de *Seattle Times* van de week ervoor tevoorschijn. Inmiddels waren de persen stilgezet wegens personeelstekort. Op de voorpagina stond de kop: TOENAME GEWELD TREFT VOORAL KINDEREN EN JONGEREN. Het is niet veilig daarbuiten, Eliza.'

'Maar is het hier wel veilig? Op Hamilton?'

Meneer Jester wuifde de vraag weg. 'Luister, mijn leidinggevende heeft gisteren een telefoontje gehad van het ministerie van Onderwijs, Eliza! Ze denken dat we hier lijfstraffen of zo uitdelen, door die foto die jij hebt genomen van die sukkel met bloed op zijn hoofd.'

'Andy, heet hij.'

'Ik weet godverdomme wel hoe hij heet!' De vloek galmde na als een schot. Toen meneer Jester weer begon te praten was het met ingehouden woede. 'Ik kan serieus in de problemen komen, Eliza. Alsjeblieft. We hebben het hier over mijn leven.'

Eliza wist niet beter dan dat ze zich het slachtoffer voelde van de grillen van volwassenen, of ze nou iets deden uit vrije wil (haar moeder, weggaan), of onopzettelijk (haar vader, doodgaan), of je gewoon vertelden wat je moest doen (bijna alle volwassenen, altijd). Ze had gedacht dat ze zich altijd zo machteloos zou voelen, tot ze Madeline was tegengekomen. Van haar had ze geleerd om meer macht over haar leven te hebben: door haar lichaam als wapen te gebruiken. En ook al was die macht echt, na een tijdje merkte ze dat de herhaling ervan iets binnen in haar kapotmaakte, iets wat niet makkelijk heelde, als het dat al deed. Vandaag voelde ze voor het eerst dat haar macht op iets anders dan seks was gebaseerd. De angst in de ogen van meneer Jester was de angst van een kleine man die oog in oog stond met iets groters dan hijzelf. Misschien was het hard, maar Eliza vertelde hem de waarheid; ze zou haar website niet uit de lucht halen omdat er 'eventueel' iets zou kunnen gebeuren, want ze had het gevoel dat wat ze deed goed was, en dus kon er alleen iets goeds uit voortkomen, zelfs al was het niet meteen duidelijk wat dat was. En toen de directeur begon te stamelen en te schreeuwen en haar bedreigde, stak ze heel rustig haar hand in haar tas en haalde de Exakta tevoorschijn. Het was het enige van het hele gesprek dat haar echt verraste: toen ze de camera naar haar gezicht bracht en door de zoeker keek, verstijfde meneer Jester. Ze drukte op de sluiterknop, deed de camera terug in haar tas en verliet de kamer. En al die tijd bleef de directeur onbeweeglijk zitten – in een perfecte laatste pose.

Een week later was hij ontslagen.

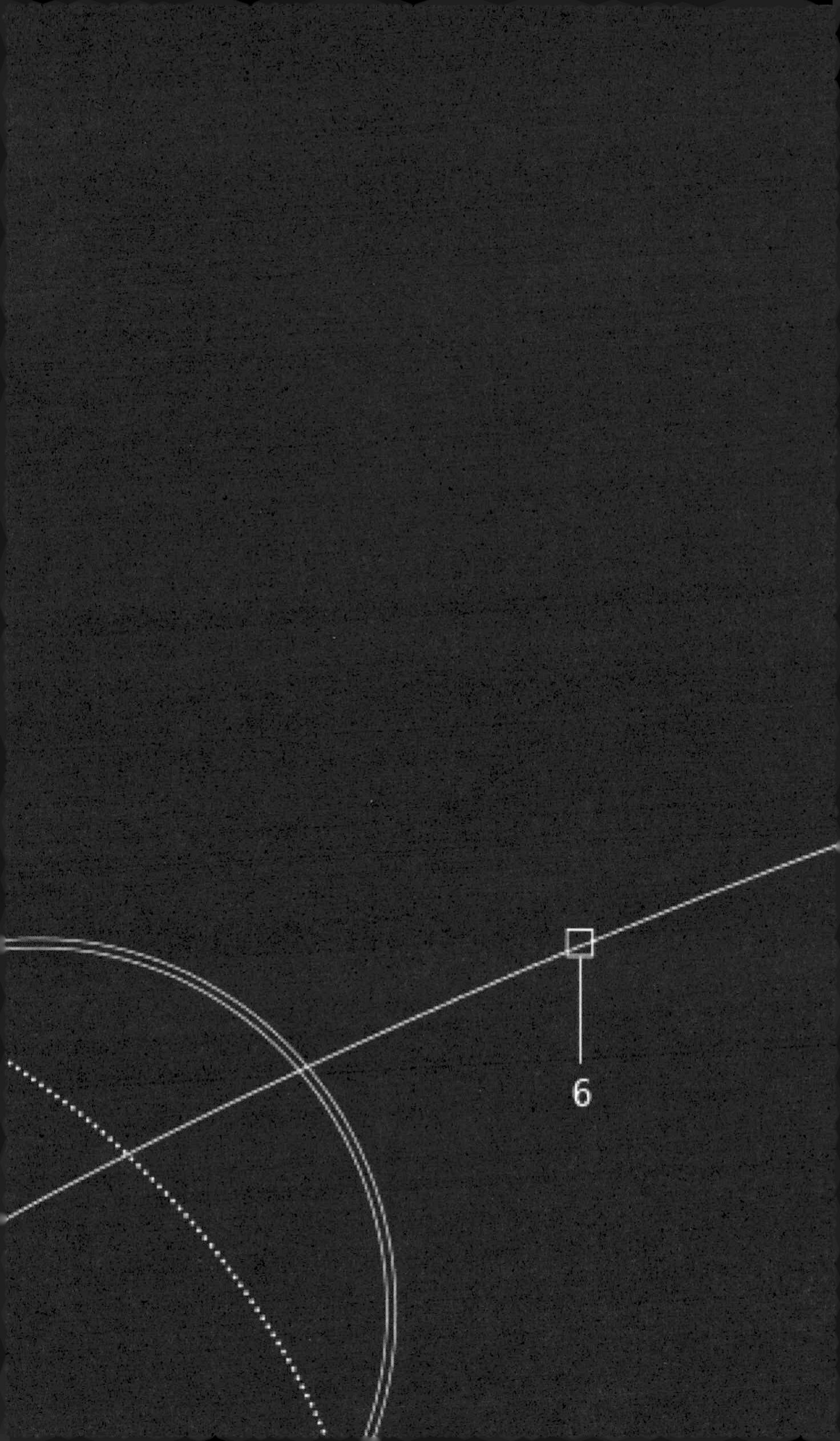
6

ANITA

Voor de paar honderd leerlingen die nog naar school kwamen, begon de dag nu elke ochtend met een verplichte bijeenkomst van twintig minuten die geleid werd door politieagent Foede, de door de overheid aangewezen interim-directeur. Hij besprak de laatste informatie over Ardor (alsof ze zelf de berichten niet obsessief honderd keer per dag online checkten). Verder gaf hij de maatregelen door aan de leerlingenraad die als nieuwe taak elke dag een 'pep-optreden' van vijf tot tien minuten moest organiseren. De overgebleven leden van Hamiltons stand-upcomedygroep, Het te vroeg gestorven aapje, had de woensdag opgeëist en een groepje jongens dat acapella popnummers van zangeressen zong – Miley Cyborg – trad elke vrijdag op. De overige drie dagen was er een wisselende cast van getalenteerde en ongetalenteerde mensen die aantoonden dat tien minuten als twee minuten konden voelen of als tweehonderd. Maar vandaag had Anita de tijd voor zichzelf opgeëist; Andy en zij zouden officieel Het Feest voor het Einde van de Wereld aankondigen.

'Goedemorgen Hamilton,' zei agent Foede terwijl hij het podium op kwam. Hij was het prototype smeris: fors, rossig en in het bezit van een opgeblazen zelfbeeld.

'Goedemorgen meneer Foede.'

'Vandaag moet ik iets zeer belangrijks met jullie bespreken. Mij is verteld dat er aankomende zaterdag in het Cal Anderson Park een politieke bijeenkomst wordt gehouden. Ik zeg jullie nu al dat het voor leerlingen van onze school ten strengste verboden is om daarnaartoe te gaan.'

Anita hoorde vlakbij een klikkend geluid. Twee stoelen verderop zat Eliza Olivi, die foto's nam van de bespreking. Haar donkerbruine haar viel een beetje krullend langs haar schouders en kwam tot net boven een kleine zilveren ankh die de aandacht trok naar de rondingen van haar indrukwekkende borsten. Dus daarom deed Andy zo zijn best voor haar. Het was niet dat Anita het niet begreep: die knappe nietszeggende meisjes zoals Stacy Prince stelden uiteindelijk niet veel voor – te veel plastic – maar Eliza was anders. Je zag aan haar dat ze ook als volwassen vrouw mooi zou zijn. Toch vroeg Anita zich af of Andy wel doorhad dat ze eigenlijk heel onzeker was en dat ze dat probeerde te verbergen achter een botte houding en een te strakke spijkerbroek. Maar misschien waren alleen andere meisjes in staat om dat te zien, zoals honden alleen bepaalde toonhoogtes kunnen horen.

Eliza had in de gaten dat Anita naar haar keek. Ze stond op en verplaatste met één woord de vijfdeklasser die tussen hen in zat: 'Opzouten.'

'Het klinkt belachelijk,' zei ze nadat ze naast Anita was gaan zitten, 'maar ik denk dat het mijn schuld is dat die zak onze nieuwe directeur is. Meneer Jester had me gevraagd om mijn website uit de lucht te halen omdat hij er problemen mee zou krijgen, en dat heb ik geweigerd.'

'Welke website?'

Natuurlijk wist Anita alles van Apocalypse Already, maar om de een of andere reden wilde ze niet dat Eliza wist dat zij ervan wist. 'Het is een blog en die heeft nogal veel aandacht gekregen, en Hamilton ook. Negatieve aandacht, dus.'

'Hm.'

Foede had het nog steeds over het onderwerp 'politiek activisme' en de gevaren daarvan. Hij tuurde de zaal rond alsof hij iedereen in één keer wilde verhoren. Eliza maakte nog een foto.

Anita keek over haar schouder. Andy en Bobo zaten als enigen op de achterste rij van de aula en grinnikten om Foedes fanatieke verbodsbepaling. Het enige waar de domme smeris voor zorgde was dat er nu meer mensen naar de bijeenkomst in het park zouden gaan. Anita wist er niet veel van; het was een of andere demonstratie onder aanvoering van die enge Golden (wat voor een tweederangs hiphopnaam was dat trouwens?), en ze hoopte alleen maar dat het haar eigen aankondiging van Het Feest voor het Einde van de Wereld niet zou overschaduwen.

'Ik kan hier heel duidelijk over zijn,' ging Foede verder. 'De politie van Seattle en enkele andere instanties die zich met ordehandhaving bezighouden hebben redenen om aan te nemen dat deze bijeenkomst bedoeld is om het geweld tegen de staat aan te wakkeren. Ga er dus niet naartoe, ter bescherming van jezelf en van de gemeenschap. Dat is het. En ga nu gewoon rustig naar je klas voor het eerste uur.' Hij liet de lessenaar los alsof hij hem al die tijd onder water had proberen te houden.

Anita stond op. 'Hé! Ik wil nog iets aankondigen!'

'Dat doe je dan morgen maar,' riep Foede boven de stemmen en het gestommel uit van leerlingen die weg mochten.

'Waar ging het over?' vroeg Eliza.

'Het Feest voor het Einde van de Wereld. Ik had een hele toespraak voorbereid.'

'O, maak je maar geen zorgen. Andy heeft gevraagd of ik er op mijn blog iets over wil schrijven. Op die manier bereik je veel meer mensen dan hier.'

Er kwam een gemene gedachte in Anita op – ik heb jou helemaal niet om hulp gevraagd – maar ze slikte de woorden in en glimlachte. 'Dank je, Eliza.'

'Graag gedaan. Hé, zullen we een keer iets gaan drinken of zo, misschien met Andy erbij?'

'Best.'

'Cool.'

Eliza zweefde weg in een wolk van bloemenshampoo. Terwijl ze wegliep werd ze achtervolgd door blikken en nog een paar gemene gedachten.

De muziekruimte was op de begane grond van het ateliergebouw, afgescheiden van de hal door twee paar klapdeuren. Als je binnenkwam, stond je op het hoogste punt en vanaf daar naar het midden van de ruimte liep de vloer trapsgewijs naar beneden, als een omgekeerde tempeltoren: elke trede was breed genoeg voor een rij orkestleden. De oude Steinway-vleugel vormde het zwarte hart van de zaal. De klep stond half open en daaronder waren de kruisende snaren en de steunbalken zichtbaar. Andy had de houten pianokruk vervangen door de drumkruk met panterprint. Toen Anita binnenkwam zat hij er al. Hij was bezig met een melodie waar ze aan werkten en met zijn linkerhand zocht hij de akkoorden die erbij pasten. Ze spraken hier nu elke dag af; een speelkwartier na de 'troost van de filosofie'.

'Goedemiddag meneer Ray Charles.'

'Alles goed, Aretha?'

Anita ging op haar favoriete plek staan: leunend tegen de ronding van de vleugel. 'Ik sprak je meisje vandaag nog.'

Andy stopte met spelen. 'Eliza? Wanneer?'

'Ze kwam in de aula naast me zitten.'

'Heb je iets goeds over mij gezegd?'

'Daar kreeg ik de kans niet voor.' Anita koos haar woorden zorgvuldig. 'Vind jij niet dat ze soms... een beetje vol van zichzelf is?'

'Misschien wel, maar dat krijg je als je zo geweldig bent.'

Ondanks haar irritatie lachte Anita. Gingen jongens echt altijd voor de meisjes met grote tieten en de reputatie dat ze makkelijk te krijgen waren? Dan moesten ze dat maar lekker doen.

'Waar zullen we vandaag mee verdergaan, miss Winehouse?' vroeg Andy.

'Laten we "Seduce Me" doen. Het begon echt al ergens op te lijken, gisteren.'

'Eens.'

Anita had min of meer de leiding tijdens hun repetities, maar Andy was niet bang om het te zeggen als hij het ergens niet mee eens was. Ze hadden al een paar nummers die vorm hadden en nog een paar andere die in de richting kwamen. 'Seduce Me' was waarschijnlijk Anita's lievelingsnummer omdat ze het echt samen hadden gemaakt. Andy had de melodie maanden geleden al geschreven, maar het was hem niet gelukt om er een goede tekst op te schrijven. 'Misschien moet jij je best er eens op doen,' had hij gezegd. Anita had zichzelf nooit als schrijver gezien, maar zodra haar pen het papier raakte, merkte ze hoeveel behoefte ze had om zichzelf op de een of andere manier uit te drukken. Ze kon urenlang over één zin nadenken, spitte het rijmwoordenboek en het synoniemenwoordenboek van voor naar achteren door en luisterde naar nummers die ze mooi vond, om te horen wat het 'm nou precies deed. Ze had al twee regels ontdekt waar je je bij het schrijven van nummers aan moest houden: 1. Alles wat op 'love' rijmt is een cliché (en iedereen die het woord 'dove' gebruikte verdiende een kogel tenzij hij Prince heette), en 2. clichés waren soms niet erg, anders zou je geen nummers hebben zoals 'Stand by Me' en 'I Can't Stop Loving You' en zelfs 'Love is a Losing Game'.

Andy componeerde achter de piano, maar als hij eenmaal iets te pakken had, ging hij op gitaar over. Zijn stijl deed haar aan die van Amy Winehouse denken: geen showerig gedoe, maar altijd puur en stijlvol. En ze wist niet hoe ze het anders moest omschrijven, maar zijn gevoel voor ritme was heel erg 'niet-blank'.

'Probeer niet zo sexy te klinken,' zei Andy nadat ze het nummer voor de eerste keer helemaal hadden gespeeld. 'Dat is het nummer van zichzelf al.'

'Dat probeerde ik helemaal niet. Zo klink ik van nature.'

'Onderdruk het dan maar, mevrouw de pornoster.'

Ze werkten ongeveer een uur aan 'Seduce Me' en gingen daarna verder met de melodie van een nieuw nummer: 'Countdown'. Die avond, toen ze weer in Andy's appartement waren, zocht hij de laatste akkoorden erbij en zat zij op de bank de tekst bij te schaven. Ze waren zo'n beetje vierentwintig uur per dag bij elkaar, alsof ze opeens broer en zus waren. Ze kende zijn kleding, zijn ontbijtgewoontes en zelfs zijn geur (een mix van zweet, deodorant, sigarettenrook en katoen).

Het was moeilijk voor te stellen dat ze al drie weken bij hem logeerde, vanaf die avond dat Perineum op Valentijnsdag had opgetreden. Haar ouders waren er natuurlijk niet blij mee, maar ze konden weinig beginnen. Haar vader was een paar dagen nadat ze was weggelopen één keer naar Hamilton gekomen en ze hadden in de gang voor het geschiedenislokaal staan ruziemaken, maar het had nergens toe geleid. Hij had haar niet gekidnapt. Zij ging nog steeds gewoon naar school. En de politie was te onderbezet en overwerkt om zich er druk om te maken. Het was fijn om haar vader uiteindelijk kwaad weg te zien lopen; niet meer in staat haar ergens toe te dwingen, machteloos.

Ze had haar familie snel vervangen door die van Andy. Nou ja, niet door zijn echte familie, maar door zijn vrienden. Alhoewel Bobo nog niet aan haar gewend was (en zij niet aan hem), kon ze met de rest goed opschieten: de rijke Kevin, van wie iedereen gebruikmaakte, Jess, die vroeger een meisje was, en Misery, die zo wild was dat je nooit zou verwachten dat ze de zus van Peter was, maar je zou ook nooit verzinnen dat ze de vriendin van die psychopathische Bobo was, want zo wild was ze nou ook weer niet.

Anita had geen mensen om zich heen met wie Andy bevriend kon raken; daar was haar agenda altijd veel te vol voor geweest. Ze had haar ouders, en alhoewel ze weinig behoefte had om hen aan Andy voor te stellen, moest ze wel langs huis om wat spullen op te halen, en ze wilde er echt niet in haar eentje heen. Na de repetitie stelde ze voor om samen te gaan en hij reageerde min of meer zoals ze had verwacht.

'Andy, hoe zou je het vinden om ouders te ontmoeten die nog erger zijn dan die van jou?'

'Waarom vraag je niet: hoe zou je het vinden om een trap in je ballen te krijgen?'

Anita gaf hem een klap op zijn rug. 'Hou je handen dan maar voor je kruis, want je gaat met me mee.'

Het was vreemd: al was het pas drie weken geleden, het huis voelde al niet meer als haar huis. Anita had er nooit bij stilgestaan hoe overdreven groot het was. Waar hadden drie mensen in godsnaam zo veel ruimte voor nodig? Om elkaar te ontlopen misschien? Terwijl ze de oprijlaan opreden, neuriede Andy het refrein van 'Hotel California'.

Direct aan de andere kant van de voordeur was haar moeder bezig om de marmeren vloer van de hal te dweilen. Ze keek verschrikt op toen ze binnenkwamen, gespannen en argwanend tegelijkertijd, als een gnoe die probeert in te schatten of de naderende leeuw honger heeft.

'Je bent terug,' was het enige wat ze zei.

'Even maar.' Ze had haar moeder nog nooit zien schoonmaken. 'Wat ben je aan het doen? Waar is Luisa?'

'Ze heeft ontslag genomen. We hebben haar het dubbele salaris aangeboden, maar ze zei dat ze bij haar gezin wilde zijn.'

'Dat méén je niet!' Anita lachte voorzichtig.

Haar moeder deed de mop terug in de emmer en liet de steel

tegen de trap leunen. Even zag Anita twijfel in haar ogen, alsof ze overwoog een teder gevoel toe te laten. Maar toen was de beslissing genomen en werd haar hele uitstraling weer keihard. 'Heb je enig idee wat je ons aandoet, Eliza? Waar slaap je eigenlijk?'

Veroordeling. Afkeuring. Hoe had ze op iets anders kunnen hopen?

'Bij Andy. Hij is een vriend van me.'

Andy stak zijn hand in de lucht. 'Yo.'

Anita's moeder liet haar blik langs hem gaan als een caissière die een zak chips scant: zijn waarde inschattend en hem vervolgens opzijschuivend. 'Je moet met je vader praten. Hij heeft je nog wel een en ander te melden.'

'Nee, dank je. Ik ben hier alleen om wat spullen op te halen.'

Ze liep langs haar moeder de trap op. Haar kamer was opgeruimd en schoongemaakt. *Hier is niks aan de hand!* was de boodschap. *We hebben helemaal geen dochter die van huis is weggelopen!* Anita haalde een reistas onder haar bed vandaan en propte hem snel vol: kleren, sieraden, een knuffelkat die tot op de draad versleten was van al die keren dat ze hem op zoek naar een beetje menselijke warmte tegen zich aan had gedrukt. En toen stond ze opeens te huilen: gloeiende, kwade tranen – en Andy was er om haar op te vangen toen het haar te veel werd en ze tegen hem aan viel. Ze liet al haar verdriet gaan en het voelde zo goed om door iemand te worden vastgehouden dat ze, ook toen ze zich weer sterk genoeg voelde, nog een tijdje zo bleef staan.

'Ik ging altijd in die kast zitten zingen,' zei ze.

'Goede akoestiek?'

'Dikke muren.' Ze liep naar de kast en sloot zichzelf binnen. 'Fuck you, mama!' schreeuwde ze.

Andy zei iets, maar Anita verstond hem niet. Ze keek om zich heen in de kleine ruimte, trok even aan de zoom van een roodfluwelen jurk waar ze jaren geleden al was uitgegroeid. 'Dag kast,' fluisterde ze.

Terug in haar kamer zag ze dat Andy haar cd-verzameling inspecteerde. Ze gooide nog één paar schoenen in haar tas en ritste hem dicht. 'We gaan.'

Toen ze weer beneden kwamen was haar moeder nog steeds bezig met dweilen.

'Ik zie je buiten,' zei ze tegen Andy terwijl ze hem de tas gaf.

'Oké. Leuk om kennisgemaakt te hebben, mevrouw Graves.'

Anita's moeder zei niets totdat Andy de voordeur achter zich had dichtgedaan. 'Wat ben jij met die walgelijke jongen van plan?' vroeg ze met een giftige stem.

Anita wilde iets terugschreeuwen, maar ze kon zich inhouden. Wie weet wanneer haar moeder en zij elkaar weer zouden zien? Misschien wel nooit meer. Ze wilde niet met ruzie de deur uit gaan.

'We zijn gewoon vrienden,' zei ze.

Haar moeder lachte spottend. 'Vrienden?'

'Ja, maar eigenlijk gaat het je ook helemaal niks aan.'

Haar moeder liet de mop op de vloer vallen. 'In de Bijbel staat dat je respect voor je ouders moet hebben, Anita! Misschien zegt het jou niets, maar het zei mij en je vader wel wat toen we jong waren. Wij hadden respect voor onze ouders. Niet dit. Niet van huis weglopen en bij een jongen slapen die eruitziet als een drugsverslaafde.'

'Staat er in de Bijbel niets over het steunen van je kinderen? Over onvoorwaardelijk van hen houden?'

'Het gebod luidt: "Eert uw vader en uw moeder", niet andersom.'

'Dan is het een klote-Bijbel!' zei Anita.

Het was alsof er een gordijn voor haar moeders gezicht schoof, als een wolk die voor de zon trok. Haar stem werd zo kil als een grafsteen van graniet. 'Ik geloof niet dat je begrijpt wat er gaande is, jongedame. Dit is het laatste oordeel. Misschien vertellen ze je het niet op die school van je, maar degenen van ons die trouw zijn aan God weten wat er gaat gebeuren. Het is de scheiding van de uitverkorenen en de verdoemden. Ga dus maar, als dat is wat je echt wilt. Ga maar, en stort jezelf in de verdoemenis.'

Anita voelde de tranen weer opkomen en ze wilde ze inhouden, maar waarom zou ze? Ze liep verder het huis in, naar het kantoor van haar vader. Hij kwam overeind en bleef als een zuil achter zijn bureau staan. Anita liep direct door naar het opgepoetste paleis van Bernoulli, de verdrietigste blauwe ara ter wereld, en ze maakte het deurtje open. Ze had verwacht dat hij in een fladderende blauwe vlucht de kamer in zou vliegen, maar de vogel verroerde zich niet. Bernoulli had geen idee wat hij met zijn vrijheid aan moest; hij was zo tam of zo bang geworden dat zelfs zijn verlangen om te vliegen verdwenen was.

'Ga dan!' schreeuwde ze. 'Je bent toch niet achterlijk?'

Bernoulli hield zijn kopje scheef en krijste één keer.

'Waar zou hij naartoe moeten?' vroeg haar vader.

Het was waar, realiseerde Anita zich, en de gedachten duizelden door haar hoofd. Zelfs als deze vogel uit zijn kooi kon ontsnappen, dan nog zat hij in dit kantoor opgesloten. En als hij het kantoor uit kon, dan zat hij opgesloten in het huis. En als hij uit het huis kon, waar zou hij dan een veilige plek kunnen vinden? Buiten zijn kooi zat hij nog net zo gevangen als binnen in zijn kooi, en Anita was bang dat voor haar hetzelfde gold. De hele wereld was een kooi.

'Goed,' zei ze en ze stormde het kantoor weer uit. Ergens onderweg naar de voordeur waren de sluizen weer opengegaan: tranen rolden over haar wangen. Eén druppel viel op de marmeren vloer van de hal; een zoute smetvlek. Anita wist dat haar moeder hem weg zou vegen, nog voordat hij was opgedroogd.

ELIZA

'Wacht even; hoe heet die jongen?' vroeg Anita.

Eliza keek weer op het blaadje. 'Hij noemt zichzelf "Chad Eye".'

'Eye? Oog?'

'Yep.'

'Klinkt als hippieonzin.'

'Ik vind het juist supergoed,' zei Andy. 'Zoiets als Sid Vicious.'

'Wat mij betreft noemt hij zichzelf de reïncarnatie van Tupac, als hij maar iets goeds voor ons heeft,' zei Anita.

Ze hadden overal bekendgemaakt dat ze een plek zochten: van echte flyers op het prikbord van Hamilton tot posts op de forums van craiglists, maar toen er een reactie kwam, was dat naar aanleiding van Eliza's oproep op Apocalypse Already. Ze had geschreven dat ze een locatie zochten voor Het Feest voor het Einde van de Wereld en binnen een paar uur had ze een e-mail van Chad. Hij zei dat hij een voorstel had, maar dat hij hen wilde ontmoeten om het erover te hebben. Hij schreef dat hij hen op donderdagochtend om half zes bij hem thuis verwachtte en dat ze zich vierentwintig uur van tevoren moesten onthouden van 'zware maaltijden en seksuele activiteiten'. Met andere woorden: die man was officieel gestoord. Maar toen ze zijn adres googelde, kwamen ze erachter dat zijn huis, net aan de andere kant van 520 Bridge, werd geschat op vier miljoen dollar. En dus zaten ze nu met z'n allen in de auto.

De rit was bijzonder ongemakkelijk. Eliza ving overduidelijk passief-agressieve vibes op van Anita, en ze had geen idee waarom. Ze waren helemaal niet in een of andere ingewikkelde concurrentiestrijd verwikkeld. Geen van beiden had interesse in Andy, en Eliza was net zo slecht in zingen als Anita waarschijnlijk in fotograferen. Misschien was het onvermijdelijk en was het zo'n soort rivaliteit tussen meisjes die opeens kon opkomen, als paddenstoelen die op bepaalde plekken in het bos omhoogschieten omdat er een vorm van aandacht door het bladerdak schijnt.

'De foto's die je gisteren op je blog hebt geplaatst zijn heftig,' zei Andy. 'Hoelang duurde het voordat de boel daar was afgebrand?'

'Nou, de brandweer kwam ongeveer na een uur, dus het pand is niet helemaal afgebrand, maar voorlopig kan er denk ik helemaal niemand meer wonen.'

'Had je niet kunnen helpen in plaats van toekijken en foto's nemen?' vroeg Anita.

'Wat had ik moeten doen? Naar binnen rennen en mensen naar buiten dragen?'

'Je luistert naar KUBE 93,' zei de radio-dj. 'Met de beste eighties countdown aller tijden, hier is "Lucky Star" van Madonna!'

Anita zette het geluid zachter. 'Gatver. Dat is het enige goede: als er een einde aan de wereld komt, is het ook eindelijk afgelopen met die jarentachtigmuziek.'

'Hou je niet van Madonna?' vroeg Eliza, maar ze had onmiddellijk spijt van haar opmerking. Natuurlijk hield Anita niet van Madonna, dat was veel te mainstream en saai voor haar.

'Girl, Madonna is droog.'

'Wat bedoel je daar nou mee?'

'Dat ze geen soul heeft,' zei Andy, en hij en Anita schoten in de lach.

Eliza snoof minachtend. 'Belachelijk.'

'Madonna is belachelijk,' zei Anita.

Eliza zon op een minder geciviliseerde reactie, maar de stem van de onverstoorbare navigatiemevrouw was haar voor.

'U heeft uw bestemming bereikt.'

Ze parkeerden in de berm langs de kant van een brede weg waar alleen maar vrijstaande huizen stonden die vaag Duits aandeden en die postbussen hadden in de vorm van Duitse minihuizen. Alles zag er ongeveer hetzelfde uit, behalve één huis pal aan de overkant van de weg, en dat was het huis waar ze moesten zijn.

Chads huis was gebouwd in de stijl van een Japanse tempel, met allemaal torentjes op verschillende hoogtes en bloedrood hout dat met brons was ingelegd. De tuin bestond niet uit aarde of gras, maar uit aangeharkte gravel en grote gladde stenen, afgewisseld met bomen die op reuzenbonsais leken. Helemaal achter in de tuin stond een kleine pagode waar twee mensen met gekruiste benen tegenover elkaar zaten. Het tuinpad liep vanaf de straat naar een korte hoge brug bij een vijver waarin je in het maanlicht af en toe een vin of glinsterende schubben kon zien. Bij de voordeur was geen bel of iets om mee te kloppen, alleen een kleine gong met aan de onderkant een leren koordje met een houten hamertje.

'Is dit soms een grap?' vroeg Andy.

Eliza pakte het hamertje. 'Er is maar één manier om daarachter te komen.'

De klank van de gong werd langzaam harder en stierf weer weg, als een koperkleurige karper die naar de oppervlakte komt en weer verdwijnt. Even later ging de deur open.

Op de drempel stond een monnik met een beagle in zijn armen.

Of misschien was hij geen echte monnik, dacht Eliza, die nog nooit een monnik in het echt had gezien. Hij droeg geeloranje kleding, zijn hoofd was kaalgeschoren en om zijn nek hingen een paar kettingen met houten kralen. Hij leek nog het meest op die mensen die bij het station stonden om flyers uit te delen met teksten als: 'Ontvang liefde!' of: 'Ook u kunt gelukkig zijn!' De beagle bekeek de nieuwe gasten met een mysterieuze blik, hondachtig en boeddhistisch tegelijkertijd.

'Jullie hebben het gevonden,' zei Chad, en hij keek ieder van hen even aan. 'Kom binnen.'

Ze liepen achter hem aan het huis binnen en kwamen in een hal waar niets stond behalve een kleine piramidevormige fontein met water dat langs stenen naar beneden sijpelde. De woonkamer was al even leeg: één lage tafel op een dunne Japanse mat en in elke hoek een grote keramieken vaas met een bos krullende bamboespruiten erin. Erboven was in een dakraam een zwarte hemel vol sterren te zien. Er kwam een meisje binnen met een gietijzeren ketel en een wiebelende toren van vier porseleinen kopjes. Ze moest halverwege de twintig zijn, was helemaal in gebroken witte hennepkleren gekleed en had verzorgde blonde dreadlocks en in elk oor minstens een pond sterling zilver.

'De thee is getrokken en klaar om gedronken te worden.'

Chad nam de pot en de kopjes aan. 'Dank je, Sunny. Zou jij Sid willen meenemen?'

'Natuurlijk!' Sunny bukte zich en pakte de beagle op, die onmiddellijk een van de dreadlocks in zijn bek nam. 'Jullie zijn toe aan een *tree-eat*,' zei ze bijna zingend terwijl ze de kamer uitliep.

Toen Chad de thee inschonk gingen ze rond de tafel zitten. Hij zette voor hen allemaal een kopje neer en terwijl hij dat deed maakte hij steeds voor iedereen een kleine buiging. Eliza wilde hetzelfde doen, maar toen ze haar hoofd boog, vielen haar haren naar voren. Ze voelde een hand die de pluk weer achter haar oor deed.

'Straks hangt het nog in je kopje,' zei Andy.

Al haar alarmbellen gingen af. Ze wilde er iets van zeggen –

hem helpen herinneren aan de puur platonische status van hun vriendschap – maar op dat moment kreeg ze een wolk stoom in haar gezicht en ging ze bijna over haar nek.

'Wat is dit in godsnaam?'

Chad glimlachte. 'Een heel zwak aftreksel van hallucinogene paddenstoelen.'

Meer hoefde Andy niet te weten. Hij sloeg zijn kopje achterover, deed zijn best om de thee binnen te houden en grijnsde. 'Jammie.'

'Is het niet gevaarlijk?' vroeg Anita.

'Helemaal niet,' zei Chad. 'In deze verdunning heb je zelfs kans dat het helemaal geen effect heeft. Maar hopelijk leidt het ertoe dat je de dingen in een iets ander licht ziet. Uiteraard mag je het ook laten staan.'

Eliza keek in haar kopje. De vloeistof was roodbruin, net als gewone zwarte thee. Dit was belachelijk. Ze waren net binnen bij iemand thuis die ze helemaal niet kenden en nu gingen ze met z'n allen een beetje stoned worden? Dit was toch precies waar al die filmpjes die ze je op school lieten zien voor waarschuwden?

Eliza zag Anita twijfelen boven de rand van haar kopje, als een duiker die zich opeens realiseert hoe hoog de duikplank is.

'Hé Anita,' zei Andy. 'Wat het ook is, het is het niet waard.'

Anita lachte. 'Fuck it,' zei ze, en ze dronk het op. 'Wauw! Wat is dit goor!'

Nu moest Eliza wel; als zelfs Anita Graves het durfde, kon zij moeilijk achterblijven. Het brouwseltje proefde naar verrotte groenten die in de modder hadden liggen weken.

Chad dronk zijn thee als laatste op. 'Het duurt even voordat het iets doet,' zei hij, 'maar ik ga direct van start. Jullie zoeken een locatie voor een feest. Jullie hebben geen geld en ook nog geen plan. Klopt het, wat ik zeg?'

Niemand sprak hem tegen.

'Goed, ik zal jullie eerst wat over mezelf vertellen. Lang geleden, in een vorig leven, werkte ik voor een klein bedrijf dat Boeing heet. Ik verdiende heel veel geld, tot het tot me doordrong dat ik niet geloofde in wat we deden.'

'Vliegtuigen bouwen?' vroeg Andy.

'Defensie-industrie,' antwoordde Chad terwijl hij met zijn vingers het woord tussen aanhalingstekens zette. 'Wat een prettiger woord is dan "oorlogsindustrie". Dus nam ik ontslag en ging zwerven. Ik bouwde een boot en zeilde heen en weer tussen Nieuw-Zeeland en Australië. Daarna woonde ik in een yurt in Costa Rica, ik studeerde in een klooster in Tibet en nadat ik dat allemaal had gedaan, was ik op een vreemd punt in mijn leven beland. Ik had genoeg geld, maar ik had er geen behoefte aan. Ik overwoog om alles weg te geven en me terug te trekken in een kleine blokhut in de bossen, maar ik vond dat ik met iets beters moest komen. Ik wilde laten zien hoe je op een verantwoorde manier samen kon leven, gebaseerd op het idee van een commune. En dat heb ik gedaan.' Hij haalde zijn gekruiste benen van elkaar en stond op. 'Kom, dan geef ik jullie een kleine rondleiding.'

Ze liepen met hem mee door de lange gangen van het enorme huis. Er waren veel kamers, waarvan de meeste bezet waren. De bewoners, die Chad een voor een aan hen voorstelde, waren van verschillende leeftijden; van studenten tot bejaarden. Geen van hen leek zich ongemakkelijk te voelen bij het idee een paar nieuwkomers te knuffelen; sterker nog, ze waren er dolblij mee.

'Hoeveel mensen wonen hier?' vroeg Eliza.

'Rond de twintig, normaal gesproken.'

'En dit is het project waar je je geld aan besteedt?'

'Deze manier van leven kost niet veel. We verbouwen ons eigen voedsel op een stuk land een paar kilometer hiervandaan, en het huis is mijn eigendom.'

Na afloop van de rondleiding gingen ze terug naar de woonkamer. Chad keek door het dakraam naar de lucht. 'Het is bijna zover,' zei hij. Hij opende een grote schuifdeur die toegang gaf tot een houten balkon vanwaar je over het water uitkeek. Er stonden lage terrasstoelen met kussens en ze gingen met hun gezichten naar het meer toe zitten.

'Ik sta nu elke ochtend rond dit tijdstip op,' zei Chad. 'Ik vind de juxtapositie van de opkomende zon en de asteroïde zo prachtig. Alfa en omega. Het begin en het eind.'

Eliza keek op. Met haar verstand wist ze dat de hemel dezelfde was als altijd, maar haar perceptie was anders. De kleine verlopende blauwe stip die onder aan de bergketen net zichtbaar was, bevatte plotseling alle kleuren van het spectrum: roze en groen en zelfs de glasachtige regenboogkleuren van een opaal. En nu begon de zon zich heel langzaam boven de contouren van het Cascadegebergte uit te trekken. Het leek wel een soort oefening, één lange optrekoefening die de zware bol elke ochtend uitvoerde, alleen maar voor de bewoners van de aarde. Dat was het doel van de zon: opkomen en schijnen, net zoals iedere mens op wie zij scheen een doel had. Eliza had het gevoel dat haar hart een prisma was waarin het magische licht afboog en reflecteerde naar de harten van Andy, Anita en Chad, naar de harten van iedereen die naar deze veelkleurige hemel keek, en nog verder; naar ieder menselijk wezen, elk dier en elk voorwerp dat ooit had bestaan. Zelfs Ardor – een witte sproet op het blozende gezicht van de hemel – verdiende haar liefde, want de asteroïde deed niets anders dan wat hij moest doen. De tijd ging voorbij. Pas toen de zon veilig op de kraag van de horizon vastgepind zat, begon Chad weer te praten.

'Het beste wat we mensen kunnen geven voordat het is afgelopen, is een moment van volledige verbondenheid. En daar wil ik jullie mee helpen. Ik heb vrienden die ervaring hebben in het bijeenbrengen van tijdelijke gemeenschappen. Zij willen de komst van de asteroïde graag vieren. Ik heb ook met mijn oude werkgever gesproken en hij stelt het terrein van Boeing beschikbaar als locatie. Het is bijna 37 hectare groot. Dat is grofweg een zesde van het terrein dat ze bij Woodstock hadden.'

'Andy en ik willen optreden,' zei Anita dromerig maar tegelijkertijd vastberaden.

'Dan wil ik jullie eerst horen,' zei Chad. 'Binnen staat een piano.'

'Ik weet niet of ik de noten wel kan vinden,' giechelde Andy.

'Je zult versteld staan waartoe je op paddenstoelen in staat bent.'

Chad nam hen mee het huis in, naar een kamer met een laag plafond en een vleugel die daar als een trots dier met een glimmende zwarte vacht in de hoek stond. Andy ging op de kruk zitten en begon meteen met een nummer.

'Ik ben niet opgewarmd,' zei Anita.

'Jij bent altijd opgewarmd, Lady Day.'

De klanken van de piano klonken harder en voller en intenser dan alle muziek die Eliza ooit had gehoord. Anita zong, en wat Andy over haar stem had gezegd, klopte allemaal: haar timbre was vol geluk en pijn en wanhoop. Even liet Eliza zich meevoeren door de muziek, tot er een paar woorden van het nummer tot haar doordrongen: iets over het aantal keer dat iemand in één leven verliefd kon worden. Eliza besefte dat dit over haar ging, over de manier waarop ze alles was gaan aftellen. Andy moest het voor haar geschreven hebben. Hij was verliefd op haar, en zij niet op hem. En voor het einde van de wereld zou hij daarachter komen.

Eliza huilde, vanwege het nummer en de drugs en de zonsopgang en de onvermijdelijkheid van de toekomst.

'Hij zal me haten,' fluisterde ze voor zich uit.

Chad legde een warme hand op haar schouder. 'Haat is maar

een tijdelijke onderbreking van onze absolute verbondenheid. Het is niet echt.'

Voordat ze hem kon vragen wat hij bedoelde was het nummer afgelopen en begon Chad te klappen. 'Ongelooflijk mooi! Jullie zijn aangenomen. Het enige wat jullie nu nog moeten doen, is zorgen dat er mensen naar het feest komen.'

'Daar kan Eliza voor zorgen,' zei Andy terwijl hij haar lachend aankeek. 'Zij is nu beroemd.'

'Dus het gaat door?' vroeg Eliza. 'We gaan het echt doen?'

'Ik vind het een fijn idee om over na te denken. Natuurlijk weten we geen van allen wat er de komende weken gaat gebeuren. Misschien lukt het niet om contact te houden.'

'Maar hoe weten we dan of het feest nog wel doorgaat?'

Chad haalde zijn schouders op. 'Dat weet je niet. Dat kun je niet weten. Net zoals ik nooit zeker weet of Sid naar me toe zal komen als ik hem roep.' Hij bracht zijn handen naar zijn mond. 'Sid!' Even later kwam de beagle de kamer binnen drentelen. Hij gaf niet de indruk dat hij kwam omdat hij geroepen was. Eerder alsof hij uit eigen vrije wil besloten had om te komen. Hij ging boven op Chads blote voeten liggen en rolde zich op.

'Daar,' zei Chad, 'heb je vertrouwen voor nodig.'

ANDY

Het was een Gibson ES-175D uit 1965 met een sunburstlaklaag, een hollow-body met een trapeze tailpiece, een Tune-o-maticbrug en vintage humbuckers. Normaal speelden alleen de jazzjongens hierop, maar Andy had er in de winkel al een paar keer op gespeeld en zichzelf ervan overtuigd dat de gitaar precies het geluid had dat bij de nummers paste die hij met Anita schreef: vol en rijk en crunchy (als je hem tenminste over een originele Fender Twin Reverb speelde met een OCD overdrive-pedaal, uiteraard). Het enige probleem was dat hij zeven ruggen kostte.

Alhoewel er in Seattle geen krant meer werd gedrukt, was de website van het alternatieve weekblad *The Stranger* nog steeds in de lucht, en daarop las Kevin het bericht dat het winkelcentrum Bellevue dichtging. De manager noemde het 'asteroïdeziekte': niet genoeg klanten in combinatie met een personeelstekort. Hij had net zo goed kunnen zeggen: 'Jongens, kom die spullen maar halen.'

Bobo, Kevin, Misery en Jess waren allemaal komen opdagen, dus de stationwagen zat propvol. Om te voorkomen dat hij naar een urenlange preek zou moeten luisteren over ethiek, had Andy tegen Anita gezegd dat hij 's middags met Bobo zou gaan skaten. Niet dat hij plunderen zo'n goed idee vond, maar het zou een drama zijn als zo'n goed instrument een hele maand niet werd aangeraakt. Bovendien kon hij hem in het geval van een nonapocalyps altijd nog terugbrengen.

Ze reden naar de bovenste verdieping van de grote parkeergarage. Andy had verwacht dat het er helemaal verlaten zou zijn, maar er stonden al een paar auto's geparkeerd.

'Wat doen die hier?' vroeg Kevin.

'Waarschijnlijk hetzelfde als wij,' antwoordde Andy.

'Of ze zijn van de beveiliging. Is dit echt wel een goed idee? Die smerissen arresteren op dit moment alles en iedereen.'

Bobo gaf Kevin een tik tegen zijn achterhoofd. 'Kom op, man. En Andy, gooi die kofferbak open.'

Bobo trok de meegebrachte moker tevoorschijn als Excalibur uit de steen en zwaaide er een paar keer mee door de lucht. Misery en Kevin zaten nog op de achterbank en trokken hun skates aan. De rest had een skateboard meegenomen, dus in geval van nood konden ze er snel vandoor.

Het zou er niet erg subtiel aan toe gaan. Sowieso had het harde gepiep van hun banden over de wentelende weg naar boven alle smerissen in de buurt als een aanvliegbaken hun kant op kunnen leiden. Net achter Macy's zagen ze onder aan een afrit twee dubbele deuren waar PERSONEELSINGANG op stond. Om de handgreep zat een lange ijzeren ketting gewikkeld met aan het eind een opengeslagen hangslot dat nog heen en weer bungelde.

'Godver,' zei Bobo. 'Ik had echt zin om iets kapot te slaan.'

Misery masseerde zijn schouders. 'Er zijn vast nog wel meer dingen die je kapot kunt slaan, schatje.'

'Die mensen die al binnen zijn, misschien zijn dat wel echte criminelen,' zei Kevin.

Bobo sloeg met de kop van de hamer een deuk in de metalen deur. 'Yo, wij zijn de echte criminelen. Wie daarbinnen is, zou bang voor óns moeten zijn!'

Toen ze naar binnen gingen, reageerden de lichten aan de andere kant van de deur op de bewegingssensoren en knipperden aan. Een treurige personeelsruimte en een kapotte frisdrankautomaat later, bevonden ze zich op de meubelafdeling van Macy's. Andy gooide zijn board op de grond en ging ervandoor, slingerend tussen de oude-oma-banken, tuinmeubelen en eettafelsets, groot genoeg voor een mormonengezin. Er klonk hard gekletter doordat Bobo de ene na de andere plank met keukenspullen leeg maaide.

'Stinkbom!' schreeuwde Jess. Hij reed keihard richting de parfumafdeling, verschoof zijn gewicht naar achteren en trapte zijn board rechtdoor naar een vitrine met hartvormige parfumflessen. De vitrine spatte in scherven uiteen en er verspreidde zich een doordringende lucht die deed denken aan de geur die altijd bij de kantinetafel hing van de meisjes met de nepkrullen, de opplaknagels en de fluwelen broeken met letters op hun kont. Andy ontweek het glas en bleef staan bij de plek waar de witte vloertegels van Macy's overgingen in de rode van het overdekte winkelcentrum. Ergens ver weg klonk een knal en het rinkelen van glas. Ze waren dus echt niet de enigen.

'Ik ga naar boven om mijn garderobe aan te vullen,' zei Misery. 'Kunnen jullie even zonder me, jongens?'

'Ik ga wel met je mee, Misery,' zei Kevin.

Bobo stopte naast Andy. 'Goed idee. Jess, ga jij ook maar mee.'

'Ik? Waarom?' Als Jess ook maar even de indruk kreeg dat iemand hem behandelde alsof hij naast het fysieke aspect nog meisjesachtige trekken had, was hij ontzettend beledigd.

'Als er iets gebeurt wil ik niet dat Misery alleen is met zo'n mietje als Kevin.'

'Hé!' zei Kevin, maar Jess leek tevreden met de uitleg.

'Ach... maak je je zorgen om mij?' Misery skatete naar Bobo toe en zoende hem op zijn wang. 'Neem straks maar iets moois glinsterends voor me mee.' Ze maakte een vloeiende glijvlucht naar het begin van de roltrappen en klom toen onhandig op haar skates de trap op.

'Wie het eerst aan de andere kant van het winkelcentrum is,' zei Bobo.

Hun decks raakten precies tegelijk de grond en ze raasden over de geribbelde tegels; langs het heldere wit van de Apple Store en het fluorescerende blauw van Tiffany's en de bruine ruitjes van Burberry. Richting de voedselwarenafdeling liep de vloer schuin af en gingen ze nog sneller. Orange Julius was slechts een oranje waas. Bij Champ Sports achter de ramen zagen ze iets bewegen: een paar kinderen zochten sneakers en baseballcaps uit. Toen Bobo en Andy voorbij sjeesden, keken ze even op. Vanaf dat moment liep de vloer schuin omhoog waardoor ze vaart minderden. Andy moest hard afzetten om door te blijven gaan. Tegen de tijd dat ze aan de andere kant van het winkelcentrum bij Nordstrom waren, was niemand nog bezig met wie er het eerste was. Andy liet zich op een bankje ploffen dat tegenover een groot lcd-scherm stond met de plattegrond van het winkelcentrum. Twee seconden later was het scherm in een spinnenweb van scherven veranderd met hier en daar nog wat pixels. Bobo liet de moker in het scherm hangen waar hij in het glas was geslagen, als een dartpijl, precies in de roos.

'Heb je een sigaret?' vroeg Andy.

'Ik heb nog iets beters,' zei Bobo en hij haalde een joint achter zijn oor vandaan.

'*Damn.* Wilde je daarom van iedereen af?'

'Ik hou niet van delen. En geniet er maar van want de voorraden raken op. Op straat heb ik m'n prijzen al verdubbeld maar mensen kopen het nog steeds. Dat betekent dat het voor jou straks klaar is.'

'Regelt Golden dan niks voor je?'

'Golden vindt me de bom. Als je wilt, praat ik met hem en zorg ik dat je een voorraadje krijgt voor de verkoop.'

'Bedankt, maar Anita en ik repeteren nu vierentwintig uur per dag. Mijn agenda zit propvol.'

'Whatever. Als je morgen maar wel naar de bijeenkomst komt.'

'Tuurlijk.'

'Ik meen het. Het is wel leuk dat je nu een paar meisjes in je leven hebt, maar als jullie toch niet neuken...'

'Dat komt nog wel.'

'Zeg jij.'

'Het moet ervan komen. Het is mijn opdracht. Als ik Eliza niet kan krijgen, kan mijn leven net zo goed afgelopen zijn.'

'Daar rook ik er een op.'

Ze hoorden harde voetstappen op de tegels en even later renden er twee jongens voorbij. Ze waren zwart, een jaar of vijfentwintig en ze droegen zo veel sieraden dat ze aan alle kanten glinsterden. Een kleine, dikke beveiliger kwam achter hen aangerend maar raakte bij elke stap verder achterop.

'Moet je die Gijs Gans zien gaan!' zei Bobo.

De bewaker draaide zich zonder in te houden om en rende half achterstevoren verder. 'Hé jongens, wegwezen hier!'

'Zeker, doen we,' zei Andy.

'Plunderen is een misdrijf. Straks gaan jullie de bak in.'

'Kom op, ga dieven vangen, Gijs!' riep Bobo.

De bewaker verdween om de hoek bij Gap Kids. Andy had een beetje medelijden met hem.

Ze rookten de joint op, gingen over de stilstaande roltrap naar boven en kwamen bij Kennelly Keys. Het enige wat de winkel aan beveiliging had, was een metalen rolgordijn dat met een hangslot aan de vloer vastzat. Ze sloegen een voor een met de moker, als ontsnapte gevangenen die met hun ketens aan elkaar vastzaten, en ondertussen scholden ze op het slot.

'Vind je dit lekker?' vroeg Bobo.

'Vind je het net zo lekker als je moeder?'

'Benen uit elkaar, lekker wijf.'

'Het stopwoord is motorboot.'

Na nog een paar flinke klappen bezweek het slot. Andy schoof het rolgordijn omhoog en Bobo sloeg het glas in de deur aan diggelen.

Kennelly Keys was een kleine muziekwinkel. Ze leverden voornamelijk instrumenten aan ouders die wilden dat hun kinderen voor opa en oma 'Für Elise' speelden. De winkel verdiende met name geld door de verkoop van goedkope violen en Casio-keyboards en een afzichtelijk ding van nephout dat Mijn Eerste Gitaar heette.

'Kijk dan,' zei Bobo, die twee minigitaren tegelijkertijd boven zijn hoofd hield. 'Ik ben fucking Pete Townshend.' Hij ramde ze tegen elkaar aan. '*Rest in peace*, mijn eerste en mijn tweede gitaar!'

Andy liep direct door naar de hoek achterin waar het enige stond wat deze winkel de moeite waard maakte: de Gibson ES-175D met een sunburstlaklaag, uit 1965. De koffer was niet eens op slot. Andy nam hem in zijn handen. Hij was zwaar en massief, als een moker waar je muziek mee kon maken. Hij zette één versterker aan, plugde hem in, draaide de knop helemaal naar rechts en sloeg de open snaren aan. *Fucking lekker.*

'Veel te clean,' zei Bobo. 'Hij klinkt als een meisje dat niet eens haar T-shirt wil uitdoen.'

'Er is niks mis met een goede teaser.'

'Hij klinkt wel lekker hard. Laten we deze doen. Een, twee, drie, vier...'

Bobo mishandelde een kinderdrumstel met een stel xylofoonstokken. Andy draaide aan de drive-knop en speelde zo snel als hij kon een paar *powerchords*. Na dertig seconden trapte Bobo een voor een de drums omver en stond op.

'*Goodnight Seattle!*'

Toen de galm van de gitaar wegstierf, hoorden ze het alle twee:

een lang, laag geloei. Eerst dacht Andy dat er een alarm afging, maar toen herkende hij woorden: 'Is daar iemand? Alsjeblieft?' Het was de stem van een ouwe man die zo goed mogelijk geprobeerd had zijn werk te blijven doen.

'Volgens mij is Gijs Gans van het hek gevallen,' zei Bobo grinnikend. 'Hé, wat doe je nou?'

Andy zette de gitaar tegen de versterker aan. 'Ik wil 'm niet,' zei hij.

'Doe niet zo fucking stom, man. Met dat ding klink je bijna als een echte muzikant.'

'Nee... Ik voel 'm niet.'

Bobo pakte zijn moker en hield hem boven zijn hoofd. 'Pak die gitaar of anders ram ik 'm nu doormidden; ik zweer het je.' Andy zag voor zich hoe de moker de hals van de Gibson bij een van de glimmende frets zou breken, hoe het ingelegde parelmoer zou verbrijzelen en de gitaar daarna alleen nog door de snaren bij elkaar gehouden zou worden alsof het pezen waren. Wat een verspilling.

'Wat kan jou het eigenlijk schelen?'

'Het is een symbool, man. De hele wereld gaat naar de klote en wij moeten er voor elkaar zijn.'

'Ik ben er nog steeds voor je,' zei Andy.

Bobo schudde zijn hoofd. 'Sinds je met die meisjes omgaat ben je veranderd. Ik moet weten of we opnieuw een pact kunnen sluiten. Ik moet weten of mijn beste vriend me niet weer laat barsten.'

Heel even zag Andy de angst achter al Bobo's gevloek en gezeik. Dat was het moeilijke als je iemand zo goed kende, je kon niet anders dan hem vergeven, wat hij ook deed. Hij pakte de gitaar en deed de riem om zijn schouder.

'Hé man, laten we gaan. Laten we kijken of we Gijs Gans uit de shit kunnen helpen.'

Bobo rolde met zijn ogen. 'Oké, moeder Maria. Ga jij maar voor.'

Ze skateboardden door het winkelcentrum en gingen op het gejammer van de beveiliger af. Met de gitaar op zijn rug kostte het Andy moeite om de flow te pakken te krijgen. Met elke afzet deden zijn spieren pijn. Alles voelde zo zwaar.

PETER

Peter was niet van plan geweest om naar de demonstratie te gaan. Bobo en die engerd Golden waren verantwoordelijk voor de organisatie dus dat waren al twee minpunten in één klap. En toen zijn ouders het hem en zijn zus nadrukkelijk hadden verboden om te gaan, was het zeker van de baan. Maar alles veranderde opeens toen hij zaterdagochtend wakker werd.

Misery's kamer was verlaten, de kreukels in de lakens van het onopgemaakte bed leken een slordig geschreven boodschap die ze had achtergelaten als protest tegen het uitgaansverbod: *fuck you*.

Zijn vader en moeder zaten aan de keukentafel op hem te wachten, al helemaal aangekleed en met een plechtige blik in hun ogen. Zijn ontbijt stond ook al klaar: roerei, spek en geroosterd brood dat glom van de gesmolten boter. Het lag er letterlijk dik bovenop: ze wilden dus iets van hem, maar wat? Wilden ze hem vragen of hij aan hun kant zou staan in de volgende aflevering van 'Misery krijgt weer straf en het kan haar nog steeds geen reet schelen'? Of misschien wilden ze hem eropuit sturen om haar echt aan haar haren mee naar huis te sleuren.

'We maken ons zorgen om je zus,' zei zijn moeder.

'Voor de verandering.'

Er kon bij zijn ouders nog geen glimlach vanaf.

'Ze is bijna nooit meer thuis.'

'Ze is verliefd.'

Peters moeder giechelde hysterisch. 'Verliefd? Op haar leeftijd? Hou toch op. En nu kan het bijna niet anders dan dat ze toch naar die demonstratie is, ook al hebben we gezegd dat ze niet mocht gaan.'

Peter had het allemaal al eerder gehoord. 'Ja, maar weten jullie wat het is, ze...'

'Het kan zo niet langer!' schreeuwde zijn vader. 'Dit is absoluut niet meer te doen!'

Het drong tot Peter door dat hij de ernst van de situatie had onderschat. Die vergissing kon je maken als je jezelf toestond om te vergeten dat door Ardor het hele leven in een soap was veranderd. 'Jullie willen weg uit Seattle,' giste hij.

Zijn moeder pakte zijn hand vast. 'We kunnen altijd weer terugkomen, als we spijt krijgen.'

'We hadden bedacht dat we eerst kunnen gaan kamperen,' zei zijn vader, 'om als gezin weer dichter bij elkaar te komen. Daarna kunnen we naar opa en oma gaan en kijken hoe we ons daar voelen.'

'En school dan?'

'Ik denk dat je je nu echt niet druk hoeft te maken om school.'

Peter begon in paniek te raken. Dit konden ze toch niet menen? Seattle was hun stad, hun thuis. Waarom zouden ze dat achter willen laten? Waarom zouden ze alles wat vertrouwd en veilig voelde willen loslaten op het angstigste moment van hun leven?

Aan de andere kant waren er al veel mensen weggegaan die belangrijk voor hem waren: Cartier was een paar dagen na het nieuws al naar Oregon vertrokken voor een of andere epische familiereünie, en Stacy had helemaal niks meer van zich laten horen sinds ze met haar ouders naar hun huis aan het meer was vertrokken. Wat had hij hier eigenlijk nog te zoeken?

Alleen een fantasie. Een sprankje hoop.

'Ik moet erover nadenken.'

‘Het is niet aan...’ begon zijn vader.

‘Natuurlijk moet je dat,’ onderbrak zijn moeder hem. ‘Neem vandaag de tijd om het te verwerken. We zullen je hulp nodig hebben om Samantha ervan te overtuigen dat dit de juiste beslissing is.’

En dat was het moment waarop Peter wist wat hij moest doen. ‘Ik kan haar beter nu meteen gaan zoeken, bij de demonstratie. Dan kunnen we een-op-een met elkaar praten. Bovendien is het niet veilig daar.’ Zijn onderliggende reden om te gaan verzweeg hij: Eliza zou zeker in het Cal Anderson Park zijn om alle ellende vast te leggen. Apocalypse Already werd met de dag populairder. Peter had een Tumblr-account aangemaakt om bij haar 82.754 volgers te kunnen horen. Hij schaamde zich nu een beetje voor zijn verliefdheid, alsof hij een filmster stalkte of zo. Maar hij zou het zichzelf nooit vergeven als hij zonder iets tegen haar te zeggen wegging. Hij moest met haar praten, al was het nog maar één keer.

Zijn ouders wisselden een blik uit – de telepathie van stellen die al heel lang samen zijn.

‘Goed,’ zei Peters vader. ‘Maar je blijft geen seconde langer dan nodig is, oké? Je haalt je zus op en komt direct weer terug.’

‘Afgesproken.’

Op de snelweg reden maar een paar auto’s en de meeste waren op de een of andere manier beschadigd: voorruiten met steeds kleinere cirkels rond een inslagpunt in het midden, bliksemkrassen en deuken in het plaatwerk en achteruitkijkspiegels die loshingen als ogen uit hun kassen. Langs de snelweg staken ontelbare rookpluimen als zuilen boven de geluidswallen uit alsof ze een groot bouwwerk droegen dat onzichtbaar was achter de wolken. Brandstichting was de afgelopen week een van de ergste problemen geworden. *The Stranger* had gemeld dat er nu elke dag zo’n twintig panden in de fik werden gestoken. Toen Peter bij 45th Street weer over het landschap kon uitkijken, zag hij dat er over de hele stad verspreid rookpluimen hingen, alsof ze allemaal hetzelfde rooksignaal afgaven: chaos.

Hij verliet de snelweg en nam de afslag naar Capitol Hill. Van alle kanten klonken politiesirenes en autoalarmen, als een koor baby's die om hun moeder huilden. Een paar honderd meter voorbij Denny Way stonden twee auto's stil op de weg. Ze stonden dwars op de rijbaan en hun alarmlichten knipperden, maar er zat niemand in. Peter parkeerde de auto op de stoep.

Het miezerde zachtjes en de lucht had de kleur van nat cement: een typische winter in Seattle. De druppels tikten zacht op zijn jas.

Terwijl hij naar boven richting Broadway liep zag hij steeds meer mensen. Vier mannen kwamen uit een flatgebouw met ieder een grote flatscreentelevisie in hun armen. Ze liepen langzaam en waren helemaal niet bang, en het leek of ze met de blikken in hun ogen wilden zeggen: kom maar een stap dichterbij, als je durft. Peter liep de heuvel op en zag Broadway liggen. Hier hielden de mensen zich op voor wie in de stad geen plek was: de armen, de daklozen, de immigranten en de minderheden die tussen wal en schip van de hulpverlening waren gevallen (Felipe had over dit onderwerp altijd veel te zeggen). Er hing een gekke sfeer, iets tussen een gladiatorengevecht en een vluchtelingenkamp in. Bijna iedereen had een soort wapen bij zich, meestal een koevoet of een honkbalknuppel. Aan de andere kant van de straat hing een groepje jongeren totaal bezopen tegen een opgepimpte Hyundai aan.

In het Cal Anderson Park waren minstens duizend mensen die rond het podium stonden of op het gras zaten. Ze keken naar een groep punkers met paarse haren die een wedstrijdje leken te doen wie het meeste herrie kon maken. De elektriciteitskabels van hun versterkers lagen over de straat en verdwenen in een gebroken raam van Dicks Drive-In.

Peter kocht bij een foodtruck een paar taco's voor vijftien dollar per stuk (kennelijk het gevolg van de nieuwe apocalypseconomie) en ging op de rand van de fontein zitten om te eten. En op dat moment zag hij Eliza, aan de overkant van het water, en ze liep arm in arm met Andy Rowen. Peter was niet echt jaloers, maar hij was ook niet niet-jaloers. Andy was altijd zo'n jongen geweest die maar wat rondhing in de klas en domme opmerkingen maakte en van wie je zeker wist dat hij later een minimumloonbaantje zou krijgen bij een benzinestation of bij Starbucks. Maar nu had Anita hem onder haar hoede genomen en als zij net zo goed in hulpverlening was als in alle andere dingen, dan kwam het misschien toch nog goed met hem.

Maar Eliza zou toch niks in hem zien? Dat kon toch niet?

'Big man!' zei iemand. Peter keek weg van Eliza, recht in de onverbeterlijke grimas van Bobo. 'Ik kan me niet herinneren dat ik je voor dit feest heb uitgenodigd.'

'Ik ben hier alleen omdat ik Samantha zoek. Weet je waar ze is?'

'Weet je zeker dat je háár zoekt? Want ik zou zweren dat je naar Eliza zat te staren.'

Peter stond op. 'Ik zie je wel weer een keer, Bobo.'

'Wacht even! Ik weet misschien wel iets waar je wat aan hebt. Heeft je zus ooit verteld waarom we haar Misery noemen?'

'Nee,' zei Peter, en hij wist al dat hij het helemaal niet wilde weten.

'*Misery loves company!*'

Bobo deed alsof hij haar van achteren nam. Peter kon zich niet beheersen: hij greep Bobo bij de kraag van zijn T-shirt en duwde hem tegen een boom.

'Hou je bek, man.'

Bobo's lach ging over in een arrogante grijns. 'Denk even na, big man: is dit echt een handige plek om met mij te vechten?'

Peter keek om zich heen. Een en al tuig, junks en freaks; Bobo's mensen. Peter was de kakker en zijn poloshirt zou iedereens aandacht trekken.

'Waarom heb je toch een probleem met mij?' vroeg Peter.

'Je draait de zaken om. Jij interesseert me geen ene reet. Jij bent degene met een probleem.'

'Wát?' Peter lachte, maar zonder een greintje blijdschap.

'Misery heeft me verteld dat je niet kunt slapen.'

'En? Wat dan nog?'

'Daarom heb jij een probleem met mij. Omdat ík helemaal nooit iets van het leven heb verwacht, dus ik vind het niet erg dat de boel straks in vlammen opgaat. En terwijl jij als een klein kind om drie uur 's nachts bij het raam zit te jammeren, lig ik heerlijk als een baby te slapen. Daarom haat je mij. Omdat ik niet bang ben.'

Halverwege zijn korte monoloog had Bobo Peter bij zijn polsen vastgegrepen en nu Peter zijn blik liet zakken, zag hij de twee witte lijnen die als aderen langs Bobo's onderarmen liepen; littekens.

'Ja, ik ben bang,' zei Peter. 'Maar niet voor mezelf.' Hij wierp Bobo met zijn rug tegen de boom en liep weg. Opeens leek iedereen in het park gestoord en gevaarlijk te zijn. Er hing een dikke hasjwalm en hier en daar stonden jongens in het midden van een kring juichende toeschouwers te vechten: decompressiekleppen. De band was opgehouden met spelen en nu stond er een jongen achter de microfoon die Peter niet kende. Hij hield een heel verhaal over burgerrechten. Golden zat op de rand van het podium en juichte na elke zin met de massa mee.

'De politie heeft zo veel mensen opgepakt dat ze geen cellen meer hebben om mensen op te sluiten.' Gejuich. 'Alles is op dit moment een misdrijf.' Gejuich. 'Iedereen hier kent wel iemand die is opgesloten, zonder aanklacht, zonder rechtszaak.' Gejuich. 'En als we niks doen, wordt het alleen nog maar erger.' Gejuich. 'De wereld bestaat nog.' Gejuich. 'Ik geef mijn vrijheden niet op omdat een stelletje klootzakken bang voor ons is. Dan ga ik nog liever dood!' De jongen haalde een pistool uit zijn zak en hield het in de lucht, wat nog het hardste gejuich opleverde.

Peter moest zo snel mogelijk zijn zus vinden.

Naast het podium stond een hoge eik en op de takken zaten een paar mensen. Vanaf daar zou hij uitzicht hebben over het grootste deel van het park, bedacht hij, en het kon niet moeilijk zijn om Misery er met haar oranje haren tussenuit te pikken. Hij stond onder aan de boom en keek naar boven: een paar skinheads die Olde English dronken, een zwart jongetje met een verrekijker, en helemaal bovenin, op een tak die niet dikker was dan een van haar armen, Eliza Olivi.

'Hé!' riep hij.

Ze keek naar beneden, kneep even met haar ogen en herkende hem. 'Wat doe jij hier?'

'Ik zoek mijn zus, maar ik wil jou ook graag spreken.'

'O ja?'

'Ja. Het wordt wel eens tijd.'

Een van de skinheads gooide een leeg bierblikje naar Peters hoofd. 'Hou je kop, gast. Ik probeer te luisteren.'

Eliza klom naar beneden. Doordat haar trui steeds achter de takken bleef haken, duurde het heel lang. Hij had het gevoel dat ze een date hadden en dat hij voor haar deur op haar stond te wachten terwijl zij langzaam de trappen afkwam.

'Zo, Peter,' zei ze terwijl ze de viezigheid van haar handen veegde. 'Waar moeten we het over hebben?'

Hij had zich dit moment al zo vaak voorgesteld, maar nu had hij geen idee hoe hij moest beginnen. Zijn hart bonkte en zijn hoofd tolde bij de herinnering aan die laatste keer dat ze zo dicht bij elkaar stonden. Als hij niet bang was geweest dat hij als een totaal gestoorde gek zou overkomen, zou hij hebben gezegd: 'Ik hou van je.'

'Het is een teringbende!' schreeuwde de jongen door de microfoon. 'Alles gaat naar de klote!' Hij sloeg de microfoon omver en er klonk een oorverdovend gepiep dat rondzong als hoog gekrijs. Het leek wel of het park implodeerde: alle toeschouwers kwamen naar het podium toe gerend als dieren op de vlucht voor een bosbrand. Wolken roze rook verspreidden zich als rookbommetjes tussen het publiek: traangas.

'Je moet hier weg,' zei Peter.

'Kunnen we niet samen gaan?'

'Ik moet eerst mijn zus vinden.'

'Dan ga ik met je mee.'

'Je moet niet...' begon hij. Maar het volgende moment had ze zijn hand vast en wilde hij niet meer in discussie gaan. Met hun hoofden naar beneden renden ze zo snel mogelijk door de gaswolken; het brandde, net als wanneer hij bij Friendly Forks uien moest snijden, maar dan honderd keer erger. Iedereen gilde, een afschrikwekkend koor onderbroken door het gesis van traangasgranaten en iets wat leek op het geknal van ballonnen (maar, waren er ballonnen in het park geweest?) of pistolen. Peter en Eliza vluchtten naar een plek waar de lucht helderder leek en daar zagen ze de oproerpolitie staan: een lange rij agenten, helemaal in het zwart gekleed, met helmen op en maskers voor, en schilden van plexiglas die even groot waren als zijzelf.

'Daar,' zei Eliza.

Misery's vlammende haren verdwenen achter een mistige roze wolk. Peter wilde naar haar toe rennen, maar iets trok hem naar achteren.

'Laat me los, Eliza!' zei hij. Maar toen hij over zijn schouder keek, zag hij dat het Eliza niet was; het was een jonge agent die hem vasthad, met ogen vol angst en woede.

'Meneer, mijn vriend is alleen op zoek naar zijn zus,' zei Eliza. Ze legde haar hand op de elleboog van de agent. 'Hij hoort niet bij de oproerkraaiers.'

De agent draaide Eliza's arm op haar rug en dwong haar naar de linie agenten te lopen. Het volgende moment verdween ze achter de rij schilden. Peter wilde achter haar aan gaan, maar de oproerpolitie marcheerde heel dicht tegen elkaar aan naar voren en dwong iedereen de andere kant op te gaan. Hij rende met de meute mee, maar aan de andere kant van het park stond een tweede rij agenten klaar. Ze grepen iedereen beet die ze te pakken konden krijgen. Peter was een van de gelukkigen die door de linie heen wist te dringen en kon wegrennen, het park uit. Toen hij bij de jeep kwam, brandden zijn ogen nog steeds; van woede en van het traangas. Hij had weten te ontkomen, maar was het de moeite waard geweest, als hij verder alles had verloren?

Uiteindelijk lokte de demonstratie precies uit wat ze had moeten voorkomen.

De volgende ochtend vroeg riep de overheid officieel de noodtoestand uit. Er werden extra manschappen ingezet en er gold een avondklok. Het was verboden om naar buiten te gaan tenzij je boodschappen moest doen, en 's avonds was het helemaal verboden om de straat op te gaan. Alles gebeurde precies zoals Bobo en Golden hadden voorspeld – wat het om de een of andere reden nog erger maakte. Precies drieëntwintig dagen voordat Ardor zou komen om hen of allemaal te sparen óf te vernietigen, was de oorlog in de stad uitgebroken.

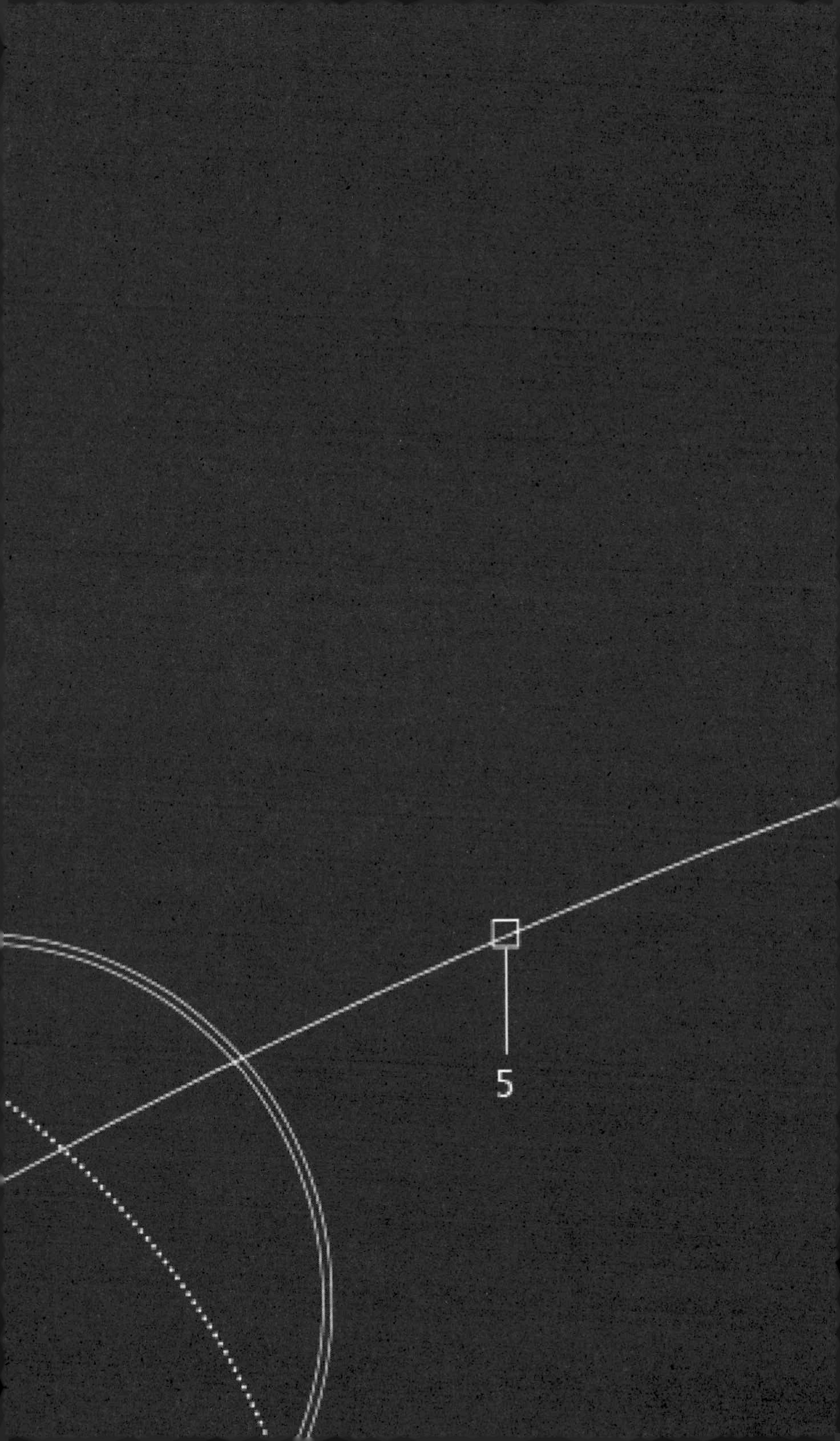
5

ELIZA

De gevangenis deed een beetje aan schoolkamp denken, maar dan wel aan een waar alleen maar mensen waren die helemaal niet op schoolkamp wilden gaan. De zaal was gemengd, waarschijnlijk alleen omdat de politie de ruimte en de middelen niet had om voor elk geslacht aparte voorzieningen in te richten. Iedereen sliep dus in één grote ruimte die van muur tot muur vol stond met goedkope, krakende stapelbedden. Eén wand bestond helemaal uit ramen, maar daar hing een groot dik canvasdoek voor zodat er alleen langs de randen een beetje buitenlicht naar binnen scheen, als een dunne, witte lijst.

Op een gewone dag hing iedereen een beetje rond op de slaapzaal en werd er gegeten in de eetzaal. Ontbijt bestond uit muesli, de lunch uit een broodje en het avondeten uit een combinatie van taai vlees, groente die zo lang was gekookt dat ze als een babyprutje uit elkaar viel op je tong, en een stukje brood, plakkerig en zoet als een hamburgerbroodje van McDonalds. Twee keer per dag werden de gevangenen gelucht op een betonnen binnenplaats ter grootte van een basketbalveld. Ze konden rondjes lopen, wat grijs daglicht absorberen en hun snel slinkende voorraad sigaretten en kauwgom uitwisselen (om onduidelijke redenen hadden ze die mogen meenemen, waarschijnlijk vanwege Ardor, aangezien alles met Ardor te maken had). Hun verplichte gevangenisuniform bestond uit een lichtblauwe overall en witte instapsneakers, waardoor ze eruitzagen als een stelletje smurfen.

Alhoewel er constant mensen om je heen waren, was het detentiecentrum een ontzettend eenzame plek. Eliza kende er niemand en dus worstelde ze het grootste deel van de tijd met de vraag waarom ze dingen niet anders had gedaan. Waarom had ze twee weken geleden niet met Peter gepraat, toen ze erachter was gekomen dat hij het had uitgemaakt met Stacy? Waarom had ze al die keren dat haar moeder had gebeld niet één keer de moeite genomen om op te nemen? Waarom was ze uren achter elkaar met haar blog bezig geweest en had ze niet meer tijd met haar vader doorgebracht? Eliza hield zichzelf wakker met alles waar ze spijt van had en in haar hoofd sprongen de vragen een voor een over een hek; alleen maakte het tellen haar niet slaperig. Vandaar dat ze halverwege de derde nacht nog wakker was toen ze voelde dat er iemand op de matras leunde. Eerst dacht ze dat ze het zich inbeeldde, maar nee, er kroop echt iemand naast haar in bed op de onderste matras. Ze wilde het uitschreeuwen, maar hij begon tegen haar te praten.

'Je kent me niet,' zei hij, 'maar ik ben echt wel aardig. En ik vind je waanzinnig mooi. Als je wilt dat ik ga, dan ga ik. Maar het lijkt me heerlijk om met je te zoenen, en omdat het bijna het einde van de wereld is en we hier toch opgesloten zitten, dacht ik: ik kan het net zo goed gewoon aan je vragen.'

Eliza wist dat het niet de meest feministische daad was (en Madeline zou razend worden als ze het hoorde want de moraal van het slettenbestaan had volgens haar te maken met zelfontwikkeling, niet met liefdadigheid), maar de jongen klonk verdrietig en oprecht, en als ze zichzelf niet gelukkig kon maken dan kon ze misschien op z'n minst een ander een beetje plezier geven.

'Ik ga niet met je naar bed,' zei ze. 'En dit is maar voor één keer.'

'Helemaal goed.'

En toen gebeurde er wat er gebeurde. En nadat het was gebeurd, zei de jongen met een schorre stem 'bedankt' en verdween hij. Ze zou nooit te weten komen wie hij was.

Maar de volgende dag, met het belang van menselijk contact nog fris in haar geheugen, besloot ze om een gesprek aan te knopen met de paar mensen die ze vaag kende. Vier dagen was lang als je alleen je eigen gedachten had, helemaal als die gedachten vooral over de dood gingen en over de ouders van wie je geen afscheid hebt genomen en over de jongen met wie je nooit meer een tweede kans zult krijgen.

Bobo, Misery en die nerdachtige jongen, Kevin, stonden tegen de betonnen muur op de binnenplaats geleund en deelden een sigaret.

'Mag ik een trekje?' vroeg Eliza. Kevin keek naar Bobo, die knikte. 'Bedankt.' Ze inhaleerde diep en voelde haar longen opengaan. 'En, hebben jullie al iets van een plan?'

'Wat voor een plan zouden we moeten hebben?' vroeg Bobo.

'Ik bedoel: wil je hier tot het einde blijven zitten? Een beetje naar de lucht staren en hopen dat het goed afloopt?'

'Wat kunnen we anders doen?'

'Ik weet het niet. Een bericht naar buiten zien te krijgen? Als iemand erachter komt waar we zijn, dan breekt de hel los. Iemand hier moet toch ouders hebben met goede contacten? En ik durf te wedden dat die bewakers hier net zo graag weg willen als wij. Er zijn er elke dag minder. Het enige wat we hoeven te doen is ze een goede reden geven en...'

Bobo onderbrak haar. 'Je hebt je trekje gehad. Ga nu maar weer weg.'

'Doe niet zo bot,' zei Misery. 'Ze is een vriendin van Andy.'

'Niet waar. Ze windt hem alleen om haar vinger, omdat ze op aandacht kickt. Daar draait het allemaal om bij haar. Om aandacht.'

Eliza voelde plotseling tranen achter haar ogen prikken. 'Hé, heb ik je aandacht?' zei ze, en ze stak haar middelvinger naar hem op.

Terwijl ze wegliep hoorde ze hem lachen. 'O jee. Heb ik de prinses beledigd?'

Eliza ging achter een grote metalen container staan en ademde een paar keer diep in en uit. Ze haatte Bobo, maar ze haatte zichzelf nog meer omdat ze haar zwakte tegenover hem had getoond. Als hier nou maar iemand anders was geweest met wie ze kon praten, dan was ze nooit naar hem toe gegaan...

Een tikje op haar schouder. Eliza draaide zich razendsnel om, klaar om een keihard knietje in een zacht kruis te geven (al was de blauwe overall wel het minst uitdagende kledingstuk dat ze het afgelopen jaar had gedragen; ze kreeg toch veel ongewenste aandacht van haar medegevangenen).

'Hé,' zei Kevin. 'Gaat het?' Hij had die eeuwige verontschuldigende blik in zijn ogen, alsof hij het gevoel had dat hij alleen door te bestaan iedereen altijd tot last was.

'Met mij gaat het prima.'

'Het spijt me, van Bobo. Hij wil alleen Andy beschermen.'

'Noem je dat beschermen?'

'Het is ingewikkeld, want Andy vindt jou leuk en zo. Weet je, het is jammer dat jij hem niet leuk vindt, want hij is een goeie.'

Eliza haalde haar schouders op. Wat kon ze zeggen?

'Maar goed, ik kwam niet alleen om sorry te zeggen. Ik wilde je vragen wat je zou zeggen als je inderdaad een bericht naar buiten kon brengen.'

'Ik zou zoveel mogelijk vertellen over waar we zijn, en hopelijk zouden ze ons dan kunnen vinden. Hoezo?'

Kevin keek om zich heen en boog naar haar toe. 'Ik heb een Android Galaxy S5 in mijn sok. Op dit moment.'

'Serieus?' vroeg Eliza iets te hard. En toen, fluisterend: 'Hoe heb je dat voor elkaar gekregen?'

'Ze moesten bij het park zo veel mensen tegelijk afvoeren dat ze geen tijd hadden om iedereen uitgebreid te fouilleren, en niemand heeft in mijn sokken gekeken. Toen we hier kwamen, heb ik de bewaker wijsgemaakt dat ik een slechte bloedsomloop had en dus mocht ik de nieuwe sokken over mijn oude sokken aantrekken.'

Eliza kon zich niet inhouden. Ze sloeg haar armen om hem heen en gaf hem een zoen op zijn wang. 'Je bent geweldig!'

Zijn gezicht werd rood. 'Niet echt. En er is wel een probleem. Er is bijna geen bereik. Ik weet niet of het netwerk nu definitief platligt of dat we in een deadzone zitten, maar ik krijg niet één streepje.'

'Dus dan hebben we er niks aan?'

'Dat dacht ik eerst ook, maar boven blijkt een onbeveiligd wifi-netwerk te zijn.'

'Ik wist niet eens dat er een "boven" was.'

'Ik ook niet. Maar ik zag een paar bewakers via die deur tussen de slaapzaal en de eetzaal verdwijnen, en ik vermoedde dat daarachter een kantoor of zo moest zijn. En als er een kantoor was, dat ze daar dan ook internet moesten hebben.'

'Dus ben je ernaartoe geslopen?'

'Niet echt. Je kunt er alleen komen als je ernaartoe gestuurd wordt.'

Eliza lachte. 'Hoe heb je dat voor elkaar gekregen?'

'Ik ben met mijn eten naar een bewaker gaan gooien, net zo lang tot hij me ertussenuit heeft gehaald. Uiteindelijk kwam ik bij de man terecht die hier de leiding heeft. Hij is best cool, gek hè?'

'En heb je een bericht kunnen verzenden?'

'Ze hielden me de hele tijd in de gaten. Ik kreeg de kans niet. En bovendien wist ik niet zo goed wat ik moest zeggen. Op de eerste verdieping zijn ramen, maar ik zag niets wat ik herkende, dus ik weet nog steeds niet waar we zijn.' Kevin keek even over zijn schouder. 'Volgens mij moet ik weer terug. Ik heb gezegd dat ik maar heel even weg zou zijn. Als je wilt kan ik m'n telefoon aan jou geven, dan kan je kijken wat je ermee wilt doen.'

'Ik weet al wat ik ermee wil doen, maar ik heb je hulp nodig.'

'Ik denk niet dat je veel aan me hebt.'

Eliza vond Kevin aardig. Aardiger dan hij zichzelf vond, in elk geval. Ze wilde tegen hem zeggen dat de middelbare school een beetje op een toneelstuk leek waarbij iedereen heel snel een rol kreeg toebedeeld, en dat hij een behoorlijk lullige rol had gekregen. Als hij het tot aan het eindexamen zou volhouden, kreeg hij als hij ging studeren een nieuwe kans, in een ander toneelstuk; eentje waarin er genoeg goede rollen waren voor mensen zoals hij. Ze wilde tegen hem zeggen dat ze al eens het soort jongen was tegengekomen die hij uiteindelijk zou worden – nog altijd een hark, maar op een leuke, niet-verontschuldigende manier. Jezus, ze was zelfs een paar keer met zulke jongens naar bed gegaan.

Maar al dat lieve gevoelige gedoe zou moeten wachten. Ze moesten een plan bedenken.

'Kevin, wat denk je ervan om nog keer naar het kantoor van de directeur gestuurd te worden?'

De volgende vierentwintig uur brainstormden ze over de verschillende manieren waarop ze zichzelf in de problemen konden brengen, en het ene plan klonk nog leuker dan het andere. Ze hadden 'De gladiatoren', een scenario waarbij ze iedereen zouden overhalen om een groot kussengevecht te beginnen. Ze hadden 'De pyromaan op de erwt', waarbij ze een onbezet stapelbed in de fik zouden steken, en 'De nudisten', waarvan de naam voor zich sprak. Ten slotte besloten ze toch voor 'De overijverige verleidster' te gaan. Voor het plan hadden ze een specifieke bewaker nodig, namelijk degene die er meer uitzag als een jongetje dat zich had verkleed dan als een echte bewaker. Daarom zouden ze pas de volgende dag in actie komen, als hij er weer was.

Eliza wachtte tot er niemand anders in de buurt was die op haar lette, en sloop toen langzaam dichterbij. 'Wat een leuk petje heb je,' zei ze.

'Dank je.' *Ik wil wel aardig zijn maar ik word niet geacht aardig te zijn*, maakte de toon in zijn stem duidelijk.

'Ah... wil je hem even afdoen, voor mij?'

'Het is mijn uniform, dame.'

'Dat weet ik, maar je kan hem toch wel heel even afdoen? Alsjeblieft?'

De bewaker probeerde de opkomende glimlach te onderdrukken. 'Dat kan niet.'

'Ah, schatje, kom op.' Ze knipperde met haar lange wimpers. De bewaker keek om zich heen of zijn baas niet in de buurt was, tilde toen heel even zijn pet op en zette hem weer terug.

'Nu blij?'

'Heel blij. En doe nu je overhemd uit.'

'Dat kan ik echt niet doen.'

Eliza kwam dichterbij en legde haar handen op zijn gecamoufleerde borst. Ze maakte zijn bovenste knoopje los. Boven een wit T-shirt met V-hals staken een paar krullende haren uit.

'Stop,' zei de bewaker.

'Waarmee?'

Ze maakte nog een knoopje los en nog een. Uiteindelijk greep hij haar polsen vast.

'Ik meen het.'

Ze lachte, rukte haar armen los, en trok in één keer aan zijn overhemd waardoor de rest van de knopen door de lucht vlogen en op de tegels stuiterden. Dit trok de aandacht van Kevin, die 'toevallig' in de buurt was.

'Dat zag ik!' zei hij. 'Je viel haar lastig! Dat is ongewenste intimiteit!'

De bewaker kon nu niet anders meer. 'Kom mee!' zei hij nors tegen Kevin, en ondertussen sleepte hij Eliza hardhandig de slaapzaal uit en nam haar mee naar de ijzeren deur waarachter zich een smalle trap bevond.

'Naar boven. Jullie alle twee,' zei hij.

De gang op de eerste verdieping zag er precies zo uit als Kevin had verteld: wit en licht, met allemaal grote vierkante ramen aan één kant. Eliza keek of ze een soort herkenningspunt zag, maar er was niets speciaals te zien. Ze kon alleen maar hopen dat iemand anders deze plek zou herkennen. Anders was alles voor niets.

De drie e-mailberichten waren al geschreven. Het eerste bericht zou, met de foto die ze snel zou maken, naar al haar contacten in haar adresboek gaan. Het tweede was alleen voor haar vader, en het derde was voor Peter (wiens e-mailadres ze had achterhaald nadat ze een melding had gekregen dat hij haar op Tumblr volgde). Dit laatste bericht had de meeste inspanning gekost en de meeste onzekerheid opgeleverd. Ze had geschreven en herschreven. Haar eerste poging was heel subtiel geweest; zo subtiel dat het eigenlijk helemaal geen boodschap bevatte. Bij de tweede poging was ze op de flirttour gegaan, maar dat bericht kwam nietszeggend en achteloos over. Bij de derde poging had ze geprobeerd om zo openhartig mogelijk te zijn.

Het was grappig, maar ze realiseerde zich niet wat ze aan het schrijven was totdat ze klaar was: haar allereerste liefdesbrief. Haar eerste en waarschijnlijk haar laatste.

De bewaker verdween achter een deur aan het eind van de gang. Eliza liet de telefoon uit haar mouw glijden en tikte op de camera-app, maar een seconde later keerde de bewaker alweer terug en moest ze de telefoon weer verstoppen.

'Stuur een van hen naar binnen,' zei een stem in het kantoor.

Kevin stond het dichtst bij de deur, zoals ze hadden afgesproken, en dus ging hij als eerste naar binnen. Ze hadden gehoopt dat de bewaker met hem mee naar binnen zou gaan zodat Eliza een paar minuten alleen in de gang zou zijn, maar helaas. 'De overijverige verleidster' bevatte een noodscenario voor deze situatie, maar Eliza schaamde zich toch een beetje om het uit te voeren.

'Zijn we toch nog met z'n tweeën,' zei ze.

'Zoiets, ja.'

'Luister, ik weet dat we maar heel even hebben, maar... zou je het erg vinden om me vast te houden?'

'Wát?'

'Eén omhelzing. Alsjeblieft. Het is nu of nooit.'

De bewaker keek naar de deur van het kantoor. 'Heel even dan.'

Eliza sloeg haar armen om zijn nek. Hij rook heel sterk naar een of andere veel te frisse deodorant, waarschijnlijk iets met de naam 'Mountain Air', of 'Ocean Breeze'.

'Mmm,' zei ze zacht in zijn nek, en ze draaide hem langzaam met zijn rug naar het raam toe. Ze ging op haar tenen staan zodat ze over zijn schouder kon kijken. Het zou geen geweldig beeld zijn maar het kon niet anders.

'Ik ben Eliza.'

'Seth,' zei hij, 'en ik haat dit werk.'

Eliza lachte oprecht en raakte toen zachtjes met haar hand zijn achterhoofd aan. Even later ging de deur aan het eind van de gang weer open. 'Stuur de volgende maar naar binnen,' zei de stem.

'Jouw beurt,' zei Seth gemoedelijk.

Eliza knipoogde naar Kevin als teken dat het gelukt was om de foto te nemen. Nu moest ze alleen nog heel even alleen zijn om de foto bij het bericht te plakken en de mails te versturen.

Binnen in het kantoor zat een kast van een vent achter een eenvoudig houten bureau waar een ouderwetse notarislamp met een groene kap op stond die zacht licht gaf. De man was helemaal kaal, maar het haar van zijn hoofd had zich kennelijk verplaatst naar zijn dikke, rode snor en zijn behaarde handen. HOOFDINSPECTEUR JACK DANIELS, volgens zijn naambordje.

'Is dat een grap?' vroeg Eliza terwijl ze de deur achter zich dichtdeed.

'Nou, eigenlijk moet het Jack. D. Daniels zijn, maar ik heb de D weggelaten om mijn korps een plezier te doen.' Hij had een licht accent – iets zuidelijks. 'Maar wacht. Het wordt nog beter.' Hij schoof de onderste la van zijn bureau open en haalde er een fles Jack Daniels uit en een glas. 'Wil je ook?'

'Graag.'

'Ha! Geen sprake van, meisje. Pak een stoel en vertel me hoe je heet.'

'Eliza.'

'Eliza.' Hoofdinspecteur Daniels schonk zichzelf een flink glas Jack Daniels in. 'Zo. Eliza. Onze vriend op de gang heeft me verteld dat jij hem probeerde uit te kleden. Is dat waar?'

'Ja, meneer.'

'Hoe oud ben je? Zestien?'

'Achttien.'

'Goed. Ik weet dat iedere achttienjarige vrouw dol is op mannen in uniform, maar jouw vriendje zei dat jullie gewoon lol aan het trappen waren. Klopt dat?'

'Ja, meneer.'

'Dat dacht ik al.' Hoofdinspecteur Daniels leunde achterover in zijn stoel en liet zijn whisky walsen in het glas. 'Hou je het een beetje uit daarbeneden? Het is er saai zeker?'

'Ja, meneer.'

'Je moet weten dat ik persoonlijk zoiets nooit zou hebben gedaan. Al die kinderen achter slot en grendel, terwijl dat stuk steen eraan zit te komen. Ik bedoel, ik weet niet precies waarom je hier zit, maar als het alleen is omdat je toevallig bij dat concertgedoe was – nou, dat is niet normaal, als je het mij vraagt. Als ik het voor het zeggen had, dan zou de hele boel hier opgedoekt worden.'

'Je kunt het voor het zeggen hebben.'

Hoofdinspecteur Daniels leek het even te overwegen, maar schudde toen met zijn hoofd. 'Zo werkt het niet, kleine. Ik moet gewoon mijn werk doen zoals het van me wordt verwacht. Anders is het einde zoek, snap je wel?' Hij keek diep in zijn glas, alsof de laatste bruinrode druppels hem iets konden vertellen. 'Goed. Ga maar weer naar beneden, Eliza. En hou vol!'

Toen Eliza de gang weer in kwam, stonden Seth en Kevin bij de trap.

'Kom op,' zei Seth. 'Het is bijna etenstijd.'

Maar ze had nog geen kans gehad om de e-mails te versturen. Ze moest tijd zien te rekken. 'Hé, is hier boven een wc?'

'Je kunt de wc's beneden gebruiken.'

'Dat zijn gemengde wc's en de jongens maken ze onwijs smerig. Alsjeblieft?'

'Daar kan ik niks aan veranderen. Het spijt me.'

'Dan spijt het mij ook,' zei Eliza.

'Voor wat?'

'Grijp 'm!' schreeuwde ze. Gelukkig was Kevin erop voorbereid. Hij dook naar de grond en sloeg zijn armen als een octopus om Seths benen heen. Eliza vloog langs hen, ging de eerste de beste kamer in en sloeg de deur achter zich dicht. Er zat een draaislot aan de binnenkant dat ze net op tijd omdraaide.

Eliza liet de telefoon weer in haar hand glijden en tikte op het mailicoontje. Ze hoorde Seths sleutels aan de andere kant van de deur al rinkelen. Ze voegde de foto aan de conceptberichten toe en tikte op versturen. Het laadbalkje ging in één keer naar negentig procent en bleef toen steken. Seth moest de verkeerde sleutel in het slot hebben gestoken want ze voelde de knop tegen haar rug heen en weer gaan, maar verder gebeurde er niks.

'Waar wil je naartoe, Eliza?'

'Is hier geen wc?' zei ze, en toen tegen de telefoon: 'Kom op, kom op.'

Ze keek voor het eerst om zich heen. Het was een kantoorruimte die zo goed als leeg was. Er hingen alleen een paar posters aan de muren. Eén filmaffiche van een bekende film met een afbeelding van een man met ontbloot bovenlijf en een zwarte hoed op. Hij staarde en er stond een tekstballon bij zijn mond met de zin: I LOVE THE SMELL OF NAPALM IN THE MORNING. Een andere van een kitten die op een bol wol probeerde te klimmen, en een vergeeld krantenartikel met een foto van een opstijgend vliegtuig en de kop: 3-2-1-TAKE-OFF: MARINEVLIEGVELD SAND POINT SLUIT VOORGOED ZIJN DEUREN.

Marinevliegveld Sand Point! Daar waren ze! En als ze nog een minuut de tijd had gehad, had ze dat nog aan haar bericht toegevoegd. Maar Seth had een andere sleutel in het slot gestoken en deze keer draaide de knop wel door. Eliza rende naar het raam aan de andere kant van het kantoor. Het laadbalkje bewoog weer. Eenennegentig procent. Tweeënnegentig procent. Seth stond nu in de kamer en zwaaide met iets wat leek op een kruising tussen een geweer en een barcodescanner. Eliza trok een van de ramen open en stak de telefoon in de lucht; ze wilde niet dat Seth erachter kwam wat ze verstuurde.

'Wat is dat?' vroeg hij. Vierennegentig procent. Vijfennegentig procent. 'Geef hier!'

'Wat? Dit?'

Zesennegentig procent. Zevenennegentig procent. Hij was nu

vlak bij haar. Ze gooide de telefoon zo hard mogelijk de lucht in; recht omhoog. Achtennegentig procent, en dat was het laatste wat ze kon zien. De telefoon draaide en draaide omhoog en viel toen loodrecht naar beneden op het beton. Ze draaide zich om en zag nog net dat Seth de trekker overhaalde. Een gek trillend geluid, als zo'n oude filmcamera, en toen stond haar hele lichaam in brand. Ze viel flauw.

PETER

Peter wist wat het was om te falen. Hij had een paar onvoldoendes voor wiskunde gehaald, hij had tijdens de regionale kampioenschappen staan stuntelen bij de lijn (en tot zijn eeuwige schaamte maar drie van de twaalf worpen gescoord), en het ergste van alles: hij had Stacy bedrogen, een zonde waarvan hij nooit had gedacht dat hij ertoe in staat was. Maar dat was allemaal niks vergeleken bij het feit dat hij had staan toekijken hoe Misery en Eliza verdwenen achter de rij meedogenloze politiemannen, die even ondoordringbaar leek als een rij pionnen op een schaakbord. Als hij zich niet door Bobo had laten afleiden, had hij Misery misschien nog op tijd gevonden. Als hij niet stiekem had gewild dat Eliza bij hem bleef, had hij haar waarschijnlijk wel kunnen overhalen om het park te verlaten op het moment dat de rellen uitbraken. Maar hij had steeds de verkeerde beslissing genomen en nu waren ze verdwenen.

Als een soort bestraffing zat hij op zijn kamer en deed helemaal niks. Hij belde Cartier of een van zijn andere oude vrienden niet. Hij trainde niet. Hij keek niet op internet om Ardors moordzuchtige koers door de ruimte te volgen. Hij draaide zijn dag- en nachtritme om. De nachten waren te vol van angsten om te kunnen slapen. Dat lukte alleen overdag bij vlagen, tijdens de grijze mistige dagen als de giftige ster werd opgeslokt door het daglicht. Zijn ouders zetten zijn eten voor zijn slaapkamerdeur en hij at alleen om het knagende gevoel in zijn maag weg te krijgen. Op een nacht sloop hij naar beneden en haalde een heel stel vuilniszakken uit de aanrechtkast. Hij wilde alle troep uit zijn kamer weg hebben: de trofeeën en de lintjes die hij had ontvangen voor overwinningen die nu geen enkele betekenis meer hadden, de liefdesbrieven en aandenkens aan een relatie die hij op het altaar van de waan had geofferd, het oude speelgoed en de knuffeldieren uit een onschuldig verleden. Hij wilde het allemaal niet meer hebben. Toen de zakken vol zaten en hij ze in de kast had gepropt, was zijn kamer bijna leeg. Er stonden alleen nog wat meubels. Dit is wat ik van mijn leven heb gemaakt, dacht Peter. Zo goed als niets.

Vier dagen gingen in een waas van verdriet en wroeging voorbij. Toen, op donderdag, aan het eind van de ochtend, klonk er een stevige klop op zijn slaapkamerdeur.

'Ik geef je tien seconden,' zei zijn vader, 'en dan kom je naar buiten. Tien, negen, acht, zeven – ik meen het serieus – zes, vijf...' Maar Peter verroerde zich niet. Voor een deel was hij verlamd door wanhoop, waardoor elke beweging hem de grootst mogelijke moeite kostte, maar er was ook nog iets anders. Diep vanbinnen wist hij namelijk heel goed dat wat zijn vader na het aftellen zou doen, goed voor hem was. '...vier, drie, twee, een. Eén, Peter! Goed dan. Nul.'

Met een dreun zwaaide de deur open en vlogen de splinters hout door de lucht. Zijn vader stapte naar binnen met een verheven blik in zijn ogen, alsof hij zojuist de draak had gedood. Moest Peter nu de schone jonkvrouw spelen?

'Je moeder en ik hebben een beslissing genomen,' zei hij.

'Fijn voor jullie.' Peter draaide zich om naar het raam.

'We hebben de afgelopen dagen bijna de hele tijd op het politiebureau staan schreeuwen, samen met andere ouders, maar er is niets wat we kunnen doen. Het schijnt dat je zus een bierflesje naar een agent heeft gegooid, dat beweren ze tenminste. Het komt erop neer dat ze haar zo lang vast kunnen houden als ze willen.'

'Dat is jullie beslissing? Jullie geven het op?'

'De politie heeft ons verzekerd dat Samantha alleen met andere jongeren zit opgesloten, en dat ze op een veilige plek is, maar ze willen niet zeggen waar dat is. Volgens mij zijn ze bang dat ouders erheen zullen gaan als ze weten waar hun kinderen zijn en dat ze een gat in de muur zullen slaan. Gezien de omstandigheden zou me dat inderdaad niet verbazen.'

'Ik had haar naar huis moeten brengen, pap. Ze had hier nu moeten zijn. We hadden onderweg naar Californië kunnen zijn, zoals jullie hadden bedacht.'

'Peter?' De oude veren piepten toen Peters vader op zijn bed ging zitten. 'Peter, kijk me aan.'

Peter wendde zijn hoofd af. Hij wilde de vergiffenis in zijn vaders ogen niet zien. Hij wilde dat iemand waanzinnig kwaad op hem werd, zodat hij dat zelf niet meer hoefde te zijn. 'Het is mijn schuld. Zeg alsjeblieft niet dat dat niet zo is.'

'Het gaat niet om strafpunten. Het is geen wedstrijdje en we hoeven de score niet bij te houden, dat is iets voor kinderen. Volwassenen spelen dat soort spelletjes niet. Dus, wees volwassen, Peter, en kom je bed uit.'

Kreunend kwam Peter overeind.

'Hé!' zei zijn vader terwijl hij om zich heen keek. 'Je hebt de boel opgeruimd! Wat goed. Lekker leeg.'

'Dank je.'

'Nou, kom op. Het is boodschappendag. Een beetje frisse lucht zal je goed doen.'

Maar de frisse lucht deed Peter helemaal geen goed.

'Boodschappendag' hield in dat je de hele dag in de rij stond. Bij het benzinestation stonden niet alleen auto's te wachten, maar ook mannen en vrouwen met jerrycans, plastic flessen en zelfs iemand met een leeg biervaatje. Overal hoorde je boos geschreeuw en ongeduldig getoeter.

'Waarom wil iedereen extra benzine inslaan?' vroeg Peter.

'Voor noodgeneratoren,' zei zijn vader.

'Denk je dat de elektriciteit gaat uitvallen?'

'Dat is al twee keer gebeurd. Had je op je kamer de computer niet aan?' Peter schudde zijn hoofd. 'Om eerlijk te zijn verbaast het me dat het nog zo lang heeft geduurd.'

Bijna een uur later waren ze eindelijk bij de pomp. De prijs van benzine was de laatste dagen omhooggeschoten en stond nu op zesenhalve dollar per liter.

'Wat een gekte,' zei zijn moeder. 'Help me herinneren dat ik Exxon Mobile-aandelen koop als de wereld niet vergaat.'

Nadat ze de tank hadden volgegooid reden ze naar de supermarkt, waar de rij voor de deur helemaal doorliep tot om de hoek en halverwege de volgende straat. Het ging met de snelheid van groeiend gras, drogende verf als je haast had en theewater-koken-waar-je-bij-stond. En dat terwijl de zon precies op het punt aan de hemel stond dat het leek of hij door je schedel heen wilde schijnen. Je kon je wel omdraaien, maar dan had je het niet in de gaten als de rij opschoof en dan begon iedereen te schreeuwen alsof die ene meter hen nog kon redden van de ondergang. Op een gegeven moment brak er vooraan in de rij een vechtpartij uit, maar niemand deed moeite om de mannen uit elkaar te halen. Het eindigde ermee dat een van hen op de grond viel en daar bleef liggen.

Een paar uur en een paar pijnlijke familiegesprekken later ('Hoe gaat het met Stacy?' had zijn vader, die nergens van wist, gevraagd), kwamen ze langs de eerste schuifdeuren en de argwanende blikken van vier soldaten. Een kleine kale man in een rood T-shirt en een zwarte katoenen broek zei hen gedag. MANAGER stond er op zijn naamplaatje.

'Welkom bij Safeway,' zei hij, terwijl de rest van zijn gezicht zei: Ik zou hier ook liever niet zijn. 'Denk eraan dat we iedereen vragen om maximaal een kwartier in de winkel te zijn zodat er beweging in blijft zitten. Nou, jullie gezin bestaat uit drie personen, dus...'

Peters moeder viel hem in de rede. 'Ons gezin bestaat uit vier personen.'

De manager telde hen met een knikje van zijn hoofd. 'Ik zie drie mensen.'

'Normaal gesproken zijn we met z'n vieren, alleen vandaag zijn we met z'n drieën,' legde Peters vader uit.

'Dat maakt dan dus drie, toch?'

Peter vroeg zich af of hij zo'n harde stoot tegen dat witte eihoofd kon geven dat de dooier eruit zou komen.

'Gezinnen van drie mogen tweehonderdvijftig procent van de individuele limiet per product inkopen, en dat wordt dan naar beneden afgerond. Dus als er op de kaart staat dat je één product per persoon mag meenemen, dan mogen jullie twee stuks kopen, oké? Niet tweeënhalf.'

'Dat is toch oneerlijk,' zei Peter.

'Eerlijkheid is een relatief begrip, meneer. We moeten rantsoeneren. En lopen jullie nu alsjeblieft verder. Jullie houden de hele boel op.'

'Jij houdt de boel op!' zei Peter, maar zijn vader had hem al bij zijn arm vast en trok hem mee naar de volgende schuifdeuren.

Hij was nog steeds kwaad, maar zijn woede verdween toen hij zag wat er in de supermarkt aan de hand was. Hier was de apocalyps al aan de gang, alleen de droge bollen onkruid nog en de witte koeienschedel die in de zon lag te vergaan en het beeld was compleet. Een blik op de halflege groenteafdeling maakte een einde aan zijn kinderfantasie: hij had altijd gedacht dat die hoge piramides van fruit helemaal uit appels, peren of perziken bestonden, maar nu bleek dat ze rond houten skeletten waren opgestapeld waardoor ze alleen de illusie van overvloed wekten. Het bananenrek was leeggeplukt. Er lagen alleen nog een paar heel groene kleine bananen die waarschijnlijk niet meer zouden rijpen voordat Ardor er was. Bij de appels en peren had eenzelfde selectie plaatsgevonden. Het enige wat er nog was waren de vreemde soorten fruit en groenten: kiwi's en kumquats, paksoi en snijbiet. En als je iets zag en het niet direct pakte, dan was je kans voorbij. Dit was geen ontspannen uitje naar de supermarkt, dit was een gevecht om leven en dood. Als de verdoemde personages in een horrorfilm, die achternagezeten werden en in de minderheid waren, splitsten Peter en zijn ouders zich op en pakten van alles, zo veel als was toegestaan en zolang het maar een beetje eetbaar was: barbecuechips, wasabidrink, merkloze boerderijdierenkoekjes, gluten- en lactosevrije afbakpizza's. De vitrine van de vleesafdeling was helemaal leeg, maar in een bak lagen nog wat vreemde kaasjes voor het grijpen.

Uiteindelijk kwamen ze met een behoorlijke buit tweederangsvoedsel terug bij de auto; trots en tegelijkertijd teleurgesteld, als een stel Vikingen dat zojuist een dorp met straatarme pacifisten heeft veroverd.

'Dat was niet half zo slecht als ik me had voorgesteld,' zei Peters vader. Hij zette zijn tassen op de stoep en zocht in zijn zakken naar de autosleutels.

Een ritselend geluid in de bosjes, gevolgd door een flits van kleuren – drie kinderen die ieder een boodschappentas hadden gepakt en wegrenden voordat Peter er erg in had. Hij ging ze achterna met het idee ze af te slachten.

'Nee!' schreeuwde zijn moeder.

'Maar ik kan ze grijpen,' zei hij.

'Alsjeblieft!' De wanhoop in haar stem hield hem tegen. 'En zij hebben het vast harder nodig dan wij.'

Peter zuchtte. Waarschijnlijk had ze gelijk.

'Laten we naar huis gaan,' zei zijn vader. 'Die barbecuechips komen niet vanzelf op.'

Internet werkte nog redelijk, maar er waren ook veel sites uit de lucht. Je kon niet zomaar een paar uur YouTube-filmpjes gaan zitten kijken en Facebook gaf een vreemd soort opgewekte melding: *Oeps, zo te zien is er iets misgegaan. We doen er alles aan om het zo snel mogelijk te verhelpen.* Peters e-mailaccount was nog toegankelijk, maar hij had sinds de dag van de rellen zijn berichten niet meer gecheckt.

Er zaten maar twee ongelezen berichten in zijn inbox, en ze waren alle twee eerder die dag verstuurd vanaf een vreemd adres: ApocalypseAlready@gmail.com.

Aan iedereen die dit leest,
Ik ben Eliza Olivi van Apocalypse Already. In de bijlage zit een foto die ik gemaakt heb uit het raam van het detentiecentrum waar ik met nog een paar honderd jongeren word vastgehouden. Geen van ons weet waar we zijn, maar hopelijk zegt deze foto jullie iets. Je hoeft niet terug te schrijven (ik ontvang je antwoord toch niet), maar haal ons hier gewoon uit, oké? Ik moet namelijk een feest organiseren.
Eliza

Voordat Peter de bijlage opende, keek hij naar het tweede bericht. Anders dan het eerste was dit alleen aan hem gericht.

Hoi Peter,
Een zonnige groet uit de gevangenis!
Als het goed is, heb ik net een bericht verstuurd aan iedereen van wie ik het e-mailadres nog uit mijn hoofd wist. Hopelijk kan iemand ons op die manier vinden. Ik wilde jou echter ook nog apart een be-

richt sturen omdat er iets is wat ik je moet vertellen en wat me hierbinnen helemaal gek maakt. Alleen zeg ik het je niet omdat je al zou moeten weten wat het is. En ik wil dat je weet dat ik het had moeten zeggen toen ik de kans had. Oké. Meer kan ik er niet van maken. Ik hoop je weer een keertje te zien.
xE

Peter voelde zich helemaal uitgelaten en boven zichzelf uitstijgen, in staat om met z'n blote handen een asteroïde tegen te houden. Hij opende Eliza's bijlage met het rotsvaste vertrouwen dat hij de locatie zou herkennen, hoe zou hij anders naar haar toe kunnen rennen en haar redden, zoals het universum zo duidelijk van hem verlangde?

Of niet. De foto was donker en grof. Het enige wat Peter kon zien was een doodnormale weg en een hek met gaas en prikkeldraad aan de bovenkant. Het kon overal zijn. Het enige wat hij nu kon doen was de afbeelding naar iPhoto slepen, hem wat lichter maken, het contrast een beetje verhogen en hem printen.

En het was maar goed dat hij dat deed, want een paar uur later viel de elektriciteit definitief uit. De timing had niet slechter kunnen zijn: waarschijnlijk hadden nog maar een paar mensen Eliza's bijlage gedownload, en vermoedelijk had niemand de moeite genomen om hem af te drukken. Dat betekende dus dat het op hem aankwam. Hij moest de foto aan iemand laten zien die Seattle echt goed kende, op straatniveau. En waarschijnlijk was er maar één persoon die aan dat criterium voldeed.

'Ik denk dat ik maar vroeg naar bed ga,' kondigde hij aan.

Zijn moeder rende door het huis om kaarsen aan te steken en batterijen in zaklampen te doen. 'Echt waar? Je hebt nog niet eens gegeten.'

'Ik ben gewoon supermoe opeens. Ik zie jullie morgenochtend wel, oké?'

'Oké. Welterusten.'

Hij wachtte ongeveer een halfuur en glipte toen zachtjes via de voordeur naar buiten.

Zijn straat was donkerder dan ooit; de huizen zagen er verlaten en doods uit. Pas toen hij al achter het stuur zat en de motor wilde starten, dacht hij aan de avondklok. Shit. Straks werd hij zelf ook nog in de bak gegooid.

Bijna een halfuur later liet hij zijn oude racefiets op het grasveld voor de Schoonmoeder vallen. Het zag er niet naar uit dat er iemand thuis was. De deurbel klikte; geen elektriciteit. Hij klopte. Stilte. Hij klopte nog een keer. Deze keer dacht hij dat hij iets hoorde. Of misschien was het alleen de wind in de bomen. Hij drukte zijn oor tegen de deur. Nee. Er was iemand binnen, dat kon niet anders...

De deur zwaaide open en Peter stond oog in oog met de loop van een geweer. 'Niet schieten!' zei hij.

Andy haalde de trekker over.

Een oranje pijltje ketste tegen Peters voorhoofd en viel met het rubberen puntje naar beneden op de tuintegels.

'*Gotcha!*' zei Andy, en hij draaide zich om en liep het huis weer in. 'Kom binnen, als je wilt.'

ANDY

Andy had altijd al vermoed dat Peter bij zijn karass zou kunnen horen, dus hij was niet heel erg verbaasd toen hij hem in het donker voor de deur zag staan. Het enige probleem was dat hij Peter niet echt mocht. Hun levens hadden zich altijd in andere hoeken van het sociale universum afgespeeld en ze hadden elkaar nooit echt als mensen gezien, maar als vage mensachtige schaduwen die zich ergens aan de rand van klaslokalen en feesten heen en weer bewogen. En niet onbelangrijk: ze zaten alle twee achter Eliza aan, maar Peter had een voorsprong want die had al een keer met haar gezoend.

'Je weet toch wat er bij de rellen is gebeurd?' vroeg Peter, die door de duistere kamer stommelde (er stond alleen een zaklamp rechtovereind op de lage tafel) tot hij zich op een van de zitzakken liet vallen.

'Ja. Ze hebben Eliza.'

'Niet alleen haar. Ook mijn zus.'

'En Bobo,' zei Andy, *als we het dan toch over anderen moeten hebben dan over degene om wie het eigenlijk gaat*. 'En dus?'

'Nou, ik heb een e-mail van haar gekregen. Van Eliza, bedoel ik. Een paar uur geleden. Ik dacht: misschien heb jij 'm ook gekregen.'

'Ik heb vandaag mijn berichten niet gecheckt,' loog Andy. Het was alsof iemand een glas ijskoud water in zijn borstkas had gegoten.

'Nou, ik weet niet hoe het haar is gelukt, maar ze heeft dus ook een foto gestuurd. Ik heb hem bij me.'

Peter legde een blaadje naast de zaklamp op de tafel en streek het glad. Het was een foto van een anonieme straat, die je waarschijnlijk nooit zou herkennen als je geen skateboard had.

'Dat is de oude marinebasis, bij Sand Point,' zei Andy.

'Weet je het zeker?'

'Heel zeker. Daar gingen we altijd skaten, voordat ze er een hoog hek omheen zetten.'

'Wauw! Dat is geweldig!'

'Hoezo? Ga je een gevangenisuitbraak plannen?'

'Ik dacht meer aan een protest.'

'En wie komt er dan, man? Het net ligt toch plat.'

Andy genoot van de teleurgestelde blik in Peters ogen. De heldenlocomotief stond al stil voordat hij op gang was gekomen.

'Maar jij hebt toch die vrienden?' vroeg Peter. 'Misschien kan je met die Golden praten die die bijeenkomst in het Cal Anderson Park had georganiseerd.'

Andy lachte. 'Als je Golden wil overhalen, moet je het zelf doen.'

'Dat lukt nooit. Hij haat me.'

'Nou, hij mag mij ook niet. Bobo is zijn voorman.'

Peter gooide zijn handen in de lucht. 'Wil jij dan niks doen? Kan het je wel iets schelen dat je vrienden opgesloten zitten?'

Het was een redelijke vraag, maar het maakte Andy nog nijdiger dan hij al was. Waarom had Eliza uitgerekend met Peter contact gezocht? Ze waren niet eens vrienden! Sterker nog, na alles wat er afgelopen jaar met Stacy en dat hele slettengeroddel was gebeurd, zou ze een hekel aan hem moeten hebben. Het was zo oneerlijk. Het hele leven was oneerlijk.

En misschien zei Andy daarom wat hij zei; uit wraak tegen de oneerlijkheid van het universum. Hij zuchtte overdreven. 'Misschien heb je gelijk. Ik bedoel, we hebben tenslotte een relatie, dus wat voor een vriend zou ik zijn als ik niet op z'n minst zou proberen om haar vrij te krijgen.'

Iemand die sluwer was had het waarschijnlijk meteen doorgehad, maar Peter zou sluwheid nog niet herkennen op het moment dat hij er van achteren door in zijn rug werd gestoken. Hij keek stomverbaasd, ontzet, en tegelijkertijd was duidelijk dat hij zich afgewezen voelde. Andy raapte zijn schuldgevoelens snel bij elkaar en gooide ze in een donkere hoek van zijn brein. Eliza was dan wel niet 'zijn' vriendin, ze was wel 'een' vriendin. En het ging er nu om dat die vriendin de laatste paar weken op deze planeet niet met een of andere doorsnee sporteikel zou doorbrengen.

'Hoelang gaan jullie al met elkaar?' vroeg Peter.

'Een paar weken nog maar.'

'Wat geweldig. Zij is geweldig.'

Zo. Dat was dus nog een leugen in een wereld vol leugens. Hij was de laatste dagen wel lekker op dreef, ethisch gezien. Eerst die gestolen gitaar en nu dit. Maar goed. Het maakte ook allemaal niks meer uit. Het enige wat ertoe deed was de opdracht.

Jammer genoeg had Andy niet alleen met zijn eigen geweten te maken. Vanaf de tussenverdieping klonk één luide kuch. Peter schoot overeind.

'Wie is daar?' vroeg hij aan Andy.

'Niemand,' zei Andy.

'O? Ben ik nu opeens niemand?' Anita kwam de trap afgelopen en zag er een beetje spookachtig uit in de schaduwen van het vreemde licht van de zaklamp.

'Anita?' zei Peter, die nu helemaal in de war was. 'Wat doe jij hier?'

'Ik woon hier nu,' zei Anita. 'Als straf.'

Alhoewel Andy het tot nog toe niet zo had gezien, klopte het wel wat ze zei: Anita was niet meer naar het huis van haar ouders gegaan sinds die dag dat ze samen haar spullen hadden opgehaald. De politie was één keer aan de deur geweest om haar te zoeken (Anita's moeder had Andy's achternaam in het jaarboek van Hamilton gevonden), maar Andy had gezegd dat hij al een week niks van Anita had gehoord en uiteindelijk waren ze weer weggegaan. Ondanks alle toestanden hadden ze een goede tijd samen: ze maakten muziek, keken televisie (totdat de stroom uitviel), aten heel veel soep uit blik. Het leek een beetje op de tijd die hij met Bobo had doorgebracht voordat hij hun pact had verbroken. Alsof hij en Anita huisgenoten waren geworden in een soort gedeelde geestelijke ruimte.

Ze klom over de leuning van de bank en liet zich op de kussens rollen. 'Zo, waar hadden jullie het over?' vroeg ze met een onschuldige blik. Maar Andy wist dat ze alles gehoord had, inclusief zijn leugen.

'Peter heeft een e-mail van Eliza gekregen. Nu weten we waar ze is.'

'Wauw,' zei Anita, en ze legde haar hand op Peters arm. 'Heeft ze je een bericht uit de gevangenis gestuurd? Dan moet ze je wel heel leuk vinden.'

'Ja, zoiets,' zei Peter.

Anita keek Andy veelbetekenend aan. Maar zou ze hem verraden?

'Hoe dan ook,' zei Andy. 'Peter dacht dat we misschien een soort demonstratie konden houden, maar ik denk niet dat we genoeg mensen bij elkaar kunnen krijgen om echt druk uit te oefenen.'

'Natuurlijk kunnen we dat! We kennen precies de goede mensen.'

'Ik ga niet met Golden praten, als je dat soms bedoelt.'

'Nee, niet Golden. Betere mensen. Hippiemensen.'

'O ja... zij.' Andy was Chad en zijn kleine commune al bijna vergeten. Als er mensen waren die wisten hoe je een demonstratie moest organiseren, dan waren zij het wel.

'We gaan er morgenochtend vroeg meteen naartoe. Peter, waarom kom je niet hiernaartoe zodra je wakker bent, dan gaan we met z'n drieën.'

'Tuurlijk. Goed plan.' Peter stond op en liep naar de deur, maar voordat hij hem opendeed aarzelde hij. 'Het was echt leuk om jullie even te zien. Ik ben de hele tijd alleen met mijn ouders geweest en dat is geloof ik niet echt gezond.' Zelfs in het halfdonker zag Andy Anita's ogen glimmen van medelijden. *Niet doen*, wilde hij zeggen.

'Wil je niet nog even blijven?' vroeg ze. 'Je kan ook wel blijven slapen als je wilt.'

'Echt waar? Bedankt. Ik bedoel, als jullie het oké vinden.'

Hij keek naar Andy. Het bleef zeker vijf seconden stil.

'Natuurlijk vinden we het oké,' zei Anita. 'Ik haal een biertje voor je.'

Andy dacht aan een film over de Eerste Wereldoorlog die ze tijdens geschiedenis hadden gekeken; het ging over de strijdende partijen die met Kerstmis een tijdelijke wapenstilstand hadden afgekondigd en in de loopgraven samen feest hadden gevierd. Tijd met Peter doorbrengen voelde ook een beetje zo. Alsof hij met de vijand heulde. Ze speelden kassie-zes, een simpel dobbelspelletje, en praatten over de apocalyps, over welke mensen van school de stad uit waren gegaan en wie er waren gebleven, over welke stelletjes zich in de schaduw van Ardor hadden gevormd bij gebrek aan betere vooruitzichten, de vreselijke dingen waartoe mensen in staat waren in afwachting van het naderende onheil.

'Ik had verwacht dat iedereen supersociaal zou worden, weet je dat?' zei Peter. 'Dat we allemaal bij elkaar zouden komen, of zo, maar dat is helemaal niet gebeurd.'

Kennelijk was zijn beste vriend vertrokken en weigerde zijn ex-vriendin (de beroemde aantrekkelijke Stacy Prince) nog met hem te praten. Grappig, bij Andy was het precies andersom gegaan. Zonder Ardor was hij nooit vrienden geworden met Anita of met Eliza. Misschien zette die asteroïde de hele wereld op z'n kop. De populairen werden de impopulairen. De freaks zouden de wereld overnemen.

Ze bleven nog uren praten. Peter was de eerste die niet meer kon en op het vloerkleed onder de lage tafel knock-out ging. Andy voelde zich duizelig en opgewonden van slaapgebrek.

'Je had dat nooit mogen zeggen,' fluisterde Anita. 'Over jou en Eliza.'

'Het was de enige manier om hem een stap terug te laten doen.'

'En wat als hij er tegen haar iets over zegt?'

'Waarom zou hij? En trouwens, ze zien elkaar waarschijnlijk toch nooit meer.'

'Natuurlijk wel.'

'Hoezo? Denk je dat zo'n demonstratie echt wat uithaalt?'

Anita draaide zich om en ging languit op de bank liggen, met haar benen over een van de leuningen. Andy voelde de warmte van haar hoofd bij zijn knie. 'Weet je nog, die ochtend bij Chad, met de thee?' vroeg ze.

'Natuurlijk.'

'Ik zag die dag dingen. Ik kan het moeilijk onder woorden brengen. Verbindingen, snap je? Ik voelde die karass, waar jij het altijd over hebt. We maken er allemaal deel van uit. Jij en ik. Hij.' Ze wees naar Peter, uitgestrekt op het kleed als een reus die uit zijn koninkrijk boven in de bonenstaak is gevallen. 'Misery en Eliza. En zelfs Bobo.'

'Wauw. Zelfs Bobo. Hoeveel heb jij gedronken?'

'Ik meen het. Chad zei dat we vertrouwen moesten hebben. Dus dat heb ik. We krijgen ze wel vrij.'

Daarna zei ze niets meer en even later werd haar ademhaling zwaar en gelijkmatig. Andy voelde een nieuwe golf van schaamte over zich komen. Hij verdiende zo iemand als Anita niet, die haar mond had gehouden tegen Peter, die zo graag wilde helpen terwijl er niemand in het detentiecentrum zat met wie zíj een speciale band had (ondanks Andy's pogingen waren zij en Eliza nog niet bepaald vriendinnen geworden). Zij had zijn muziek een nieuwe impuls gegeven en hem laten voelen dat hij meer was dan een mislukte slome sukkel. Samen met de opdracht had Anita hem een reden gegeven om 's ochtends uit zijn bed te komen. En waarom? Wat zat er voor haar in? Wat had hij voor haar gedaan dat zij zo veel voor hem deed?

Hij viel in slaap terwijl deze vragen door zijn hoofd cirkelden, als honderd kleine asteroïden.

De volgende ochtend reden ze met z'n drieën over de brug naar het huis van Chad Eye. Alles zag er zo'n beetje hetzelfde uit als de eerste keer: schoon, verlaten en stil.

Een onbekende reageerde op de deurgong. Hij had alleen een onderbroek aan, was heel erg wit en behaard en sliep nog half.

'Hallo?'

'Hoi, we komen voor Chad.'

'Wacht heel even.' Al krabbend over zijn blote buik liep de man weg. Door de deuropening zag Andy dat het binnen één grote bende was. Overal lagen kleren en etensverpakkingen en in de hal lagen een paar mensen op de grond te slapen. De vorige keer had het huis aan een boeddhatempel doen denken. Nu zag het eruit als een chic ingericht kraakpand.

Even later verschenen er een paar bekende koppen bij de deur: Sunny, het blonde meisje met de dreadlocks, en in haar armen Sid, Chads filosofische beagle.

'Hé,' zei ze. 'Ik ben Sunny.'

Andy schudde haar hand vol zilveren ringen. 'Ja, we hebben elkaar al eens ontmoet.'

'O ja?' Ze knikte alsof Andy haar net iets heel boeiends had verteld. 'Cool!'

'Enne... is Chad er ook?'

Sunny fronste. 'Heb je het niet gehoord? Hij is tijdens de rellen opgepakt.'

'Echt waar?'

Het was een verschrikkelijk bericht. Als Chad in de gevangenis zat, wie kon dan het Feest voor het Einde van de Wereld coördineren?

'Dat is perfect!' riep Anita uit.

Iedereen, ook Andy, keek haar aan zoals je kan verwachten bij zo'n soort opmerking.

'Ik bedoel alleen dat dat precies de reden is waarom we hier zijn. We hebben jullie hulp nodig. Veel vrienden van ons zijn die dag ook opgepakt. We willen een demonstratie organiseren bij het detentiecentrum waar ze vastgehouden worden. Er zitten daar alleen minderjarigen, dus als we amnestie voor de jongeren kunnen krijgen is Chad nog niet direct vrij, maar wie weet is het het begin van iets groters.'

'Ik vind het geen slecht idee,' zei Sunny. Ze boog zich naar hen toe en een van haar dreadlocks viel voor Sids kop, die er direct naar hapte. 'Om eerlijk te zijn kunnen we op dit moment wel een goed doel gebruiken. Het begint hier allemaal een beetje neerslachtig te worden. We zouden er zeg maar een soort festival van kunnen maken.'

'Klinkt goed,' zei Anita.

'Oké, afgesproken. Tot snel dan!' Sunny wilde de deur al dichtdoen.

'Wacht!' zei Andy.

'Wat?'

'Je weet toch niet waar het is?'

Sunny lachte. 'O ja!'

'We gaan naar de oude marinebasis bij Sand Point, net voorbij het Magnuson Park.'

'Cool. Ik verzamel een stel mensen en probeer er over een paar uur te zijn. En, hé, sorry als ik warrig overkom. Ik ben een soort van superstoned op dit moment.' Ze giechelde en deed de deur dicht.

'Als we over een maand nog een *Guiness Book of World Records* hebben, maken we zeker kans op de vermelding van kleinste demonstratie ooit,' zei Andy.

Anita knikte somber. Ze stonden al vijf uur voor het hek van de marinebasis, met borden in hun handen die ze bij Peter thuis hadden gemaakt: ARDOR = AMNESTIE (Anita), LAAT SEATTLE'S JONGEREN VRIJ (Peter), DIT IS BULLSHIT! (Andy). Maar alhoewel een paar auto's aanmoedigend hadden getoeterd, had niemand zich bij hen aangesloten.

Ze hadden zich bij de ingang opgesteld, voor het hoge hek met prikkeldraad dat om het hele terrein heen stond. Ze stonden zo dat er geen auto meer in of uit kon. Aan de andere kant van de ingang was een onbemand poorthuisje dat uitkeek op een lange landingsbaan waarvan je het asfalt nauwelijks meer kon zien doordat er zo veel onkruid doorheen kwam. De echte basis lag bijna een kilometer verderop; zo ver dat niemand daarbinnen hun kleine demonstratie zou opmerken. Het toegangshek zelf was afgesloten met een extra zwaar hangslot en erbovenop glinsterde een spiraal van prikkeldraad.

Andy stond op en drukte zijn gezicht tegen de roestige vierhoeken. 'Wacht. Volgens mij zie ik iets.'

Over het asfalt reed een voertuig. Het kwam hun kant op en stopte een paar meter voor het hek. De deur aan de bestuurderskant ging open en een man in camouflagekleding stapte uit. Hij had een enorme bos sleutels in zijn hand.

'Waar zijn jullie in godsnaam mee bezig?'

'We blokkeren het hek!' schreeuwde Anita. 'Niemand mag eruit, tenzij iedereen eruit mag.'

De soldaat schoot in de lach. 'Zijn jullie gek geworden? Dat zijn criminelen daarbinnen. Willen jullie dat die vrij rondlopen?'

'Het zijn nog maar kinderen.'

'O ja? Nou, ik ben deze week al twee keer door kinderen beschoten. Geloof me, die zogenaamde kinderen zitten niet voor niks opgesloten.' Hij maakte het hangslot los en schoof het hek open. 'En haal het niet in je hoofd om naar binnen te gaan. We hebben overal scherpschutters zitten die het hele terrein in de gaten houden.'

'Ik geloof er geen reet van,' zei Andy.

'Probeer het maar uit, etter. Ik kom niet op je begrafenis. Ik vind het prima als je ingewanden straks over straat...'

'Sorry,' zei iemand. 'Hoor ik het nou goed? Bedreigt u deze burgers?'

Andy draaide zich om en zag een stelletje onbekenden die hun fietsen tegen elkaar aan op de straat zetten. De meesten droegen hennepkleren en sieraden met kralen, dus dat moesten Chads vrienden zijn, maar de man die had gesproken had een chic zwart pak aan en een stropdas om, alsof hij net uit een vergadering kwam. Hij liep met een zelfverzekerde, professionele houding op de soldaat af.

'Deze "burgers" uiten zelf bedreigingen,' zei de soldaat.

'Nou, ik kijk ernaar uit om uw leidinggevende hiervan op de hoogte te brengen,' – de goed geklede man las de naam op het uniform – 'korporaal Hastings.'

'Je doet je best maar.' Hastings ging naar zijn truck en startte de motor. Hij trapte een paar keer dreigend op de gaspedaal, maar toen het voertuig uiteindelijk in beweging kwam, ging het achteruit, terug naar de basis.

'Dat was kicken,' zei Andy.

De goed geklede man grijnsde. 'Een beetje sit-in heeft ook iemand in pak. Het geeft het geheel een beschaafd tintje. Nou, laten we nu onze strategie bepalen.'

En daarmee ging de protestactie echt van start.

ANITA

Tegen de tijd dat ze die avond ging slapen, hadden zich zo'n vijftig à zestig mensen voor het hek van de marinebasis verzameld, en er sloten zich nog steeds mensen aan. Het waren blanken en zwarten, latino's, kleuters, pubers en grootouders. De meesten waren vrienden van de commune, maar er waren ook toevallige voorbijgangers die zich aansloten. Degenen die geen slaapzak en tandenborstel bij zich hadden, kregen die van Sunny's vrienden uit de commune, die onderweg naar de demonstratie een campingzaak overvallen moesten hebben, gezien alle spullen die ze 'toevallig' bij zich hadden. Ze hadden ook heerlijke gegrilde vegaburgers klaargemaakt, vegahotdogs en geroosterde groenten. Iemand had zelfs een homp suikercake meegenomen die in een houtoven was gebakken. Rond middernacht stopten er een paar politiewagens met loeiende sirenes en zwaailichten waardoor iedereen die sliep wakker schrok. Iemand riep door een megafoon dat ze weg moesten gaan, maar toen niemand in beweging kwam gaven de agenten het op en vertrokken zonder moeilijk te doen.

De volgende dag was het zaterdag en het leger van demonstranten groeide nog verder aan: eerst waren het honderd mensen, toen tweehonderd. Om de paar uur haalden mensen boodschappen. Ze gingen met een hoed rond of betaalden gewoon zelf. De demonstranten begonnen samen al een gemeenschap te vormen.

Terwijl Michael, Sunny's vriend in pak, rondstruinde om nieuwe leden te werven, nam Anita de leiding op zich over de mensen die er al waren. Het eten moest eerlijk verdeeld worden. Degenen die dronken waren of zich misdroegen, moesten gekalmeerd worden of anders verzocht worden om te vertrekken. Op een gegeven moment begon er een man met een afgezaagd jachtgeweer te zwaaien die schreeuwde dat hij iedereen voor z'n kop zou schieten die verantwoordelijk was voor het gevangennemen van zijn zoon. Het kostte een uur om hem zover te krijgen dat hij zijn geweer voor een stuk pizza ruilde.

Anita had gehoopt dat Andy en Peter ook een deel van de leiding op zich zouden nemen, maar dat bleek ijdele hoop. Bij Andy had dat echt met zijn karakter te maken; hij had gewoon geen organisatorisch talent (het beste bewijs hiervoor was misschien nog wel dat Anita hem 's ochtends vroeg bij de hippiedelegatie een joint zag roken). Ze gaf hem de taak van fulltime-bordenschrijver, waarbij zijn verruimde geest kon floreren.

Peter leek echt helemaal nergens energie voor te hebben. Hoewel Anita hem niet heel goed kende, herkende ze de tekenen van een gebroken hart. Aan het eind van de dag zag ze hem in zijn eentje bij het hek staan. Hij staarde tussen de bomen door naar de marinebasis. De avond viel in, al was er zo'n dik wolkendek dat je van de zonsondergang niet meer merkte dan een vaag zakkend licht.

'Waar kijk je naar?' vroeg ze.

'Nergens naar.'

'Ben je verliefd op haar?' De directheid van haar vraag verraste Anita zelf nog meer dan Peter. Hij probeerde niet eens te doen alsof hij niet begreep over wie ze het had.

'Ik ken haar niet eens. Ik had niet verwacht dat zij iemand was die...' Hij schudde zijn hoofd.

Anita kwam dichterbij en haakte haar vingers om het gaas van het hek, duwde de punt van haar sneaker door een van de gaten en trok zichzelf omhoog. Ergens achter een raam op de bovenste verdieping van een van de gebouwen aan de andere kant van de landingsbaan, zag ze een zacht groen licht branden.

'Die wat?'

'Ik dacht dat ze met mij wilde zijn, verder niet. Maar ik had het mis.'

Verdriet stond Peter niet – alsof het hem te klein was, als een shirt waarvan de mouwen tot halverwege zijn armen kwamen en dat omhoog kroop als hij ze in de lucht stak. Met één zinnetje kon ze zijn verdriet laten verdwijnen. Dat zou alleen wel betekenen dat ze Andy's vertrouwen zou schaden, en hij was haar beste vriend op de hele wereld. Haar mond houden was het minste van twee kwaden.

'En hoe zit het met jou?' vroeg Peter.

'Hoe zit wat met mij?'

'Ben je verliefd?'

'Ik? Op wie zou ik verliefd moeten zijn?'

Peter lachte.

'Ik meen het. Op wie zou ik nou verliefd moeten zijn?' Anita liet het hek los en landde weer op de harde grond. Ze had echt geen idee over wie Peter het had, maar voordat ze door kon vragen kwam een van Sunny's vrienden vanaf het toegangshek naar hen toe gerend. Kennelijk had iemand een hele zak houtskool over het hek gegooid en nu hadden ze niets meer voor de barbecue.

'Wordt vervolgd,' zei Anita, maar na dit probleem volgden er nog veel meer en al snel was Anita Peters vraag vergeten.

Op zondag begon de stemming om te slaan en op maandag zette de depressie definitief door. De ochtendmist pakte samen en veranderde in Seattles beruchte motregen en de wind was zo gemeen dat hij de naden van je kleding opzocht om de regen erdoor te laten dringen. De tenten werden opgezet, maar het was te laat om de spullen droog te houden. En het leek wel of dat met alles zo ging, alsof ze met alles te laat waren. Volgens de voorspellingen zou Ardor over twee weken komen, en wat deden ze? Ze zaten buiten in de kou en de mist te wachten.

Anita zag dat de landingsbaan op de marinebasis door de regen donker werd en begon te glinsteren. Ze had gedacht dat alles veel sneller zou gaan; na de eerste dag had niemand meer geprobeerd de basis te verlaten.

Anita stak haar hoofd door de ingang van Andy's tent.

'Denk je dat er misschien nog een andere manier is om de basis te verlaten?' vroeg ze.

Andy ging rechtop zitten en knipperde de slaap uit zijn ogen. 'Anita? Waarom ben je... Over wie heb je het?'

'Over de marinebasis! Denk je niet dat er nog een andere plek is waar ze de basis kunnen verlaten?'

'Dat hebben we al gecheckt.'

'We doen het nog een keer.'

Anita liet het tentzeil naar beneden vallen alhoewel ze Andy nog hoorde jammeren. 'Bedoel je nu meteen?'

Peter, die net terug was van een bezoekje aan zijn ouders, zat in hun geïmproviseerde eethoek over een kom dampende havermout gebogen.

'Zin om een stukje te lopen?'

'Ja hoor.'

Even later waren ze onderweg. Ze volgden het pad dat helemaal doorliep tot voorbij het Magnus Park en Lake Washington. Anita was blij dat ze de groep, die naar een nest natte honden was gaan ruiken, even achter zich kon laten. Het getokkel op de gitaren dat in het begin zo vrolijk had geklonken, werkte nu op haar zenuwen, en zelfs Michael zag er armoedig en terneergeslagen uit.

Met z'n drieën volgden ze het ijzeren hek dat helemaal rondom het terrein liep. De stilte werd gevuld door de regendruppels die overal om hen heen vielen.

'Wat vinden jullie fijner, zon of regen?' vroeg Anita, in de hoop een gesprek op gang te brengen.

'Regen, zeker weten.'

'Peter?'

'Zon. Vandaar dat ik naar Californië ga. Tenminste: áls ik ga.'

Opnieuw een stilte. Goed. Het was het proberen waard geweest.

De spanning tussen Peter en Andy was tastbaar, en het leek elke minuut erger te worden. Elk gesprek was een ingewikkelde oefening in het vermijden van de naam Eliza. En de waarheid was dat het nogal klote voelde om al je tijd met twee jongens door te brengen die verliefd waren op een ander meisje. Peter had een excuus – Eliza en hij hadden zelfs al eens gezoend – maar Anita merkte dat ze zich steeds meer aan Andy begon te ergeren. Waarom was die stomme opdracht zo belangrijk voor hem? Hij moest toch begrijpen dat Eliza helemaal niet bij hem paste? Waarom kon hij niet gewoon kappen met die onzin en haar gelukkig laten worden met Peter?

'Vertel me nog eens een keer waarom we niet gewoon een gat in het hek knippen?' zei Andy, en hij gaf een karatetrap tegen het gaas.

'We moeten de toegang blijven blokkeren,' zei Anita.

'Ja, maar dat kan één iemand doen. De rest van ons kan toch naar binnen gaan en gewoon op de deur rammen.'

'Het maakt niet uit of we aan deze kant van het hek staan of aan de andere kant,' zei Peter. 'Ze doen echt de deur niet voor ons open. En ik word liever niet neergeschoten.'

Het pad dat ze volgden werd steeds modderiger en de witte zolen van Anita's sneakers waren zwart geworden. Dikke druppels dropen van de takken van de groenblijvende bomen en af en toe kletterden ze als hagelstenen naar beneden. Aan de andere kant van de straat stond het gebouw van het Centrum voor Visserijonderzoek er als een mausoleum bij, donker en verlaten. Nog een van die duizenden dingen die er de afgelopen weken opeens niet meer toe deden, dacht Anita. Hoeveel werknemers van het centrum zaten nu thuis te bidden dat ze het onderzoek op een dag konden voortzetten?

Ze kwamen bij het eind van het hek zonder een of andere geheime uitgang gevonden te hebben. Ze bleven echter doorlopen, helemaal tot aan het eind waar het pad bij het water kwam. Er was een parkeerplaats met een grasveldje waar een oude eikenhouten bank stond die door de aanhoudende regen een mahonieachtige kleur had gekregen. Ze gingen op het natte hout zitten en keken een tijdje naar de schuimkoppen op het water.

'Andy,' zei Anita plotseling, 'zeg iets aardigs over Peter.'

'Wát?'

'Zeg het gewoon. Nu. Niet bij nadenken.'

Het was een truc die Anita's lerares in groep zeven altijd had toegepast als er kinderen ruziemaakten. Andy had het spelletje waarschijnlijk niet meegespeeld als hij meer tijd had gehad om na te denken, maar hij voelde zich duidelijk overvallen door haar vraag.

'Eh, je lijkt me een goede gozer. Ik bedoel: echt goed, niet gespeeld of zo.'

'Dank je,' zei Peter een beetje verlegen.

'Jouw beurt,' ging Anita verder.

'Oké.' Peter keek naar zijn handen. 'Je weet dit niet, Andy, maar ik heb jou en Anita een keer horen oefenen in het muzieklokaal van Hamilton. Je hebt echt talent.'

'O ja? Dank je.'

Anita zuchtte diep en voelde de spanning in haar maag wegtrekken. Ze had het gevoel dat ze zojuist een bom onschadelijk had gemaakt. Er gebeurde eindelijk iets, nadat alles drie dagen had stilgestaan. Maar zelfs al werden Peter en Andy beste vrienden, de protestactie was nog steeds geen succes.

Ze keek weer uit over het meer. 'Wat doen we als het niet werkt?'

'Het móét werken,' zei Andy, en hij verraste haar door zijn handen op die van haar te leggen. Ze had niet in de gaten gehad hoe koud haar vingers waren, maar nu verspreidde de warmte zich bizar snel via haar armen door haar hele lichaam. Heel even bleven ze zo zitten, tot Andy zich kennelijk realiseerde wat hij had gedaan en snel zijn handen terugtrok.

'Het moet werken,' herhaalde hij.

De volgende dag deed Anita een middagdutje (meer uit verveling dan uit vermoeidheid), toen ze wakker werd van een luid geknars dat maar niet ophield. Ze ritste haar tent open en zag naast de ingang een groep mensen bij het hek staan. De laatste paar uur waren er kennelijk nieuwe demonstranten bijgekomen en die waren duidelijk van een ander soort dan Sunny's vrienden uit de commune. Ze leken eigenlijk heel erg op de mensen die een paar weken geleden naar het optreden van Andy en Bobo waren gekomen: onder de tattoos en piercings en gehuld in een walm van alcohol en sigaretten.

Er klonk een harde klap, iets van metaal dat op de grond viel, en het knarsen hield op. Iedereen begon te juichen en men stroomde naar een net opengeknipt gat in het hek.

Anita drong zich door de menigte naar voren, waar Andy in een of andere discussie was verwikkeld met Sunny en Michael.

'Maar daar heb ik het met ze over gehad!' zei Andy. 'Ze houden zich echt wel in.'

'Dat kun je nooit zeggen,' zei Michael.

'Misschien niet. Maar we moesten íéts doen. We zijn hier al vijf dagen.'

'Je had geduld moeten hebben. Als de zee de tijd krijgt kan ze een berg in zand veranderen.'

'Hé, dit is het einde van de fucking wereld, man. We hebben geen tijd om de zee te zijn.'

'Wij doen niet mee aan manifestaties die geweld aanmoedigen,' zei Sunny. 'Het spijt me.' Ze pakte Michaels arm vast en liep kwaad weg.

'Er is hier helemaal niemand die geweld aanmoedigt!' riep Andy hen na. Hij keek Anita aan. 'Geloof je dat nou? Ze zei dat ze allemaal weggaan.'

'Andy, wie zijn die nieuwe mensen?'

'Ik heb ze meegenomen,' zei hij, schuldbewust maar tegelijkertijd ook een beetje trots. 'Toen jij en Peter gisteravond gingen slapen, ben ik naar The Independent gefietst. Dat is dat oude hotel waar Bobo een paar weken geleden in is getrokken, omdat Golden daar woont.'

'Betekent dit dat Golden hier nu ook is?'

'Die mensen weten hoe je dingen voor elkaar krijgt, Anita. En dat hebben we nodig. Maar maak je niet druk, ik zorg ervoor dat het niet uit de hand loopt.'

Voordat Anita hem kon tegenspreken, liep hij snel naar het gat in het hek. En wat kon zij anders doen dan hem achternagaan? Ze hadden het gat zo dicht bij de grond gemaakt dat ze er op handen en voeten doorheen moest kruipen. Eerst was er scherp grint, daarna een modderig zacht stuk en vervolgens het gebarsten asfalt van de verwaarloosde landingsbaan. Aan deze kant van het hek stond een gedenkplaat: VLIEGVELD SANDPOINT WAS IN 1924 HET EINDPUNT VAN DE EERSTE VLUCHT ROND DE WERELD. Alweer een volslagen irrelevant feit uit de geschiedenis waarvoor een bord was geplaatst zodat het altijd herinnerd zou worden. Maar nu was het gedoemd tot vergetelheid. Het einde van de wereld maakte alle gedenkplaten overbodig.

Iedereen rende richting het enige gebouw op het terrein waar lichten brandden. Er waren een soort barakken, maar ze zagen er niet echt militaristisch uit. De barakken deden eerder denken aan studentenwoningen op een universiteitscampus. Anita liep met de menigte mee. Ze verwachtte dat er elk moment sirenes konden afgaan waarna er geweerschoten zouden klinken, maar ze kwamen tot vlak bij het gebouw zonder dat er iets gebeurde. Zoals te verwachten viel, waren alle deuren op slot.

Ze moesten het nu zonder Sunny en haar vrienden doen, maar het was alsof de mensen die gebleven waren nieuwe energie hadden gekregen. Ze juichten en zwaaiden fanatiek met hun borden. Goldens bende rolde een paar vaten bier het terrein op en wist de inhoud ervan binnen korte tijd om te zetten in lichaamsvocht. Anita griste meerdere keren een bekertje uit Andy's of Peters hand, maar het duurde niet lang of de gezichten van de jongens waren net zo rood en hun blikken zo troebel als die van de andere demonstranten.

Met de beschaafdheid was het snel gedaan. De bijna-volle maan scheen op hen neer als het heldere pupilloze oog van een of andere onverstoorbare god. En toen werd de eerste steen gegooid. De menigte wilde maar één ding: actie, en al snel deed iedereen mee. Met onvaste hand gooiden ze alles wat ze maar konden vinden richting de barakken. Anita zag dat Andy het paaltje met de gedenkplaat uit de grond trok en naar het dak gooide, waar het achter de dakgoot bleef steken. Een kwartier later was de helft van de ramen al aan diggelen en niet lang daarna verscheen er een gedrongen man in uniform in een van de kapotte ramen op de eerste verdieping, alsof hij in een tekstballon stond. De hagelstorm hield even op.

'En hoe moet het nu verder?' riep hij naar beneden.

Golden, die op de stoep voor de barrakken stond, had zichzelf tot onderhandelaar benoemd. 'Je laat iedereen gaan, inclusief jezelf.'

De man verdween weer uit de raamopening en bleef zo lang weg dat Anita bang was dat hij een soort offensief voorbereidde. Maar net toen de menigte ongeduldig begon te worden, kwam hij terug en zei een paar keer: 'Jullie raken mijn mannen en vrouwen met geen vinger aan.'

'Natuurlijk niet,' zei Golden.

'Heb ik je woord?'

'Dat heb je.'

En daarmee was het voorbij. Een paar minuten later stond de landingsbaan vol jongeren, allemaal in lichtblauwe overalls. Tussen hen in liepen een paar soldaten in camouflagepakken die zo snel mogelijk naar de uitgang wilden. Anita zag dat korporaal Hastings een duw kreeg en op handen en voeten terechtkwam, maar hij stond op en liep verder. Ouders riepen de namen van hun kinderen en mensen vielen elkaar huilend in de armen. Iedereen was zo uitgelaten dat niemand direct weg wilde gaan, en omdat het weer was gaan regenen, verplaatste het feest zich naar binnen.

Anita was Andy en Peter in de drukte uit het oog verloren en dus liep ze achter de meute aan het gebouw in. De elektriciteit deed het nog en het was er heerlijk warm. Ze kwamen in een ruimte die de hoofdslaapzaal moest zijn. Iedereen krioelde door elkaar heen op zoek naar vrienden en familie. Toen Anita Andy eindelijk vond, sloeg hij zijn armen om haar heen.

'Geloof jij het?' zei hij. 'Het is ons gelukt!'

'Daar lijkt het op, ja.'

Ze voelde dat zijn hart zo snel klopte dat het bijna leek te trillen. Hij wilde haar loslaten, maar ze werden door de menigte weer tegen elkaar aan geduwd. Even dacht ze dat hij haar zou gaan zoenen.

'Wat moet ik straks zeggen?' vroeg hij.

'Hoe bedoel je?'

'Als ik Eliza zie. Ik bedoel: zal ik de credits opeisen voor de reddingsactie of moet ik het juist heel cool spelen?'

Anita zorgde ervoor dat er geen spoor van teleurstelling op haar gezicht te zien was. 'Wat je wilt.'

'Ja, daar heb ik wat aan. Kom op, Anita. Ik meen het. Nu gaat het pas echt beginnen.'

'Gaan mensen dan niet naar huis?'

'Nee, joh! Golden heeft verdomme alles meegenomen voor een goed feest. Nu iedereen vrij is gaan we de feestroes flink opschroeven met een lading sterkedrank. Als ik ooit een kans maak bij Eliza, dan is het vanavond.'

Iemand deed de plafondlampen uit wat werd beloond met een opgewonden gejoel. Even later viel er een soort groot gordijn naar beneden dat voor de ramen had gehangen en scheen het zachte maanlicht naar binnen.

Andy kraakte zijn vingers en sprong op en neer als een bokser die op de bel wacht. 'Oké. Ik ga nog één of twee, of zes borrels drinken, en dan sla ik mijn slag. *Wish me luck.*'

'Ja, veel geluk.'

En terwijl Anita Andy ervandoor zag gaan, voelde ze het eindelijk; diep vanbinnen rommelend, als een hongergevoel dat ze wekenlang had genegeerd. Een gewaarwording die op de een of andere manier helemaal nieuw was en toch heel vertrouwd voelde. Het was het eerste glanzende groen van jaloezie, en verder naar beneden, voorbij de plaats waar de steel de aarde raakt, de dorstige en gretige wortels: verliefdheid.

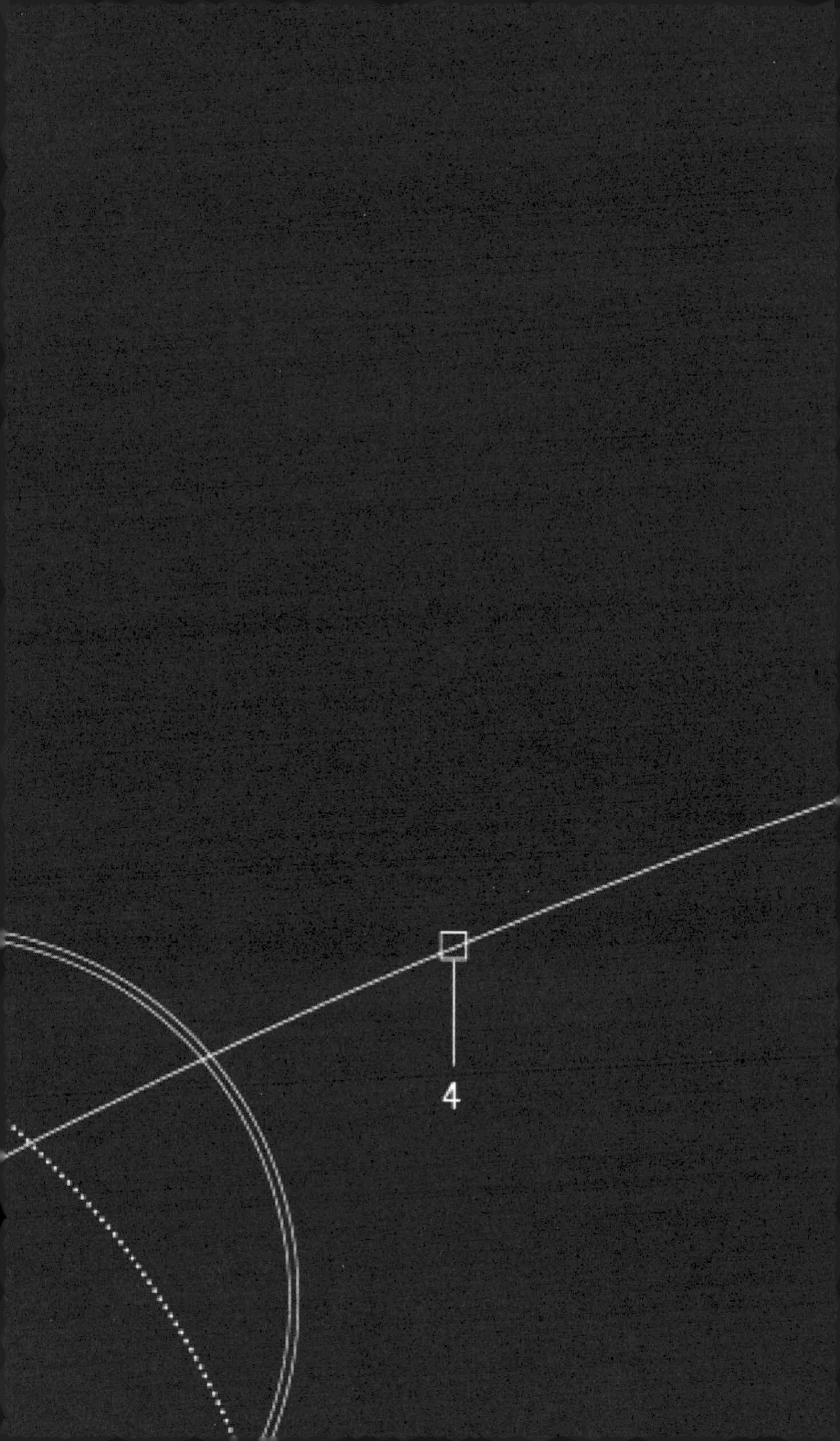
4

ELIZA

Binnen een kwartier zag de slaapzaal er totaal anders uit. De herrie galmde nog steeds door de ruimte en bleef als spinnenwebben in de hoeken hangen, en niets kon waarschijnlijk de afschuwelijke geur verdoezelen van een paar honderd pubers bij elkaar in één ruimte, maar het was Goldens crew wel gelukt om de zaal een andere sfeer te geven. Ze hadden met tape tientallen zaklampen aan de muren vastgemaakt (en er lakens voor gehangen om het licht te dimmen), ze hadden een redelijk goede dj met een redelijk goed geluidssysteem neergezet en alle stapelbedden naar de zijkanten geschoven om in het midden een dansvloer te maken. Een gekanteld stapelbed was omgetoverd tot noodbar met een wankele toren plastic bekertjes, waarvan steeds een rij werd gevuld door vrijwillig barpersoneel zonder verstand van mixologie. Iemand gaf Eliza een bekertje dat tot de rand toe was gevuld met tequila.

De muziek werd zenuwachtiger, als een junk die voelt dat zijn trip bijna voorbij is. De bas dreunde als een onderbewuste gedachte. Mensen begonnen te dansen, maar Eliza bleef in de buurt van de bar waar wat meer licht was. Ze zag Anita achter de bar glippen en er met een hele fles bourbon vandoor gaan (was dat echt Anita?). Even later zag ze Andy in de rij voor de bar staan. Eliza stapte al bijna naar voren om hem gedag te zeggen, maar een soort dierlijke intuïtie vertelde haar dat ze dat niet moest doen. Hij had een wilde blik in zijn ogen die ze niet vertrouwde.

De tequila verspreidde zich al door haar lichaam. Hij maakte haar spieren soepeler en smeerde haar gewrichten. Ze liet zich meevoeren door die vreemde sensatie die ze altijd van alcohol kreeg: verdoofd en tegelijkertijd heel gevoelig, en ze voelde dat vertrouwde verlangen opkomen, iets wat diep vanbinnen in het donkerste deel van haar lichaam begon te kloppen. Het was hetzelfde verlangen dat haar er soms toe bracht om in The Crocodile in haar eentje aan de bar te gaan zitten, wachtend tot een van die saaie klerenkasten die om haar heen cirkelden van zijn baan zou afwijken en haar een drankje zou aanbieden; de behoefte om een jongen helemaal te zien doordraaien omdat hij haar zo graag wilde. Haar plotselinge vrijheid was net zo bedwelmend als de drank, en al zou ze doen alsof ze gewoon een beetje rondliep, haar ogen hadden een plan. Ze wist dat ze zo snel mogelijk naar huis zou moeten gaan om haar vader te zien, maar ze kon nog niet weg; niet zonder Peter te hebben gezien.

De mogelijkheid bestond natuurlijk dat hij er helemaal niet was. Misschien had iemand anders de locatie van dit detentiecentrum ontdekt en deze hele reddingsactie op touw gezet, maar dat zou zo'n fout van de sterren zijn dat Eliza er niet eens aan wilde denken.

Pas drie kwartier en twee drankjes later zag ze hem staan. Hij was kennelijk in een nogal heftige discussie verwikkeld met zijn zus. Ze kon niet goed verstaan wat ze zeiden, maar ze begreep wel dat Peter Misery probeerde over te halen om met hem mee te gaan, wat Misery weigerde. Met tegenzin gaf ze haar bier aan hem ('Jezus, ik heb echt wel eens vaker gedronken, hoor!'), en verdween toen richting de dansvloer. Peter wilde haar achternagaan, maar Eliza pakte hem bij zijn elleboog vast.

En opeens waren ze weer samen, eindelijk. De duisternis in de slaapzaal bracht herinneringen terug aan die dag in de doka. Ze wist nog precies hoe hij voelde toen hij haar had gezoend, de stoppels op zijn wangen, ruig maar schoon; heel schoon, zo schoon als zijn karakter.

'Peter,' zei ze. Ze voelde de warmte van zijn huid, pulserend onder haar handpalm.

'Ik moet achter mijn zus aan,' zei hij. Hij trok zijn arm los en wilde weglopen.

'Waarom heb je zo'n haast?'

'Golden is hier, dat ten eerste. En Bobo. Ik wil nu gewoon naar huis, met Misery, oké?'

Eliza liep achter hem aan door een smalle gang tussen twee rijen stapelbedden door, langs een fluisterend stelletje op een van de onderste matrassen.

'Peter, wacht even!'

Hij draaide zich zo plotseling om dat ze achteruit deinsde. 'Waarom zou ik moeten wachten? Wat wil je nog meer van me? Ik heb je hieruit gekregen, oké? Is dat niet genoeg?'

Ze waren nu alleen, ingesloten door bedden en alles waar bedden voor stonden. Eliza had geen idee waarom Peter zo boos was, maar ze wist wel een manier om alles goed te maken. Ze pakte hem bij zijn schouders en duwde hem – met het zelfvertrouwen van iemand die nooit genoegen nam met nee, of dat nooit hoefde te nemen – met zijn rug tegen het frame van een van de stapelbedden. Peter liet het bierflesje uit zijn handen vallen en de klap waarmee het op de grond terechtkwam, viel samen met het moment dat haar lippen die van hem raakten. Ze liet haar tong langs de randen van zijn tanden gaan en alles voelde, proefde, heel bekend, zelfs al was het meer dan een jaar geleden dat ze elkaar hadden gezoend. Ze wachtte tot ze zijn armen om haar lichaam zou voelen, tot hij haar dichter tegen zich aan zou trekken en zijn hoofd schuin zou houden, en dan zouden ze zich tussen de bedden op een matras laten vallen en verdergaan waar ze een jaar geleden waren gestopt. Maar zijn armen trokken haar niet tegen zich aan; ze duwden haar weg.

'Wat is er?' vroeg ze.

'Wat is er met jóú?' zei hij nijdig. 'Denk je dat je zo met mensen kunt omgaan? Dat je door Ardor alles kunt doen waar je zin in hebt?'

'Nee. Ik weet niet eens waarover je het hebt.'

'Ben je met iemand anders geweest, Eliza? Sinds het nieuws over Ardor?'

'Ik weet niet precies...' De woorden bleven in haar keel steken. Hoe kon Peter van die jongen weten die 's nachts in het detentiecentrum bij haar in bed was gekropen? Of zei hij gewoon maar wat? Hoe dan ook, hij had het recht niet om haar te veroordelen. Ze was eenzaam geweest en doodsbang, zonder haar vader en zonder de paar vrienden die ze had, terwijl buiten de aarde keihard doordraaide en de totale vernietiging steeds dichterbij kwam. En dus had ze zichzelf toegestaan om iets van intimiteit te voelen met een vreemdeling. En wat dan nog? Eliza voelde haar woede groter en groter worden.

'Moet jij zeggen. Toen wij de eerste keer zoenden had jij een vriendin!'

'Ik weet het. En dat was fout. Maar ik heb het een maand geleden uitgemaakt met Stacy – voor jóú!'

'Waarom heb je dan niets gezegd? Je hebt wel honderd keer de kans gehad om met me te praten maar dat heb je niet gedaan! Ik ben degene die jóú heeft geschreven, hoor!'

Peter draaide zich half om. 'Nou, dat maakt nu toch allemaal niks meer uit. Andy is een vriend van me. Ik zou nooit iets achter zijn rug om doen.'

Eliza schudde verward haar hoofd. 'Wacht even... gaat dit om Andy?'

'Natuurlijk gaat het om Andy.'

'Maar dat slaat nergens op. Ik geef niks om Andy.'

‘Volgens mij geef jij om helemaal niemand.’

Hij verdween in het halfduister tussen de rijen bedden; een duisternis die steeds dieper en donkerder werd naarmate Eliza er langer naar staarde, alsof elke schaduw ter wereld zich hier op deze plek had teruggetrokken en het licht er laag voor laag werd weggeschraapt, alsof er scheppen vol aarde boven op een doodskist werden gegooid. Ze kwamen van hem en ze kwamen van haar en ze kwamen vanuit het hele heelal en ze kwamen van alles wat ademde. Ze gooide de rest van haar drankje achterover en liep terug om er nog eentje te halen.

Alsof ze een alcoholtest deed, liep Eliza op het plein achter de barakken over de afgebladderde verflijn van een oud basketbalveld. Een test waarvoor ze faliekant zou falen. Er waren nog een paar andere mensen buiten, maar die stonden allemaal onder de luifel van het gebouw, te schuilen en te roken. Het enige wat ze van hen zag, waren de af en toe oplichtende sigaretten. Het motregende nu nog, maar in de verte maakte de bliksem reusachtige blauwe sculpturen in de lucht: vluchtige, tijdelijke bomen die toch zo sterk waren dat de beelden op je netvlies achterbleven. Haar huid voelde niet als haar huid maar als een onzichtbaar krachtveld dat om haar lichaam heen zat. Als het nog harder zou gaan regenen, zou ze smelten en verdwijnen zoals de Boze Heks van het Westen in *De tovenaar van Oz*. Ze vroeg zich af hoe haar dood eruit zou zien. Zou het snel gaan, als een flits en daarna niks meer? Of zou het langzaam gaan, stikkend in het stof of stervend van de dorst onder een ingestort gebouw? Ze had al het gevoel dat haar leven voorbij was. Peter had in één keer een gat geslagen in haar zelfrespect en haar vertrouwen en haar hoop. Wat was er misgegaan? Hij had haar in het Cal Anderson Park toch gezocht? En toen ze samen door de traangaswolken renden, had hij haar hand zo stevig vastgegrepen dat het wel een muizenval leek. Waarom was hij over Andy begonnen? Andy was toch een gewone vriend? En wat die andere jongen betreft, ja, ze hadden liggen kloten, maar ze had geen relatie, of zoiets. Ze had al geen relatie meer gehad sinds...

Ik heb nog nooit een echte relatie gehad, realiseerde ze zich, en de volgende gedachte die met een klap tot haar doordrong was: en ik zal er ook nooit een hebben.

De afgelopen weken had ze van alles geprobeerd uit te rekenen, het had haar achtervolgd, van heel normale, dagelijkse dingen (hoe vaak ze nog zou ademhalen) tot nogal specifieke dingen (hoe vaak ze nog naar *Pitch Perfect* zou kijken), maar dit was zonder twijfel de allerverdrietigste statistiek: tussen nu en het einde van de wereld zou er niemand meer zijn die verliefd op haar was en zij zou op niemand verliefd meer zijn.

De donder kwam over het uitgestrekte Magnuson Park aanrollen. Het kon nu elk moment gaan plenzen. Dat was typisch Seattle. Voortdurend die shitmotregen afgewisseld met een echte plensbui. Net als het leven zelf. Eén voortdurende shitzooi afgewisseld met echt flinke shit. En dan, aan het eind, viel er een groot rotsblok op je kop.

Ze liep door de sigarettenrook, ging weer naar binnen en liep door een gang naar een soort vervallen slaapzaal waar alleen maar verroeste stapelbedden met door de motten aangevreten matrassen stonden. Het was er spookachtig, zoals alle verlaten plekken waar ooit veel mensen waren geweest. Eliza zou bang zijn als ze niet een paar meter achter haar eigen lichaam had gezweefd; een geest die ergens in de verte een Eliza een deur zag opendoen en zomaar de duisternis in zag lopen, zoals een personage in een horrorfilm tegen wie je wilt schreeuwen: *Nee, niet naar binnen gaan!* Ze stootte haar knie tegen een tafeltje en deed zichzelf daarna nog meer pijn door er woedend tegen aan te trappen. De zware dubstepbeats van het feest ebden weg waardoor de zachte klanken van een piano hoorbaar werden. Eerst dacht ze dat de muziek in haar hoofd zat, maar hoe verder ze door de donkere ruimte liep, hoe helderder de tonen werden. Nog een deur, en aan de andere kant daarvan vulde de muziek de hele ruimte. Er scheen wat zacht rood licht dat van het nooduitgangsbord boven de deur kwam. Het gaf een tafelvoetbaltafel, een pooltafel en een paar oude flipperkasten een rode gloed, en helemaal in de hoek zat iemand achter een piano.

Eliza liep op haar tenen door de ruimte en ging zachtjes op een kriebelige bank zitten. Haar ogen begonnen te wennen en ze zag net genoeg om op de pianokruk Andy's gebogen figuur te herkennen. Hij speelde een nummer dat haar vaag bekend voorkwam, een van de nummers die hij en Anita altijd oefenden ter voorbereiding op het Feest voor het Einde van de Wereld. Alsof dat feest er ooit nog zou komen.

Toen hij ophield met spelen liet Eliza een enkele harde klap horen. Andy's silhouet schoot overeind.

'What the fuck?'

Ze lachte. 'Meer, meer, maestro!'

'Eliza? Ik schrok me rot!'

'En jij ook hallo.'

Ze stond op en struikelde bijna over een stoelpoot – en erger nog: ze morste bijna haar drankje op de vloer. Ze maakte een kleine buiging omdat ze zelf behoorlijk trots was op haar evenwichtskunst en liep toen voorzichtig door de zaal. De vloer leek een stuk drijfhout dat door een wilde rivier werd meegevoerd.

'Wat doe jij hier?' vroeg ze.

'Ik kon je niet vinden,' zei hij. Zijn stem was zangerig door de drank. 'Ik ging ervan uit dat je ergens met Peter naartoe was gegaan.'

'Nope. Ik ben hier. Met jou.'

'Dat blijkt. Heb je zin in een duet?'

Ze bukte zich om haar bekertje achter de pianokruk te zetten. 'Ik? Wat denk jij nou? Nee, nee. Jij mag het doen. Laat nog maar een van je lievelingsnummers horen.'

'Goed dan. Hou je vast. Dit is "Flaming Lips".'

Andy begon te zingen, zijn ijle lieve stem dreef op de klanken van de zware piano als tikkelende blokjes ijs in een glas cola. '*Do you realize that you have the most beautiful face?*' Na de eerste regel ging Eliza naast hem zitten, zo dicht bij hem dat hun heupen elkaar raakten. Als hij het al voelde, liet hij het niet merken. Maar zij wilde een reactie: het verlangen was er nog steeds, sterker zelfs door het effect van de alcohol en de bittere smaak van afwijzing achter in haar keel. Terwijl hij aan het volgende couplet begon, zocht zij met haar hand het plekje onder aan zijn rug en liet haar vingers langs zijn ruggenwervels omhoog kruipen tot ze bij de holte onder aan zijn schedel kwam. Ze keek hoe haar wijsvinger een pluk haar nam en die als een sliert kauwgom om haar vinger draaide. Hij verslikte zich in zijn woorden, in zijn verlangen, maar zijn handen bleven de begeleidende akkoorden spelen.

'Wat doe je?' vroeg hij.

'Niets.'

'Het voelt niet als niets.'

'Iets, niets. Wat is het verschil?'

'Ik kan niet zingen als je dat doet.'

'Zing dan niet.'

Toen hij aarzelde, draaide ze zijn gezicht naar haar toe en zoende hem met alle woede en begeerte die ze in zich had, en eindelijk hield de muziek op. Zijn handen dwaalden naar haar heupen en vonden de ritssluiting van haar overall. De koude lucht op haar huid, dan de warme vingers, tintelend, alsof ze door het spelen extra sterk waren. Ze trok zijn hoodie en zijn T-shirt over zijn hoofd en ging met haar nagels over zijn borst naar beneden, naar zijn jeans, op zoek naar het bewijs dat ze begeerd werd. Hij zoende in haar nek terwijl hij met de sluiting van haar bh klungelde.

Eliza opende haar ogen en liet haar blik dwalen. Over Andy's schouders zag ze waar zijn hoodie terecht was gekomen, in een smalle driehoek grijs licht in het midden van de kamer. Vreemd – net was het nog helemaal donker. En nu werd de zilveren lijn langer, alsof iemand met een highlighter de vloer markeerde. De lijn werd een spies die als een vinger hun kant op wees. De omtrekken van iemand in de deuropening en toen was het weer donker.

Andy zat met zijn gezicht de andere kant op dus hij had niets gezien. Maar toen hij zijn hand liet zakken en tussen haar benen ging en zij zich daar onbewust met haar heupen tegen verzette, besefte ze opeens hoe verkeerd het allemaal was, en dat besef knalde als een asteroïde keihard tegen haar oneindige verlangen aan om zich met iemand, met wie dan ook, te verbinden, dus duwde ze hem van zich af met een woede waarvan ze wist dat hij die nooit zou begrijpen omdat die niets met hem te maken had, en hij viel achterover van de pianokruk op haar bekertje en toen rende ze zonder iets te zeggen de kamer uit en zag achter in de gang nog net Anita, die de deur openzwaaide naar de buitenwereld, die daarachter als een voorbode van een apocalyps met harde donder en bliksem explodeerde.

ANDY

Andy kende de uitdrukking 'Wees voorzichtig met wat je wenst, want voordat je het weet krijg je waar je om gevraagd hebt'. Maar hij had altijd meer gehad met Morrisseys benadering: '*See the luck I've had can make a good man turn bad, so please please please, let me get what I want.*' Krijgen wat je wilde was wat Andy betrof wel ongeveer het beste van het hele universum wat je kon overkomen.

Jarenlang had hij gefantaseerd hoe het zou zijn om met Eliza te vrijen, hoe het zou zijn om haar armen op zijn schouders te voelen, de hitte van haar lichaam terwijl ze zich tegen hem aan krulde, de zachte huid van haar borsten onder zijn handen – ontelbare uren waren voorbijgegaan terwijl hij zijn gedachten aan deze wonderen wijdde. Vergeleken hierbij kon het bijna niet anders dan dat de gebeurtenis zelf zou tegenvallen. Maar dat was toch niet zo. Het was alsof hij in één keer de tonen van een nieuw nummer te pakken had, tegelijkertijd met een doffe klap op zijn board terechtkwam en een lijntje coke snoof (een drug die hij maar één keer had uitgeprobeerd omdat hij bang was dat een tweede keer hem fataal zou worden, want hij had het gevoel gehad dat zijn hart een rondje buiten zijn lichaam wilde rennen).

Natuurlijk was het moeilijk om het feit dat ze plotseling was weggerend niet als een slecht teken op te vatten, maar Andy bedacht dat er drie mogelijkheden waren, en slechts één van de drie was echt verschrikkelijk: 1. Eliza had heel erg spijt van wat ze had gedaan en nu haatte ze hen allebei en wilde ze het liefst dat ze alle twee dood waren (het rampenscenario), 2. ze was totaal bezopen en had wat tijd en ruimte nodig om helder te worden (daar kon hij nog wel mee leven), 3. ze was zo overdonderd door haar verlangen naar hem dat ze ervan was geschrokken (bijna te mooi om waar te zijn).

Andy kon het raadsel niet in zijn eentje oplossen. Hij had het advies van een meisje nodig dat licht kon werpen op de mysterien van het ondoorgrondelijke meisjesgedrag. Helaas kon hij Anita nergens vinden. Ondertussen had het feest in de slaapzaal een climax bereikt. Onder de lakens op de stapelbedden zag je allerlei stelletjes op een langzaam ritme bewegen en het dansen in het midden van de zaal kwam zo dicht in de buurt van seks als maar kon. Andy pakte een fles tequila achter de onbemande bar vandaan en ging op zoek naar iemand anders met wie hij kon praten. Uiteindelijk zag hij Misery en Bobo langs elkaar schuren tegen het frame van een stapelbed net naast de dansvloer.

'Gast!' riep hij, en hij sloeg Bobo op zijn schouder.

Bobo maakte zijn octopusmond los van Misery's lippen. 'Wat moet je?'

'Ik wou je alleen even zeggen dat ik duizend dollar van je krijg! Ik heb net met Eliza gevoosd.'

'Echt waar?'

'Ik zweer het op het kindeke Jezus.'

Bobo stak zijn hand in de lucht. Andy bracht zijn hand naar achteren en wilde de indrukwekkendste highfive geven die hij ooit in zijn achttienjarige leven had gegeven. Maar zijn handpalm raakte alleen maar lucht. Bobo had zijn hand alweer weggetrokken en hem voor de gek gehouden.

'Maar vozen is nog geen seks, toch?'

'Nee. Maar het betekent dat ze me leuk vindt. En dan komt de rest vanzelf.'

'Vanzelf? En waarom ben je daar nu dan niet mee bezig?'

'Nou, dat is dus waarom ik hier ben. Misery, ik heb je advies nodig.'

'Kom maar op,' zei ze. Haar gezicht was rood van Bobo's schurende stoppels.

'Eliza en ik waren dus net lekker aan de gang en toen sprong ze opeens op en rende weg. Wat betekent dat?'

'Dat je niet kunt zoenen,' zei Bobo.

'Ik vraag het niet aan jou, klootzak.'

Misery, die duidelijk dronken was, legde haar hand op zijn schouder. 'Ze is gewoon in de war, joh. Ze is echt niet iemand die je opgeilt en je dan laat zitten.'

'Ja, nee,' zei Bobo. 'Als er iets is wat Eliza niet doet, dan is het je laten zitten. Ze gaat liever op je zitten, toch?'

'Dude,' zei Andy, maar hij lachte toch.

En precies op dat moment was er een overenthousiaste danser die hem zo hard in zijn rug stompte dat het hem duizelde. En donkere, vage beweging, een doffe klap en het volgende moment stond Bobo voorovergebogen, met zijn hand op zijn maag. En daar verscheen opeens Peter in beeld, als een of andere superheld.

'Heb jij mijn vriend net een stomp gegeven?' zei Misery.

Peter hurkte zodat hij Bobo in zijn ogen kon kijken. 'Dat was omdat je zo respectloos bent.' Hij kwam overeind en keerde zich naar Andy. 'En jij zou je moeten schamen, dat je toestaat dat iemand zo over je vriendin praat.' Tot slot keek hij naar zijn zus. 'Genoeg, Misery. Tijd om te gaan.'

'Kunnen we niet nog even blijven tot het feest is afgelopen?'

'Nee.' Hij greep haar bij haar arm en sleepte haar mee.

Bobo kon eindelijk weer ademhalen en kwam trillend overeind. 'Die klootzak.'

'Nee, hij had gelijk,' zei Andy, eigenlijk vooral tegen zichzelf.

'Ik had niet moeten lachen. Als ik wil dat Eliza mijn vriendin is, moet ik voor haar opkomen en zo.'

Maar Bobo luisterde niet. Hij strompelde naar de dansvloer.

'Waar ga je heen?'

'Golden zoeken.'

'Hé, hé!' Andy greep Bobo bij zijn mouw vast. 'Wacht heel even.'

'Dacht je dat ik Peter hiermee weg liet komen? Hij heeft mij beledigd, man.'

'Nee, daar gaat het niet om.' Andy wist niet hoe hij dit moest bezweren. Een slechte grap ten koste van Eliza gaf Peter nog niet het recht om Bobo een dreun te verkopen, maar het was ook weer niet zo erg dat ze Golden erbij moesten halen. Die vent was totaal gestoord. 'Ik zeg alleen maar dat we dit zelf wel kunnen afhandelen.'

Bobo lachte. 'Dát is de Andy die ik wil horen! En ik weet precies hoe we dat moeten doen. Kom mee.'

Hij nam Andy mee naar een leeg bed vlak bij de ramen. Onder het kussen lagen een stel rechthoekige plastic pistolen. Andy had die dingen wel eens op tv gezien.

'Tasers?'

'Zeker weten. Ze lagen in dat wachtershuisje bij de ingang.'

'Denk je dat we die echt nodig hebben? Het is twee tegen één.'

'Watje,' zei Bobo, en hij gaf hem een van de stroomstootwapens.

Buiten goot het nog steeds van de regen. Peter was al halverwege de landingsbaan. Misery verzette zich niet meer, maar onder het lopen schreeuwden ze nog steeds tegen elkaar. Door de koude lucht en de plensbui werd Andy wat helderder en hij was net nuchter genoeg om zich af te vragen waar hij bij betrokken dreigde te raken. Hij had niet echt problemen met Peter, zeker nu ze op een bepaalde manier met elkaar verbonden waren: Peter had een keer met Eliza gezoend in een donkere kamer en hij had een keer met Eliza gezoend in een donkere kamer. En wat die stomp betreft, Bobo had zich ook als een klootzak gedragen.

'Hé!' schreeuwde Bobo.

Peter draaide zich om. 'Wat wil je nou, man?'

'Misery wil niet met je mee.'

'Donder op, Bobo. Ze komt later wel naar je toe, dat weet ik wel zeker, of ik het nou leuk vind of niet. We gaan nu alleen naar huis om onze ouders te zien.'

'Jij gaat helemaal nergens naartoe.'

Bobo richtte zijn taser op hem en schoot.

Er gebeurde niks. Uit de loop van het geweer hingen twee losse draden, als een stel klimoptakken. Ze hadden Peter bij lange na niet bereikt.

Peter keek vol ongeloof van Bobo naar de pijlen van de taser en weer terug. 'Jij stomme klootzak,' zei hij, en hij liep met snelle, atletische passen op Bobo af. 'Ik had haar arm vast, debiel. Je zou haar ook een schok hebben gegeven.'

'Andy!' riep Bobo, die achteruitliep.

'Wat?'

'Schiet dan, man!'

Andy was helemaal vergeten dat hij zelf ook een wapen vasthad, maar nu drong het tot hem door en hij keek naar zijn hand alsof hij daar opeens een vies gezwel had. Hij wilde helemaal niet op iemand schieten. Maar nog even en Peter was zo dicht bij Bobo dat hij zijn tanden uit zijn bek kon slaan.

'Blijf staan,' zei Andy zwak, en hij richtte het pistool op hem, maar Peter hoorde het niet of hij trok zich er niks van aan. Bobo gooide zijn taser naar Peters hoofd maar miste hem compleet. Nog maar een paar seconden. Als Andy nu niks deed zou dat het einde van de vriendschap met Bobo betekenen. Hij had geen keuze.

Er was bijna geen terugslag. Eerst dacht Andy dat Peter deed alsof: hij trilde en schokte als een vis die net uit het water is gehaald, en uit zijn slaphangende mond kwam een soort gegrom. Toen zakte hij door zijn knieën en zijn voorhoofd raakte het asfalt. Zijn lichaam bleef stil liggen. Andy liet de taser vallen.

'Wat heb je gedaan?' schreeuwde Misery, die zich op haar knieën naast haar broer liet vallen.

'Dat krijg je ervan,' zei Bobo. 'Nou, kom op. Het giet.'

Misery trok hard aan de schouder van haar broer en het lukte haar om hem om te draaien. Ze veegde het haar weg dat als teer op zijn bleke voorhoofd plakte. Vanaf zijn schedel liep een stroompje bloed naar beneden dat door de regen uitwaaierde. 'Laat ons met rust, Bobo. Dit is totaal gestoord. Alles is totaal gestoord.'

'Wat? Ben je nou kwaad op mij? We deden dit alleen maar omdat hij jou probeerde te kidnappen.'

Misery antwoordde niet.

'Whatever,' zei Bobo, en hij liep in zijn eentje terug naar de barak.

Andy had nog steeds een fles tequila in zijn linkerhand. Hij zette hem naast Peters hoofd op de grond en keek naar Misery, op zoek naar een teken van begrip of vergiffenis. Maar het enige wat ze deed was het bloed deppen met haar kleddernatte mouw, steeds opnieuw, terwijl ze wachtte tot haar broer zou bijkomen.

ANITA

De deur viel met een klap achter haar dicht en Anita zette het op een rennen; elke stap van haar sneakers klonk als een geweerschot op de natte bestrating. Ze dook weg achter een vuilniscontainer en tuurde door het glinsterende gordijn van regendruppels.

'Anita! Ik wil met je praten!' Eliza rende zo hard dat ze uitgleed en op haar magere reet terechtkwam. Ze verdiende nog iets veel ergers. Anita had het altijd stom gevonden als iemand Eliza een slet noemde, dat ene woord waarvoor een meisje zich moest schamen terwijl het stoer was als een jongen veel vriendinnen had. En nu mompelde ze zelf dat scheldwoord in haar handpalm, als een vervloeking.

Eliza kwam trillend overeind. 'Dan niet!' schreeuwde ze. 'Dan praat je maar niet met me!' Ze liep kwaad terug naar de barak.

Anita merkte dat ze huilde, alhoewel de donderbui elke traan die van haar ooglid rolde direct wegspoelde. Ze was ook intens, ongeëvenaard dronken. Ze had in één uur tijd meer dan de helft van de fles bourbon weggewerkt. Ze voelde de aarde onder haar voeten draaien, alsof die nog eens extra duidelijk wilde maken dat niets in het leven zeker was. Alsof Ardor zelf nog niet voldoende bewijs was dat er op deze verdoemde, verziekte planeet geen veilige plek te vinden was, moest ze ook nog een kamer binnenlopen waar Andy en Eliza al half uitgekleed aan het vrijen waren. Betekende dit dat zij nu een stel waren of zo? En betekende dit dat ze uiteindelijk met elkaar naar bed zouden gaan?

Waarschijnlijk wel, aangezien Eliza zo'n ontzettende, schaamteloze, valse slet was.

Dit was eigenlijk allemaal Peters schuld. Als hij niet zo verdomde aardig was, was hij allang naar Eliza gegaan om op te biechten hoe groot zijn liefde voor haar was, en dan was Andy's smerige leugen uitgekomen. Drong het niet tot hem door dat dit het einde van de wereld was? Er was geen tijd meer om aardig te zijn.

Anita bleef nog een tijdje buiten in de regen staan, als een soort straf, al wist ze zelf niet goed waarvoor. Haar gebibber was overgegaan in echte schokken. Natuurlijk kon ze gewoon terug naar haar auto gaan en vertrekken, maar dan leek het of ze zich erbij neerlegde. Het feit dat zij hier in het detentiecentrum was, was misschien nog het enige wat Andy en Eliza ervan weerhield om te trouwen en samen een fucking gezin te stichten.

In de barak had het nog wel warm gevoeld toen ze droog was, maar nu was het er koud en vochtig. Goldens vrienden, dronken en bedreigend, slopen op een neer door de donkere gangen. Anita moest een plek vinden waar ze nuchter kon worden, het liefst ergens in haar eentje. Ze probeerde een stel deuren voordat ze er een vond die niet op slot was – het was een deur van een trappenhuis.

'*There's a lady who's sure all that glitters is gold,*' zong Anita terwijl ze in het donker de trap opliep, '*and she's buying a stairway to heaven.*'

Op de bovenste verdieping waren bijna alle ramen gesneuveld door de lawine van stenen, en door de gaten in het glas keek je over de hele marinebasis uit, een landschap van gebarsten asfalt en knoestige bomen die steeds even verlicht werden door een elektrische uitbarsting, alsof er ergens op de laagst mogelijke stand een stroboscooplamp aan stond. De regen roffelde een metaalachtige melodie op het dak vlak boven haar hoofd. Pas nadat ze haar natte sokken en trui had uitgetrokken viel het Anita op dat er aan het eind van de gang licht brandde. Ze sloop dichterbij, maar de krakende vloer verraadde haar.

'Is daar iemand? Kom maar binnen hoor. Ik zit hier in vrede.' Het was een mannenstem, en hij klonk vriendelijk en zachtaardig.

Het kantoor werd verlicht door een kleine lamp met een groene kap in de vensterbank en een heel stel lange kaarsen. Achter een groot bureau zat een mollige man met rode wangen en genoeg camouflagekleren aan om een klein huis mee in te kunnen pakken. In het schemerlicht kon Anita nog net zijn naamplaatje lezen: HOOFDINSPECTEUR JACK DANIELS. Het kwam door die naam. Anders had ze zich misschien meteen omgedraaid en was ze weggerend, maar iemand die hoofdinspecteur Jack Daniels heette kon niet gevaarlijk zijn. Pas toen ze veilig op de stoel terecht was gekomen, zag ze de bijna lege fles whisky op de tafel en het bijna volle glas in zijn hand.

'Hallo,' zei hij.

'Hoi.'

'Ik ben Jack Daniels.'

'Anita.'

Jack hief zijn glas naar haar op. 'Hoe gaat het met je, Anita?'

'Kan beter. Met u?'

'Met mij kan het ook wel beter.' Hij nam een slok alsof ze net een toost hadden uitgebracht.

'Wat doet u nog hier?'

'Goede vraag. Ik heb het bevel gegeven om te evacueren, dus dacht ik dat het mijn taak was om hier te blijven en ervoor te zorgen dat niemand de boel in de fik zou steken. Ik werd geacht contact te houden met mijn superieuren, maar dat ding is er gisteren mee opgehouden.' Hij gaf een tik tegen de zijkant van een groene metalen box die op een kleine tafel achter hem stond. Het was duidelijk een relikwie uit de vorige eeuw, met een ouderwetse zwarte hoorn aan de zijkant en door roest aangevreten hoeken.

'Wat is dat?'

'Een kortegolfradio. De telefoonlijnen en het mobiele netwerk liggen plat, dus zijn we weer in het stenen tijdperk beland.' Hij werkte de inhoud van zijn glas weg. Alleen al de gedachte aan nog meer alcohol, leidde ertoe dat Anita's maag in opstand kwam en zich met een plotselinge heftige kramp van zijn inhoud probeerde te ontdoen. Ze slikte een paar keer.

'Jouw beurt,' zei Jack. 'Wat doe je hierboven?'

'Dat weet ik niet precies. Ik had wat ruimte nodig.'

'Dat kan ik me voorstellen. Wacht even.'

Hij boog naar voren om een van de onderste bureauladen open te trekken. Anita's aandacht werd getrokken door een fotolijstje dat tussen de spullen op een boekenplank stond; het was zo'n digitaal ding dat achter elkaar dezelfde slideshow liet zien: foto's van drie baby's die drie peuters werden en drie schoolkinderen, en toen nog maar twee pubers. Op de foto's erna waren ze steeds met z'n tweeën, totdat de reeks weer van voren af aan begon en er een wonderbaarlijke wederopstanding plaatsvond.

'Soms vergeet ik dat de dood al bestond voordat Ardor er was,' zei Anita.

Jack kwam weer overeind en schroefde de dop al van de nieuwe fles whisky. 'Eén van de vele voordelen van de jeugd,' zei hij.

'Zijn dat uw kinderen, op die foto's?'

'Ja.'

'Wilt u nu dan niet bij hen zijn?'

'Heel graag. Maar ze wonen bij hun moeder. In Californië.'

'Waarom?'

Jack haalde zijn schouders op. '*Omdat er geen tweede aktes zijn in het leven van Amerikanen*,' citeerde hij.

'Wie heeft dat gezegd?'

'F. Scott Fitzgerald. Ken je die?'

'We hebben met Engels *The Great Gatsby* gelezen.'

'Wat vond je ervan?'

Anita probeerde zich te herinneren wat ze in de samenvatting had geschreven die ze van het boek had moeten maken. 'Best goed. Ik vond het meeste prachtig, maar wat hij over vrouwen schreef vond ik minder leuk. Ik kreeg het idee dat hij niet veel respect voor ze had.'

Jack gaf met een nieuwe eenzijdige toost aan dat hij het met haar eens was; de whisky klotste over de rand van het glas en maakte een paar roestbruine vlekken op de papieren eronder. 'Dat heb je goed gezien, Anita. Ik was er ook niet kapot van, dat zeg ik je eerlijk – ik ben nooit echt een fictielezer geweest – maar ik had wel veel respect voor de hoofdpersoon, Gatsby. Hij had een doel en hij deed alles om dat doel te bereiken. Dat is bewonderenswaardig, zelfs als later blijkt dat je doel nergens op sloeg.'

Anita dacht aan haar eigen stomme doel: een paar nummers zingen waar ze trots op kon zijn voordat alles voorbij was. Ze had het nog kunnen bereiken ook, als ze zich niet had laten afleiden door die belachelijke reddingsactie. En waarom? Omdat ze de ijdele hoop had dat haar goedheid beloond zou worden met liefde? Wat pathetisch. En de tragische waarheid was dat ze gaandeweg, zonder dat ze het zelf door had gehad, haar grote stomme droom had ingeruild voor nog iets veel stommers: een jongen die haar niet eens wilde.

'En weet je wat het gekke is van die zin over tweede aktes?' vroeg Jack.

'Nou?'

'Die zin is nooit gepubliceerd. Fitzgerald schreef dat ene fantastische boek, toch? En dat was het einde van zijn eigen eerste akte. Daarna dronk hij zichzelf naar de klote, belazerde zijn vrouw en vergooide alle kansen die hij kreeg. En die zin komt uit het boek dat alles goed moest maken. Het boek dat zijn tweede akte zou zijn. Maar voordat hij het af had, ging hij dood. Het boek kreeg dus geen tweede akte, en hijzelf ook niet.'

In het kaarslicht lichtte een glinsterende traan op die langs Jacks stoppelwang liep.

'Gaat het?' vroeg Anita.

'Met mij?' Hij grinnikte. 'Met mij gaat het goed. Ik heb het beste achter de rug. Maar ik maak me zorgen om jullie. Om jouw generatie, bedoel ik. Kijk nou naar jou. Zo jong en prachtig en zo vol... leven. Jij verdient een tweede kans.'

Anita stond op en liep om zijn bureau heen. Misschien kwam het door wat Andy met Eliza had gedaan, of misschien kwam het doordat Jack haar prachtig had genoemd en dat ze dat vanavond echt heel fijn vond om te horen. Wat de reden ook was, het voelde als het enige goede wat ze kon doen. Ze boog zich voorover en gaf hem een zoen op zijn zoete whiskylippen.

'Misschien is het einde van de wereld zo slecht nog niet,' zei hij, en hij lachte. Toen kwam hij met een kreun uit zijn stoel en liep naar een kast in de hoek van de kamer. 'Je bent doorweekt, schat.' Hij haalde een stapel groene legerkleding tevoorschijn en gooide die haar kant op. 'Draag ze met trots.'

'Bedankt. En hoelang blijft u nog hier?'

'De noodgenerator houdt er waarschijnlijk mee op voordat het ochtend wordt. Daarna gaat iedereen wel weg.'

Naast de kapotte kortegolfradio stond een traditionelere radio, nepvintage, of misschien wel echt vintage, met een bruinmetalen rooster voor de speakers en een ronde houten bovenkant. Jack zette hem aan. De lange, smalle strook voor de frequenties had dezelfde botergele kleur als het kaarslicht. Hij draaide aan de knop en de naald zwom over de elektromagnetische golven tot hij een eenzame stem vond die boven een achtergrondkoor van vage stemmen en spookachtige muziek uitkwam. '*I don't want to set the world on fire...*'

'Er is daar toch nog iemand,' zei Anita.

'Je zou bijna hoop houden.'

'Bijna.'

'Het was leuk om met je te praten, Anita.'

'Vond ik ook, Jack.'

Toen ze de deur achter zich had dichtgedaan, trok ze haar natte kleren uit en hees zich in de legergroene werkkleren. Ze stond nog half in haar nakie toen ze in het licht van een bliksemflits zag dat ze niet alleen was. Boven aan de trap stond Eliza.

'Hoi,' zei ze.

Anita knoopte snel het veel te grote overhemd dicht. 'Hoi.'

'Ik ben je net gevolgd. Ik hoop dat je het niet erg vindt, maar ik wilde je spreken en toen hoorde ik je daarbinnen met Jack Daniels praten, dus dacht ik: ik blijf hier maar even wachten tot je uitgepraat bent.'

'Ken je hem?'

'Een beetje. Maar goed, wat ik je dus wilde zeggen is dat wat je beneden hebt gezien, met Andy... dat was een vergissing.'

'Dat weet ik.'

'Ik was behoorlijk dronken – nog steeds wel eigenlijk – en Peter was net boos op me geworden en had gezegd dat ik een vriend had of zoiets en hij wilde echt niks van me weten, waardoor ik dus helemaal in de war raakte. En dus deed ik iets doms, en dat spijt me.'

'Waarom zeg je dat tegen mij?' vroeg Anita. 'Wat kan het mij schelen wat jij en Andy doen?'

Eliza fronste. 'Ik weet het niet helemaal zeker, maar ik denk dat het je wel iets kan schelen. Of heb ik het mis?'

De muziek sijpelde nog steeds onder Jacks deur door: '*I just want to start a flame in your heart.*'

'Blijf hier staan,' zei Anita. 'Ik ga alles rechtzetten.'

Ze was bang dat ze te veel aandacht zou trekken als ze van top tot teen in legerkleding op het feest zou verschijnen, maar het viel kennelijk niemand op. Ze zag Andy voordat hij haar zag.

'Hé man, waar was je?' vroeg hij. 'Er is iets geweldigs gebeurd. Eliza en ik hebben gezoend. En het was waanzinnig.' Zijn enthousiasme was nog eens een extra pijnlijke trap na.

'En heb je haar verteld wat je tegen Peter hebt gezegd?'

'Nee, ben je gek? Natuurlijk niet! Maar over Peter gesproken, het is echt een beetje uit de hand gelopen met hem. Hij heeft Bobo een stomp in zijn maag gegeven, zomaar, opeens. Dus toen moesten we hem tasen. Het was behoorlijk gestoord, allemaal.'

'Peter die zomaar iemand een stomp geeft?' Heel even zag Anita iets van spijt in Andy's ogen. 'Waarschijnlijk was het Bobo's schuld, of niet? Bobo was kwaad en wilde dat jij hem hielp. En dat deed je. Zoals altijd.'

'Peter wilde hem in elkaar slaan. Wat had ik dan moeten doen?'

'Je had hem zijn gang moeten laten gaan zodat Bobo een keer krijgt wat hij verdient. Want hij is een klootzak, Andy, net als jij.' Andy keek gekwetst, maar dat maakte Anita alleen nog maar kwader. 'En laten we eerlijk zijn, oké? Denk je nou echt dat Eliza jou wil? Ik zal het je recht in je gezicht zeggen: nee, ze wil jou niet. Ze had behoefte aan warmte en jij was toevallig in de buurt. En het grappige is dat zij voor jou ook niks betekent! Het enige wat jij wilt is je zielige spelletje winnen!' Ze wilde dat hij terugschreeuwde, maar hij bleef daar maar staan, met een schuldige blik als een hond die betrapt is terwijl hij de kussens van de bank kapotscheurde. 'En hoe belangrijk is het eigenlijk? Denk je nou echt dat alles goed afloopt als je maar met Eliza naar bed gaat?'

'Ze is alles wat ik heb,' fluisterde hij.

Dat kwam misschien nog wel het hardst aan. 'O ja? Is dat zo? Prima. Dan trek ik mijn handen van je af. Ik ben echt helemaal klaar met je. Waar is Peter?'

'Hij is buiten, op de landingsbaan.'

'Heb je hem buiten in de regen achtergelaten?'

'Misery is bij hem. Maar wacht even, waarom wil je naar hem toe?'

Anita was al weg. Buiten waren haar lekkere warme kleren binnen een paar seconden doorweekt. Midden op de landingsbaan zag ze een donkerblauwe plek: Misery die in kleermakerszit op de grond zat met Peters hoofd op haar schoot. Toen Anita dichterbij kwam hief Misery haar arm op; ze had een fles tequila bij de hals vast en kon hem elk moment gooien.

'Ik ben het maar,' zei Anita.

Maar Misery deed haar arm niet omlaag. 'Ben je hier om de klus af te maken?' Peter pakte de elleboog van zijn zus vast en dwong haar om de fles te laten zakken.

'Ze is een vriendin, Misery.'

Anita barstte onmiddellijk los. 'Peter, Andy heeft helemaal nooit iets met Eliza gehad. Hij loog. En ik heb er niks van gezegd omdat... Nou ja, het doet er niet toe waarom. Maar dit is de waarheid: ze is verliefd op je. En ze is op de eerste verdieping en ze wacht op je. In de slaapzaal is een deur naar het trappenhuis.'

Zeker vijftien seconden zei niemand iets. En toen begon Peter, eerst bijna onmerkbaar maar daarna steeds harder, te lachen. Hij stond op en ging bijna weer tegen de vlakte.

'Je gaat daar niet meer naar binnen,' zei Misery. 'Het is gevaarlijk.'

Peter pakte de fles uit haar hand en begon naar de barak te lopen.

Misery keek Anita aan. 'Ik hoop dat je blij bent.'

'Maak je niet druk, dat ben ik niet.'

Maar dit was in elk geval gedaan. Eliza en Peter zouden krijgen wat ze wilden; voor zover mogelijk.

Anita verliet de marinebasis via het hek bij de hoofdingang, stapte in haar auto en reed zo ver als ze kon, tot ze door haar tranen en de regen heen de weg niet meer kon zien. Ze stopte en liet haar stoel naar achteren zakken. Ze kon net zo goed hier slapen. Er was geen andere plek meer op de wereld die ze thuis kon noemen.

Het regende niet meer zo hard. Over een paar uur zou de zon weer opkomen. Het zou nog twee weken duren voordat Ardor er zou zijn, maar Anita had het niet erg gevonden als hij nu was gekomen en boven op haar auto was geknald. Waarom zou ze nog langer willen leven? Andy zou haar nooit vergeven dat ze hem had verraden, zelfs al had hij diep vanbinnen altijd geweten dat zijn stomme opdracht van het begin af aan gedoemd was te mislukken. Het was het einde van de eerste echte vriendschap die ze ooit had gehad. En het was ook het einde van de muziek die ze samen hadden gemaakt, wat die laatste paar wanhopige weken in elk geval nog een beetje betekenis had gegeven.

Anita zou het universum niet om een tweede kans vragen en er zou geen tweede akte zijn, want ze wist inmiddels dat niemand daar recht op had.

PETER

Peter kwam niet meer boven water. Hij verdronk. Hij probeerde zich omhoog te duwen maar het water bleef maar komen en hij was zwaar als een steen. En nu greep iemand hem ook nog bij zijn polsen en probeerde hem nog verder naar beneden te trekken. Hij zou hier sterven...

'Peter!'

Zijn ogen gingen open. Hij verdronk dus niet: het was maar regen. 'Samantha,' zei hij, en hij ontspande zijn verstijfde spieren. Hij lag met zijn hoofd op de schoot van zijn zus. 'Ze hebben die taser gebruikt, of niet?'

'Ja...'

'Ik heb koppijn.'

'Dat komt doordat je op je hoofd terecht bent gekomen. Wacht.' Misery verstijfde. 'Verdomme, wie is dat?'

Iemand kwam vanaf de barakken over de landingsbaan hun kant op gelopen. Hij of zij zag eruit als een soldaat. Misery pakte het enige waar ze bij kon – een fles tequila – en hield hem bij de hals vast, als een hamer.

'Ga je tequila naar ze gooien?'

'Waarom niet? Ik kan goed mikken.'

De soldaat kwam door de stromende regen steeds dichterbij totdat ze vlak voor hen stond en zij haar gezicht konden zien: Anita Graves, van top tot teen in camouflagekleding.

'Ik ben het maar,' zei ze.

'Ben je hier om de klus af te maken?' vroeg Misery.

Peter dwong haar zachtjes om de fles te laten zakken. 'Ze is een vriendin, Misery.'

Anita haalde een paar keer diep adem, alsof ze op het punt stond een koelkast op te gaan tillen. 'Peter, Andy heeft helemaal nooit iets met Eliza gehad. Hij loog.'

Peter luisterde nog maar half naar de rest van Anita's verhaal. Als hij niet zo'n pijn in zijn hoofd had gehad, had hij zichzelf voor zijn kop geslagen. Natuurlijk hadden Andy en Eliza niks met elkaar! Dat had die kleine etter alleen maar gezegd om hem buitenspel te zetten. Wat een sluwe zet. Peter zou kwaad moeten zijn, hierom en natuurlijk om die hele actie met die taser. Maar hoe kon hij nu kwaad zijn als de weg voor hem eindelijk vrij was?

Hij pakte de fles tequila en nam een grote slok, om zich moed in te drinken en om de pijn te verdoven. Misery riep dat hij niet terug naar de barak moest gaan, maar niets in de wereld kon hem nog tegenhouden. Hij moest zichzelf inhouden om niet keihard door de slaapzaal te rennen. Alhoewel de meeste mensen zo dronken waren dat ze hun eigen ouders niet eens zouden herkennen, deed Peter voorzichtig. Hij sloop langs de donkere muren naar de andere kant. Op de trap vocht hij tegen de duizeligheid, maar het lukte hem om boven te komen zonder flauw te vallen.

Op de bovenverdieping klonk krakende muziek uit de jaren twintig. Peter nam nog een laatste slok en liet de fles op de grond vallen.

'Eliza?'

Hij kon haar bijna niet zien. Door de wolken was er nauwelijks maanlicht en hij zag alleen de zilveren glans van haar wangen en armen.

'Peter.'

'Die muziek... is hier nog iemand?'

'Alleen Jack Daniels. Hij is oké.'

'Kan hij ons horen?'

'Misschien. Kom mee.'

Hij liep achter haar aan naar een leeg kantoor en deed de deur achter hen dicht.

'Eliza, het spijt me. Andy had tegen me gezegd dat jullie iets hadden.'

'Het kan me niet schelen.' Ze deed een stap dichterbij.

'Maar daarom deed ik zo lullig tegen je.'

'Oké.' Nog een stap dichterbij.

'Omdat ik dacht dat je een vriend had.'

'Oké.' Nog een stap.

Ze stonden nu heel dicht bij elkaar. Naast haar voelde hij zich veel te groot en onhandig. Hij stak zijn hand uit en raakte haar gezicht aan.

'Ik ben ontzettend dom geweest vanavond,' zei Eliza. 'Ik heb er een zootje van gemaakt.' Hij boog zich naar voren om haar te zoenen. 'Ik meen het, Peter.'

'Wat je ook gedaan hebt, het maakt me nu allemaal niks meer uit.'

'Dat is nogal een statement.'

'Een statement? Wil je een statement horen? Ik ben verliefd op je. Al meer dan een jaar.'

Ze lachte. 'Dat woord moet je niet zomaar gebruiken. Je kent me niet eens. En over een paar dagen zijn we waarschijnlijk dood.'

'Daarom zeg ik het je nu.'

'Dat is echt de slijmerigste shit die ik ooit heb gehoord,' zei ze, maar ondertussen voelde hij haar lach tegen zijn handpalm, en toen tegen zijn lippen – warm en vertrouwd, onvermijdelijk en intens: de heerlijkste botsing die hij ooit zou meemaken.

'Zoals ik het zie is alles in het universum niet meer dan een gebeurtenis. Jij, Peter Roeslin, bent maar een gebeurtenis. En ik ook. En jij en ik, nu, hier samen, dat is er ook een. En als je het zo bekijkt is een berg ook een gebeurtenis. Het is geen ding. Het is een manier waarop de tijd zich manifesteert.'

'En dat moet een geruststellende gedachte zijn?'

'Voor mij is het dat wel.'

'Kalmerender dan dit?'

'Mmm. Dat is fijn. Maar zoenen is ook maar een gebeurtenis.'

'En is deze gebeurtenis nu voorbij? Moeten we opstaan?'

'Nog niet.'

'Maar het is al ochtend. De muziek is opgehouden. Volgens mij is iedereen weg.'

'Nog tien minuten, dan ben ik er klaar voor. Praat nog even tegen me. Vertel iets. Over jezelf.'

'Zoals wat?'

'Het verschrikkelijkste wat je ooit hebt meegemaakt. Voordat dit allemaal begon, bedoel ik.'

'Serieus? Wil je dat horen? Verschrikkelijke dingen?'

'We hebben geen tijd om het rustig aan te doen, Peter. Hoe vaak zullen we nog een echt gesprek hebben? Twintig keer? Dertig? We moeten direct de diepte in.'

'Daar heb je waarschijnlijk gelijk in. Maar ik weet niet wat ik je moet vertellen.'

'Natuurlijk wel.'

'Daar heb je waarschijnlijk ook gelijk in.'

'Dus?'

'Mijn broer. Mijn oudere broer.'

'Wat is er met hem?'

'Nou, eh... hij, eh... is dood.'

'Hoe?'

'Een auto-ongeluk. Zijn beste vriend zat achter het stuur. Hij is door de voorruit geslagen.'

'Hoeveel ouder was hij?'

'Zes jaar. En jij? Wat is het verschrikkelijkste wat jij hebt meegemaakt?'

'Mijn vader gaat dood.'

'Wat erg.'

'Ja.'

'Zijn je ouders nog bij elkaar?'

'Nee. Mijn moeder woont op Hawaï met een of andere vent. We hebben geen contact. We, eh... shit. Sorry.'

'Hé. Het geeft niet.'

'Ik weet niet waarom ik er nu om moet huilen. Ze... ze heeft me dus de hele tijd geprobeerd te bellen, voordat het netwerk plat lag. Ik heb haar berichten niet eens afgeluisterd. Ze heeft wel honderd keer ingesproken.'

'Ze begrijpt het vast. En trouwens, je hebt nog tijd.'

'Nee, dat heb ik niet.'

'Misschien wel.'

'Laten we het ergens anders over hebben, oké? Het ergste wat je ooit hebt gedaan.'

'Het ergste?'

'Ja, wat je hebt gedaan.'

'Hmm.'

'Je kan niet eens wat bedenken, hè? Mister Good Guy.'

'Natuurlijk wel. Het is alleen vreemd om te zeggen.'

'Ga verder.'

'Jij. Jij bent het ergste wat ik heb gedaan.'

'Ik? Bedoel je wat er vorig jaar met mij in de doka is gebeurd? Is dat het ergste wat je ooit hebt gedaan?'

'Het is het oneerlijkste wat ik ooit heb gedaan. Waarom lach je nou?'

'Het spijt me. Het is gewoon zo lief.'

'Stacy vond anders van niet.'

'Nee, dat zal wel niet. Oké. Ga je het nu aan mij vragen?'

‘Ik weet niet of ik het wel wil weten.’

‘Ik heb met Andy gezoend, Peter. Vannacht. Ik was zo dronken, en jij had me afgewezen. En ik wist dat hij het heel graag wilde, snap je? Hij is best oké, hij is alleen een beetje in de war. Zoals wij allemaal.’

‘Ja. Waarschijnlijk had ik hetzelfde gedaan als hij. Ik bedoel: als ik verliefd was op jou en jij niet op mij.’

‘Weet je, volgens mij zou je dat dus niet hebben gedaan. Volgens mij ben jij de enige goeie van de hele karass. Of misschien jij én Anita. Van haar weet ik het nog steeds niet zo goed.’

‘Karass?’

‘O, dat is een Andy-woord. Of eigenlijk een Kurt Vonnegut-woord. Het is een groep mensen die met elkaar verbonden zijn, op een soort spirituele manier. Volgens Andy zitten we allemaal samen in een grote karass.’

‘Ik ook? Dat is best lief.’

‘O ja, het is een engeltje, die jongen. Maar goed, ik ben blij dat je niet boos bent.’

‘Nee.’

‘Dan wil ik je nog één ding vertellen. Ik heb nog iets gedaan met een jongen hier in het detentiecentrum. Ik had niemand om mee te praten, en ik had geen idee of ik jou ooit nog zou zien, en we hebben geen seks gehad of zo, maar het voelt toch slecht omdat...’

‘Eliza?’

‘Ja?’

‘Je bent nu toch hier, met mij?’

‘Ja.’

‘Dat is het enige wat ertoe doet.’

‘Echt? Weet je het zeker? Want wat ik hier beschrijf is behoorlijk sletterig.’

‘Dat moet je niet zeggen. We doen allemaal wat we moeten

doen om door te kunnen gaan, toch?'

'Misschien.'

'Het enige wat ik je wil zeggen, is dat je je misschien beter voelt als je je excuses aanbiedt.'

'Dat deed ik toch net? Of wil je het zwart-op-wit hebben?'

'Niet aan mij.'

'Aan wie dan? Aan Andy?'

'Ja.'

'Wil je dat ik m'n excuses aanbied aan de jongen die tegen jou heeft gelogen? Die met een taser op jou heeft geschoten?'

'Jij hebt hem gezoend. En je hebt hem misleid. Ik weet hoe ik me zou voelen als je dat met mij zou doen en dan met iemand anders zou eindigen. Waarom kijk je zo naar me?'

'Je bent gewoon zo fucking aardig. Ik geloof je bijna niet.'

'Zo aardig ben ik niet. Ik heb allerlei verschrikkelijke gedachten.'

'Gedachten, ja. Andere mensen hebben meer dan alleen gedachten. Peter, ben je gelovig?'

'Ja.'

'Als een eh... christen?'

'Als een christen.'

'Serieus? Dat is absurd!'

'Waarom?'

'Ik weet het niet. Dat is het gewoon.'

'Oké.'

'Je bent beledigd.'

'Nee.'

'Jawel.'

'Nee, dat ben ik niet. Maar wil je nog weten waaróm ik geloof, of kan je dat niks schelen?'

'Kom maar op, dominee Roeslin.'

'Weet je het zeker? Misschien overtuig ik je wel en dan moet je naar de kerk gaan en bidden voor het eten en dat soort dingen. Het kan je zaterdagavonden verpesten.'

'Dat risico neem ik.'

'Oké. Goed dan. Lang voordat Jezus er was, vereerden mensen allemaal verschillende goden, en je moest allerlei dingen voor ze doen, kleine lammetjes verbranden en dat soort dingen, want anders mislukte je oogst. En toen werden al die goden één god, wat het een stuk makkelijker maakte, maar hij had nog steeds allemaal regels. Je mocht bijvoorbeeld van niemand zo veel houden als van hem. Maar toen kwam Jezus en hij was een gewone kerel, maar je mocht wel van hem houden. Snap je?'

'Nee, niet echt.'

'Jezus maakte het mogelijk om van ménsen te houden. Dus het is in feite helemaal geen religie. Het is gewoon...'

'Humanisme.'

'Wat is humanisme?'

'Dat is waar jij het over hebt.'

'O. Cool.'

'Oké. Je hebt me overtuigd. Ik bedoel, ik geef m'n tekenfilmpjes op zondagochtend niet op of zo, maar van mij mag je blijven geloven waar je in gelooft.'

'Wat ontzettend aardig van je.'

'Zo ben ik.'

'Volgens mij moeten we gaan.'

'Nog heel even. Nog heel even... dit...'

'Wacht. Nu heb ik een vraag voor jou.'

'Vraag dan maar terwijl ik jou zoen...'

'Het is een belangrijke vraag! Hou op!'

'Het een sluit het ander niet uit, Peter.'

'Luister gewoon heel even. Die filosofie van jou, dat alles niet meer dan een gebeurtenis is, betekent dat ook dat Ardor maar een gebeurtenis is?'

'Yep.'

'De dood?'

'Yep.'

'Liefde?'

'Yep.'

'Ik weet niet of ik het zo leuk vind. Het maakt alles zo betekenisloos.'

'Oké, laten we realistisch zijn. Als Ardor tegen de aarde botst, betekent dat het einde van jou en mij. En als hij dat niet doet, dan ga ik over een paar maanden naar New York en jij naar Stanford. En als je denkt dat een langeafstandsrelatie iets voor ons is, dan ken je mij echt heel slecht. Dus, ja, dit is maar een gebeurtenis.'

'O, fantastisch. Dat is echt fucking fantastisch.'

'Peter? Peter, kom hier. Hé, er is niks om boos om te worden.'

'O nee? Waar slaat dit dan op? Beteken ik eigenlijk wel iets voor je?'

'Natuurlijk! Ik zeg niet dat dit moment minder voor me betekent dan welk ander moment dan ook.'

'Wat betekent dat je vindt dat niks er in feite toe doet. Maar voor mij wel!'

'Oké. Bekijk het eens van de andere kant. Het betekent ook dat dit, jij en ik samen, hier, in dit kantoor, even belangrijk is als een berg. Het is even belangrijk als het einde van de hele wereld!'

'Ja?'

'Kom dus nu maar terug in bed.'

'Vloer, bedoel je?'

'Bed, vloer – wat maakt het uit. Kom terug bij mij.'

'Goed dan.'

'En zoen me nog een keer, Peter.'

'Oké.'

'Nog een keer.'

'Oké.'

'Nog een keer.'

Op een paar mensen na die fysiek niet in staat waren om weg te gaan, was de barak verlaten. Peter maakte een snel rondje maar er was niemand meer die hij kende. Hij was nog maar net op en zijn nieuwe geluk vertoonde al één barst: Misery was weg. Hopelijk had ze een lift naar huis gekregen. Hij had geen idee wat hij tegen zijn ouders moest zeggen als hij zonder haar thuiskwam. *Sorry, maar ik werd afgeleid omdat ik seks had met dat meisje met wie ik Stacy vorig jaar heb bedrogen. Jullie vinden haar vast heel aardig.*

Buiten was de hemel strakblauw en de lucht had die frisse helderheid van een ochtend na de storm. Peter liet Eliza's hand alleen even los om achter het stuur van de jeep te stappen.

'Ik moet naar huis,' zei Eliza. 'Ik wil mijn vader zien.'

'Ja, ik moet ook naar huis.' Hij stak de sleutel in het contact maar draaide hem niet meteen om. 'Weet je wat raar is? Na vannacht dacht ik dat het allemaal voorbij was. Ik dacht: als ik maar bij jou kan zijn dan komt alles goed. Had jij dat ook?'

Ze kneep in zijn hand. 'Hou je minder van me als ik nee zeg?'

'Misschien. Een beetje.'

'Dan is mijn antwoord: Ja, dat had ik ook.'

Op weg naar Eliza's huis werden ze aangehouden door een politieagent in een gedeukte surveillancewagen. De man zag eruit alsof hij zich al in geen week had geschoren en misschien zelfs ook al een week niet had geslapen. Hij zei dat ze de weg niet meer op moesten gaan als ze eenmaal op hun bestemming waren.

Maar dat was makkelijker gezegd dan gedaan. Zodra Peter Eliza's straat inreed, gooide ze haar portier open en schreeuwde zonder woorden. Als hij niet boven op zijn rem had gestaan, was ze waarschijnlijk uit de auto gesprongen terwijl hij nog reed. Hij maakte zijn gordel los en rende achter haar aan, richting het uitgebrande geraamte van een appartementencomplex.

De voordeur ontbrak en voor de opening zat een spinnenweb van politietape. Eliza rukte de tape los en al snel werd de ravage binnen zichtbaar. Alles was zwartgeblakerd en verschroeid en het plafond boven de trap was ingestort en onder het gat lag een berg zwarte stenen en verkoold hout.

'Mijn vader was daarboven.'

'Ik weet zeker dat hij veilig is,' zei Peter.

Eliza draaide zich om. 'Hoe kun jij dat nou weten? Ik had direct naar huis moeten gaan! Wat heb ik gedaan!'

'De brand heeft zeker een dag geleden plaatsgevonden, misschien nog langer, Eliza. Het had niks uitgemaakt.'

'Maar wat moet ik doen als ik hem niet kan vinden? Misschien zie ik hem wel nooit meer!'

Peter wist niet wat hij moest zeggen. Het enige wat hij kon doen was daar staan, op een bed van as, en haar vasthouden.

3

ANDY

'Gooien, man!'

Het vuur van de molotovcocktail weerkaatste in Bobo's ogen, die in twee vlammende asteroïden veranderden. Hij was bijna te dronken om te kunnen richten. De fles raakte met de hals de rand van het raam, kantelde, en viel toen naar binnen. Hij kwam net naast een brandbare stapel blokken en plastic poppetjes terecht die in de etalage van de winkel stonden. Een heel stel SpongeBobs begon te krimpen en werd zwart en er steeg een chemische damp op. De fles explodeerde. Het volgende moment hadden de vlammen het spoor van de benzine te pakken die ze over de vloerbedekking hadden gesprenkeld. Oranje tongen die langs de kasten omhoog likten, langs de felgekleurde dozen met bordspellen en Rubiks kubussen. Ze keken vanaf de stoep toe hoe de winkel in vlammen opging, als één groot vuurwerk.

'Deugdzaamheid zou leuker moeten zijn,' zei Bobo.

Andy herkende het citaat. 'Casper en Hobbes?'

'Ja man!'

Ze reden terug naar de Schoonmoeder, met hun koplampen aan, voor niets of niemand bang. De avondklok was al ingegaan maar de afgelopen dagen waren er zo goed als geen smerissen meer op straat; waarom zou je je leven wagen om voor die paar dagen de wereld nog een heel klein beetje veiliger te maken?

'Ik weet dat het een pijnlijk onderwerp is,' zei Bobo, 'maar hoe krijgen we jou nou met iemand in bed nu je het met Eliza hebt verknald?'

'Wie zegt dat ik het met Eliza verknald heb?'

'Nou, het is een week geleden sinds jullie met elkaar gezoend hebben en sindsdien heb je haar niet meer gezien of gesproken. Bovendien houdt de wereld volgende week dinsdag op te bestaan. Dus dat betekent dat je ongeveer evenveel kans bij haar maakt als ik bij Taylor Swift.'

'Dat is jouw mening.'

'De mening van een pro.'

Andy had Bobo nog steeds niet het hele verhaal van die ochtend na het feest verteld. Hoe hij Eliza overal had gezocht in de hoop dat ze af zouden maken waar ze op die pianokruk aan begonnen waren. Hoe hij de trap naar de bovenverdieping had gevonden. Hoe hij haar had gevonden, terwijl ze in het zachte ochtendlicht tegen Peters borst aan lag te slapen. Hoe hij nog net terug naar de gang had kunnen rennen voordat hij door zijn knieën was gezakt en alles eruit had gegooid wat hij die nacht had gedronken – een waterval van woede en bitter verdriet waar geen einde aan leek te komen. Hij dacht dat hij erin zou stikken; in die wrange waarheid die hij al zijn hele leven probeerde te negeren. Maar het was overduidelijk: hij was niemands liefde waard, hoe graag hij het ook wilde en hoe hij zijn best ook deed.

Hij stikte niet, en toen hij weer op zijn benen stond had hij het gevoel dat hij net was gedoopt in bitterheid, en tot de kerk was toegelaten van Bobo en Golden en al die anderen die erachter waren gekomen dat het leven geen doel en geen betekenis had. De karass bestond niet meer. Misery haatte hem. Peter haatte hem. Eliza haatte hem. Anita haatte hem. De enige die hij nog had was Bobo.

Daarna hadden ze een paar dagen doelloos door de stad geslenterd en de rest van Bobo's wiet opgerookt. Op een avond hadden ze een paar straten bij Andy vandaan een huis gezien dat iemand net in de fik had gestoken. Bloedrode bloemen waren uit de ramen gekomen en het dak was één grote goudoranje kroon.

'Het heeft wel iets moois,' had Andy gezegd.

'Ja.'

'Op het moment dat Ardor er is, ziet de hele wereld er misschien ook zo uit. Dat is niet eens zo slecht.'

De volgende dag waren ze met hun eigen bloemen begonnen.

Hun eerste doel was de christelijke boekwinkel in Greenlake. Je kon van de Bijbel zeggen wat je wilde, maar hij fikte in elk geval lekker. Meer dan een uur stonden ze naar de vlammenzee te staren terwijl ze ondertussen de fles Jack Daniels aan elkaar doorgaven en nummers van The Pogues zongen. Andy kon bijna niet geloven hoelang het duurde voordat alles in vlammen was opgegaan. Je kon je bijna voorstellen dat je de materiële wereld op de een of andere manier bevrijdde, alsof elk voorwerp er stiekem naar verlangde om boven zijn fysieke vorm uit te stijgen en hitte en licht te worden, al was het maar voor heel even. Als alles voor je ogen verbrandde, kon je je voorstellen dat ook delen van jezelf door het vuur werden aangetast: al je teleurstellingen, al die dingen die je had gedaan waarvan je spijt had, zelfs al je slechte herinneringen (bijvoorbeeld aan iets wat je op een ochtend op de bovenverdieping van een barak had gezien). Vanaf het moment dat Andy een echte pyromaan was geworden, was hij een stuk minder bang voor het einde van de wereld omdat hij er een soort vertegenwoordiger van was geworden. Je kon het nergens mee vergelijken, dat gevoel wat je kreeg als je wegliep van iets wat in brand stond terwijl je wist dat het zou veranderen in niets, zoals uiteindelijk met alles.

En ze verbrandden niet alleen de materiële wereld, maar ook de tijd. Sinds er een eind aan de protestactie was gekomen, waren er zes dagen voorbijgegaan. Dat betekende dat er nog maar zeven dagen waren tot aan het einde.

'Een week zonder seks, dat is gewoon niet eerlijk,' zei Bobo.

'En ik kan jou niet als Maagd Maria dood laten gaan. Laten we Misery en Eliza vanavond uit ons hoofd zetten.'

'En hoe doen we dat?'

'The Independent, man. Golden heeft altijd lekkere meisjes om zich heen.'

Sinds de opdracht definitief was mislukt, had Andy zich niet meer afgevraagd of het hem nog zou lukken om met iemand naar bed te gaan voordat Ardor kwam. Hij had geen zin om alleen om die reden naar het centrum te gaan en met al dat tuig rond te hangen, maar aan de andere kant wist hij ook niet waar hij dan wel zin in had. 'Waarom niet?' zei hij. 'Als we hier blijven gaan we ook dood.'

Iedereen die spul van Golden kocht kende zijn huis en de plek waar hij zaken deed: The Independent, een van de oudste hotels van Seattle: goedkoop maar met de bijzondere sfeer van vergane glorie. Normaal gesproken lichtte de naam boven de luifel in heldergroen neonlicht op, maar zonder elektriciteit waren de letters grijs. Iemand had de hal met duizenden witte kaarsen versierd en met het hoge gewelfde plafond, het gapende gat van de marmeren open haard en een heleboel stoffige schilderijen en fluwelen banken, zag het er behoorlijk spookachtig uit. Het had chic kunnen zijn als het niet leek of iemand elk voorwerp en oppervlak met een schuurmachine had bewerkt. De banken waren allemaal afgeragd en door de motten aangevreten, de oosterse tapijten tot op de draad versleten en de houten vloer eronder zat onder de kale plekken en krassen.

'Waar is iedereen?' vroeg Andy.

'Geen idee. Boven waarschijnlijk.'

De liften deden het niet, maar op elke overloop hadden ze als lichtbakens een paar kaarsen neergezet. Andy duwde de deur naar het dak open en de koude wind blies in zijn gezicht.

'Gruwelijk,' zei Bobo.

Buiten hadden ze een geïmproviseerde huiskamer gemaakt, met oude banken, tafeltjes en zitzakken – spullen die ze waarschijnlijk beneden uit de verlaten kamers hadden gehaald. Er stonden een stuk of tien terraslampen die op gas werkten en die helderoranje licht gaven. Onder een witte tent stond een grote noodgenerator en vanaf daar liepen kabels naar de geluidsinstallatie en naar een paar speakers op statief. Vlak bij de deur stond een man met een rode baard en een Slayer-T-shirt te roken.

'Bleeder?' zei Andy.

De zanger van de Bloody Tuesdays grijnsde. 'What the fuck! Andy! En Bobo! What's up?' Ze gaven elkaar allemaal een boks. 'Welkom in *the house*! Als het goed is zijn er nog wat biertjes in de koelbox.'

'En hoe zit het met meisjes?' zei Bobo. 'Hebben jullie die ook nog?'

'Dat weet je toch.'

'Chill.'

'Hé, ik ben blij jullie te zien, man. Jullie hebben toch iets te maken met dat feest op het Boeing-terrein?'

Heel even wist Andy niet waar Bleeder het over had. Het Feest voor het Einde van de Wereld – nog zo'n geweldig idee waar uiteindelijk niks van terechtkwam.

'Volgens mij is het gecanceld,' zei hij.

Bleeder keek oprecht teleurgesteld. 'Meen je dat nou? Ik had het tegen m'n zus gezegd; die komt er speciaal voor uit Californië gereden. Iedereen zei dat het te gek zou worden.'

'Wat kan ik zeggen, man? Het is niet anders.'

Ze liepen verder, door de wietwolken heen, in en uit de warmtecirkels van de gaslampen. Golden stond helemaal aan de andere kant bij de rand van het dak. Hij keek door een telescoop – een professionele korte, niet zo'n dunne als je meestal ziet – en die was op een brand bij het water gericht.

'Die shit loopt uit de hand, man. Ik zweer het je. Ik zag daarnet een vent uit een raam springen.' Hij keek op. 'What's up, jongens?'

'Niet veel,' zei Bobo. 'We waren op zoek naar een feest.'

'Dan ben je op de goede plek.'

Andy keek rond. Er waren misschien honderd mensen op het dak, maar de meeste waren veel te ver heen om nog iets te doen wat met feesten te maken had. Het was allemaal een beetje treurig. 'Waar is die vriendin van je, Bobo? Weet ze dat je vanavond op jacht bent?'

'Ze is pissig op me.'

'Waarom?'

'Herinner je je haar broer nog? Die jongen die we toen in The Cage tegenkwamen?'

'Zeker. The big man.'

'Nou, ik heb met hem gevochten, en ik heb gewonnen. Misery vond 't niet leuk.'

Golden lachte. 'Nee, dat zal wel niet.'

'Dus volgens mij is het over tussen ons.'

'Echt? Nee, man. Je moet haar gewoon vertellen dat je alleen maar deed wat je moest doen. Zorg dat ze het snapt.'

'Dat heb ik geprobeerd.'

'Probeer het nog een keer.' Golden sprong opeens op de smalle dakrand. 'Kom hier bij mij staan. Jullie alle twee.'

Andy lachte nerveus. 'Hé man, we zijn op de vijftiende verdieping of zo.'

Golden wees naar Ardor. 'En nog een week – of zo – en die klootzak daar knalt je kop eraf. Dus waar ben je bang voor?'

Bobo klom als eerste op de rand. De richel was nog geen meter breed en hij was glad door de regen. Andy's maag zakte naar beneden toen hij langzaam ging staan. Hij had helemaal niet gemerkt dat het waaide op het dak, maar hier op de rand leek elke windvlaag een hand die hem omver probeerde te duwen.

Golden ademde diep in. 'Dit is de reden dat ik zo van die asteroïde hou,' zei hij. 'We staan ons hele leven zo op de rand, maar we doen net of we het niet weten. Iedereen werkt zich uit de naad, spaart zijn geld, krijgt kinderen, terwijl er maar een duwtje voor nodig is... en hop, dan ga je. Ik had altijd het idee dat ik de enige was die zich daar bewust van was. Maar nu niet meer. Nu is iedereen hierboven, bij mij.'

Hij keek met grote nu-of-nooit-ogen naar Bobo.

'Als het straks allemaal over is, wil jij nergens spijt van hebben. Als er iets is wat je wilt doen, dan moet je het nu doen. Je moet het leven bij z'n ballen grijpen en duidelijk maken dat jij bestaat. Snap je wat ik bedoel?'

Bobo knikte. 'Helemaal, man.'

Andy rilde, maar hij wist niet of het door de wind kwam of de regen, of omdat hij opeens bang was dat Bobo echt begreep wat Golden zei.

Golden zette zijn handen aan zijn mond en schreeuwde over de donkere stad: 'Ik besta, godverdomme! Kom op, doe mee!'

'Ik besta!' zei Bobo.

'Ik besta, godverdomme!'

'Ik besta, godverdomme!'

'Nog een keer!'

'Ik besta, godverdomme!'

'Nog een keer!'

'Ik besta, godverdomme!'

En toen zeiden ze het allebei, nog een keer en nog een keer, en toen kwamen de woorden van alle kanten, van iedereen die op het dak stond, als een oorlogskreet. Maar op de een of andere manier kreeg Andy het niet voor elkaar om mee te doen.

ELIZA

Eerst wist ze niet waar ze was toen ze wakker werd. Een stretcher met gestreepte flanellen lakens. Een laag plafond vol glow-in-the-darksterren die allemaal zwart gemaakt waren, op één na: Ardor, die was met blauwe glitternagellak ingekleurd. Een heel stel posters op de muren: The Cramps, The Misfits, Velvet Underground. Een jongenskamer? Nee. Een spiegel en een kaptafel in de hoek, volgehangen met goedkope kralenkettingen en op de tafel een gereedschapskist vol make-up.

En in het bed onder het raam een slapend meisje met vlammende haren: Misery.

En toen kwam het langzaam allemaal terug: de nacht met Peter in de barak, haar ouderlijk huis tot op de grond toe afgebrand, de rit in de auto naar Peters ouders, verdoofd door verdriet. Ze waren best aardig geweest maar hadden toch per se gewild dat Eliza en hun zoon in verschillende kamers sliepen. Eliza was van plan geweest om stiekem naar Peters kamer te sluipen, maar de slaap had het van haar verlangen gewonnen en wat een tukje had moeten zijn, werd een hele nacht. Ze had haar gevangenisuniform niet eens uitgedaan.

Misery's kast leek op een koopjesrek van het Leger des Heils: T-shirts die zo oud waren dat je nauwelijks meer kon zien wat er op de voorkant had gestaan, hoodies met gaten in de mouwen voor je duimen en totaal versleten manchetten en zwarte skinny jeans waar zo veel scheuren in zaten dat ze net zo goed voor netpanty's konden doorgaan. Eliza koos een Iron Maiden-

T-shirt (World Tour '88), een rood leren rokje en zwarte panty's. Ze hoopte maar dat Peter het niet creepy zou vinden om haar in de kleren van zijn kleine zusje te zien. Of misschien was het maar beter als hij het juist wel creepy zou vinden.

Ze liep over de traploper naar beneden en ging de keuken in. Peters moeder stond achter het fornuis en goot net een lepel beslag in een kleine koekenpan die op een campinggasje stond.

'Hoi,' zei Eliza.

'Goedemorgen liefje.' Peters moeder draaide zich om. Haar tandpastareclame-glimlach verdween op slag. 'O, sorry. Ik dacht dat je mijn dochter was.'

'Dat geeft niet. Ik heb zelf geen schone kleren.'

'Dat is prima. Ze staan je goed. Slaapt Samantha nog?'

Eliza moest even wennen aan Misery's echte naam. 'Ja.'

'Jullie hebben zeker tot laat liggen kletsen, hè?'

'Ja,' zei Eliza. De waarheid was dat ze een gesprek op gang had proberen te brengen maar alleen een paar norse eenlettergrepige antwoorden had gekregen, gevolgd door een stilte. Misery was duidelijk nog van slag door wat er met Bobo was gebeurd. Eliza kon het zich moeilijk voorstellen aangezien Bobo altijd al een ontzettende klootzak was geweest, maar ze deed haar best begrip voor haar op te brengen.

'Nou, wat fijn dat jullie goed met elkaar kunnen opschieten,' zei Peters moeder. 'Ga zitten, en vertel me eens wat over jezelf. Wat doen je ouders?'

Mijn vader gaat dood aan kanker en mijn moeder is er met een andere man vandoor. 'Mijn vader is grafisch vormgever, en mijn moeder... Om eerlijk te zijn weet ik niet wat ze op dit moment doet. Ze schilderde altijd veel. En ze beeldhouwde.'

'Hebben jullie geen contact?'

'Nee. Ze is naar Hawaï verhuisd.'

'Dat moet zwaar voor haar zijn.'

'Hawaï? Ik heb gehoord dat het er best fijn is.'

'Niet Hawaï, gekkie!' Peters moeder bleek honderd procent ironie-proof te zijn. 'Ik bedoel dat ze geen contact met jou heeft. Samantha was nog niet eens twee weken in die gevangenis en ik ging er al bijna aan onderdoor. Ik miste haar zo vreselijk!'

Eliza wist dat normale gezinnen niet bestonden. Er was altijd wel iets sinisters dat als een lijk onder dat ogenschijnlijk rustige wateroppervlak dreef. Dat had ze van het leven zelf en van *Twin Peaks* geleerd. Toch kwamen Peters ouders oprechter over dan de meeste ouders. Zijn vader had een of andere baan waarbij een kantoor, een pak en een stropdas hoorde, en zijn moeder was thuis en kookte en deed andere moederachtige dingen. Eliza vroeg zich af hoe zij zou zijn opgegroeid als haar moeder zo was geweest. Zou ze aangepaster zijn (d.w.z. niet met onbekende delinquenten liggen klooien in een stapelbed van het detentiecentrum) of alleen maar minder onafhankelijk?

Eliza hoorde een krakend geluid in de gang en hoopte dat dat het einde van het ouderlijke interview zou betekenen, maar het werd een verdubbeling.

'Goedemorgen meisjes.' Peters vader was een oudere versie van zijn zoon: lang en brede schouders, en hij bewoog en lachte als een welpenleider van de padvinders. Hij liep naar zijn vrouw en kuste haar op de wang. 'Ik heb de kinderen ook wakker gemaakt. Ze zullen zo wel naar beneden komen.'

'Dat is mooi. De eerste pannenkoek is bijna klaar.'

'Jammie.' Peters vader ging aan tafel zitten. 'Zo, Eliza, heb jij nog iets van Stacy gehoord?'

'Steve!' zei Peters moeder.

'Wat? Is dat een vreemde vraag?'

'Ja, natuurlijk.'

'Ik ken haar niet echt,' zei Eliza.

'Zie je wel?' zei Peters vader, en hij stak zijn handen omhoog.

'Ze vindt het helemaal geen vreemde vraag.'

'Natuurlijk wel. Ze is gewoon te beleefd om er iets van te zeggen.'

Eliza glimlachte flauwtjes.

'O nee. Ik heb je met hen alleen gelaten. Vergeef je het me?'

Godzijdank, het was Peter; nog vechtend tegen de slaap, de plooien van zijn kussen in zijn gezicht en haar dat alle kanten op stond. Misery kwam vlak na hem binnen, en voor het eerst viel het Eliza op hoeveel ze op elkaar leken, nu ze de kans nog niet hadden gehad om hun ochtendgezichten in vorm te brengen.

Peter bleef achter Eliza's stoel staan en gaf haar een zoen op haar hoofd, onbewust precies zijn vader nabootsend. 'Sorry voor mijn ouders,' fluisterde hij. 'Je ziet er prachtig uit vandaag.' Het viel hem niet eens op dat ze de kleren van zijn zus aanhad.

'Je hoeft je voor ons toch niet te verontschuldigen?' zei zijn vader. 'Wij zijn hartstikke aardig.'

'Tuurlijk, pap.'

De pannenkoeken moesten een voor een in de kleine pan gebakken worden en dus duurde het ontbijt ruim een uur. Misery zei tijdens het eten geen woord en trok zich toen ze klaar waren direct terug op haar kamer. Peter stelde voor om een stuk te gaan lopen en Eliza nam aan dat hij een romantische wandeling voor twee bedoelde, maar zijn ouders nodigden zichzelf onmiddellijk uit om mee te gaan. Toen ze eenmaal in het Volunteerpark waren, mochten de kinderen gelukkig vrij wandelen terwijl de ouders, met pijnlijke heupen en knieën als excuus, de dichtstbijzijnde bank opzochten.

Het was de eerste dag van de lente en er waren veel gezinnen buiten. Ze gooiden met een frisbee of voetbalden op het natte gras en deden alsof ze geen last hadden van de bewolkte lucht en de frisse wind. Een jonge vrouw met een kleine baby zat op een dunne deken onder het groene waas van een heester. Ze porde de baby zachtjes in zijn buik, maakte gekke geluidjes en lachte. Eliza zou willen dat ze haar camera nog had. Seattle was in de lente een schaduwloze stad; er was altijd een wolkensluier die het licht verzachtte en alles een zilverachtig bleek schijnsel gaf. De baby straalde en probeerde de takken aan te raken die boven hen heen en weer bewogen. Het was de onofficiële mascotte van het noordwesten, de altijdgroene boom – bekend omdat hij zich niks aantrok van de seizoenen, onsterfelijk als een vampier. Metaforisch gezien was het een bedrieglijke boom om mee op te groeien. Een boom die iets beloofde wat hij niet waar kon maken.

'Het is zo treurig allemaal,' zei Eliza.

'Wat?'

'Dat iedereen doet alsof er niks aan de hand is.'

Peter sloeg zijn arm om haar middel en trok haar naar zich toe. Het was Eliza al opgevallen dat hij dit vaker deed als hij wilde gaan zeggen dat hij het niet met haar eens was; het was nog een teken van de absurde hoeveelheid tederheid die hij in zich had. 'Wat zouden ze dan moeten doen? Thuisblijven en de hele dag huilen?'

'Nee. Ik weet het niet. Maar denk je dat het echt gezond is om alles maar te ontkennen?'

'Iedereen hier gaat uiteindelijk dood, wat er over een paar weken ook gebeurt.'

'Dat weet ik wel, maar nu gebeurt het over een paar weken en niet over een paar jaar of over tientallen jaren.'

'En moeten ze daarom ophouden met hun leven? Blijft jouw vader de hele dag depressief binnen zitten omdat hij kanker heeft?'

Bij de gedachte aan haar vader was het alsof er vanbinnen een ballon vol pijn knapte. Alhoewel ze niet geloofde – of zichzelf niet toestond te geloven – dat hij tijdens de brand in het appartement was geweest, had ze nog steeds geen idee waar hij kon zijn. Zijn familie en vrienden woonden allemaal ver weg en hij had altijd vanuit huis gewerkt. Eliza besefte dat zij haar vaders enige schakel met de buitenwereld was geweest. Nu was zijn ankerlijn gebroken, een weggewaaide ballon die steeds hoger de lucht inging: nog een slachtoffer van Ardor. 'Sommige dagen wel,' zei ze.

Er rolde een tennisbal over het gras die vlak voor hun voeten bleef liggen en het volgende moment kwam er een ruigharige golden retriever aangerend. De hond bleef voor hen staan en kwispelde uitgelaten met zijn staart.

'Moeten we gewoon doen zoals hij?' vroeg Eliza.

'Serieus?' Peter raapte de bal op en gooide hem zo ver als hij kon. Ze keken hoe de hond erachteraan stormde. 'Die hond denkt nu maar aan één ding. Ik zou een moord doen om dat te kunnen.'

'Kun jij je nooit op één ding focussen?'

'Heel soms. Maar daar zijn wel heel speciale omstandigheden voor nodig. Als ik dat nu bijvoorbeeld zou doen, zouden hier heel veel mensen last van ons hebben.'

'Ik ben voor.'

Hij zoende haar. 'Hé, ik zat te denken... Als dat hele Ardorgedoe nou niet doorgaat, kunnen we misschien naar Hawaï gaan om het te vieren.' Hij wachtte even op een reactie, maar Eliza wist niet wat ze moest zeggen. 'Ik bedoel, je hebt mijn ouders nu ontmoet, en ik weet hoe graag je je moeder had willen spreken voordat de telefooncentrales uitvielen, en dan... hoef je niet alleen te gaan. Als je het een stom idee vindt, moet je het zeggen.'

'Nee,' zei Eliza uiteindelijk. 'Het is helemaal geen stom idee.'

Ze betrapte zich erop dat de lach op haar gezicht zo groot en oprecht was dat ze zich er bijna voor schaamde. Maar het lukte haar niet om weer serieus te kijken. Ze was blij dat niemand haar vanbinnen kon zien, want haar hart voelde opeens zo zwaar, maar op een goede manier, zoals je een goed gevoel in je buik kon hebben na een lekkere maaltijd. En toen zag ze de uitdrukking op Peters gezicht; alsof hij het wist, alsof hij wél bij haar naar binnen kon kijken. Ze duwde zijn gezicht weg zodat hij niet naar haar kon kijken.

'Ik ben blij dat je geen hond bent,' zei ze.

Een week ging er op die manier voorbij. Ze wandelden en praatten en raakten elkaar aan. En het was goed. Het was meer dan goed. Het was meer dan geweldig.

Maar het kon niet eeuwig zo doorgaan.

Midden in de nacht, midden in haar droom, fladderde een kobaltkleurige vogel voor het raam die met zijn vleugels tegen het glas tikte. Eliza werd wakker door zacht geklop gevolgd door het gepiep van een deur die open- en dichtging.

Ze glipte onder Peters arm vandaan (als ze 's nachts samen wilden zijn moesten ze wachten totdat zus, moeder en vader allemaal veilig lagen te slapen, maar dat was het meer dan waard) en liep op haar tenen naar beneden. Door het kijkgaatje in de deur zag ze twee silhouetten aan het eind van de tuin achter de rij paardenkastanjes verdwijnen. Eliza draaide de deurknop om, zachtjes als een kluiskraker. Zodra ze buiten was, hoorde ze hun stemmen. Misery en Bobo.

'Maar ik mis je,' zei Bobo.

'Dat kan me niet schelen.'

'Ik weet dat dat niet waar is. Ga met me mee.'

'Waarom zou ik?'

'Omdat ik je nodig heb.'

Eliza sloop dichterbij. Al wist ze niet wat haar rol in deze scène zou kunnen zijn, ze was blij dat ze op Misery kon letten.

'En ik heb geen behoefte aan iemand die probeert mijn broer te vermoorden.'

‘Je broer heeft mij als eerste geslagen, Misery, en hij sleurde je mee, bijna aan je haren. Ik wilde je beschermen.’

‘Dat heb je anders niet gedaan.’

‘Misery, ik meen het. Ik mis je echt verschrikkelijk. Ga met me mee, alleen om wat te drinken of zo. Praat met me. Als je mijn vriendin niet meer wilt zijn, oké, dan moet ik daarmee dealen, maar je kunt niet zomaar verdwijnen. Niet nu alles bijna voorbij is.’

Een stilte. ‘Alleen een kop koffie dan,’ zei Misery.

‘Ja. Dank je.’

Pas een paar dagen geleden had Misery Eliza eindelijk in vertrouwen genomen. Verborgen in de geheime duisternis van haar slaapkamer, had ze toegegeven dat ze nooit meer van Bobo kon houden, niet na het zien van zijn gezicht toen hij met de taser op Peter schoot.

‘Hij keek extatisch,’ had Misery gezegd. ‘Echt waar, het was doodeng.’

Maar nu liet ze zich overhalen – als het niet uit liefde was, dan toch uit medelijden. Ze moest tegengehouden worden, voor haar eigen bestwil. Eliza kwam overeind, maar struikelde over een boomwortel en viel plat voorover in de heg. Tegen de tijd dat ze zichzelf uit de takken had bevrijd hoorde ze de motor al starten, en toen ze bij de stoep was zag ze de auto nog net wegrijden over het smalle lint asfalt dat werd verlicht door de koplampen. Ze herkende Andy’s stationwagen.

Misschien was er niks aan de hand. Misschien wilde Bobo echt alleen maar praten.

Maar de volgende ochtend was Misery nog niet terug. Peter wilde langs plekken gaan waar ze vaak kwam, maar zijn ouders smeekten hem om thuis te blijven. Misery verdween wel vaker zonder iets te zeggen, ook toen alles nog goed was, en ze waren bovendien bang dat hem ook iets zou overkomen. Ze zaten de hele dag gespannen op de bank in de woonkamer te wachten, dronken kruidenthee en praatten over koetjes en kalfjes. Maar toen het alweer donker begon te worden en ze nog steeds niets hadden gehoord, wist Eliza dat ze moest opbiechten wat ze had gezien.

Ze was bang dat Peter kwaad zou worden omdat ze het niet eerder had verteld, maar kennelijk gaf de liefde je een vrijbrief voor dit soort dingen.

'Weet je zeker dat het Andy's auto was?'

'Absoluut.'

Vijf minuten later waren ze onderweg naar de Schoonmoeder. Peter was gespannen en in zichzelf gekeerd, dus keek Eliza uit het raam, naar de nutteloze lantaarnpalen en de hemel vol sterren. Nu er geen elektriciteit meer was, zag je er veel meer. Sterren in clusters bij elkaar die een groot gedraaid lint vormden. Constellaties waarin je met een beetje fantasie de wolken kon zien. Miljarden en miljarden sterren. Natuurlijk kon je die niet eeuwig ontwijken. Dat was hetzelfde als door de regen rennen en hopen dat je niet nat werd.

Bij de Schoonmoeder was alles donker en er stonden geen auto's voor de deur. Ze stapten uit en klopten toch op de deur.

'Er is niemand,' zei Eliza.

'Misschien zijn ze bij Bobo thuis.'

'Onmogelijk. Bobo woont in een soort caravan en zijn ouders zijn alcoholisten. Daar gaat nooit iemand naartoe.'

Peter trapte uit frustratie tegen de deur.

'Ik weet waar ze zijn,' zei iemand.

Eliza draaide zich om. Peter was al voor haar gesprongen.

Anita stak slapjes haar hand op. 'Hé, jongens. Zouden jullie me een lift kunnen geven?'

ANITA

Er waren maar een paar plekken in de stad die altijd openbleven, vierentwintig uur per dag, wat er in de wereld ook gebeurde, en Beth's Café was er een van. Het was er zo ontzettend druk dat mensen tussen de krukken bij de bar in moesten staan en de randen van hun borden over elkaar heen stonden. En zelfs al leek het menu wel een geheim document dat zwaar geredigeerd was en waarvan zeker tachtig procent was doorgestreept, zolang de noodgenerator het deed, werd er verse koffie geserveerd, tosti's, pannenkoeken en rösti, en dat was voldoende om de bel boven de deur de hele tijd te laten rinkelen.

Anita had de afgelopen dagen bijna de hele tijd in het café gezeten. Ze had een onvoorstelbare hoeveelheid koffie gedronken, zichzelf getrakteerd op zoete wafels en de tijd doorgebracht door met vreemden te praten. Als ze moe werd, dan ging ze naar haar auto en plofte op de achterbank. Een paar keer overwoog ze om naar huis te gaan, waar ze in ruil voor vernedering een warm bed en normaal eten kon krijgen, maar als ze aan de blik in haar moeders ogen dacht, die laatste keer dat ze elkaar hadden gezien – *ga maar, en stort jezelf in de verdoemenis* – dan wist ze dat ze nog liever op straat sliep.

Misschien zou ze de rest van haar korte leven zo hebben doorgebracht: restaurantvoedsel eten en in de Escalade slapen (die inmiddels niet meer was dan een metalen hut aangezien alle benzine op was nadat ze een keer met de motor aan in slaap was gevallen), maar op een middag had ze een paar mensen in het café iets horen zeggen. Het was een stel en ze hadden twee grote trekkersrugzakken bij zich gehad. De serveerster had gevraagd waar ze vandaan kwamen.

'Portland,' had de jongen gezegd.

'Wat doen jullie in Seattle?'

'We zijn hiernaartoe gekomen voor dat feest,' had het meisje gezegd. 'Het feest op het Boeing-terrein.'

'Dat is een heel stuk rijden voor een feest.'

'Tja. We zijn hier met een hele groep. Het was de afgelopen maand het enige waar we naar uitkeken.'

Anita had nauwelijks meer aan het Feest voor het Einde van de Wereld gedacht. Ze ging ervan uit dat het plan net zo ter ziele was als de rest van haar dromen. Maar toen ze met meer klanten van Beth's begon te praten, kwam ze erachter dat veel mensen van plan waren te gaan. Zelfs al gebeurde er dus niks, het gebeurde toch. Ze hadden Chad niet nodig om er een 'event' van te maken of een 'community' te scheppen. Het enige wat ze nodig hadden waren enthousiaste mensen.

Anita besloot dat ze Andy moest zien te vinden, want zonder hem zou het Feest voor het Einde van de Wereld nergens op slaan. Natuurlijk was ze nijdig om wat er op de marinebasis was gebeurd, maar boos blijven op iemand van wie je hield was hetzelfde als proberen een ijsklontje te bewaren in een beker warme chocolademelk: onmogelijk.

Andy zou of bij hem thuis zijn of in The Independent. De groene buitenwijk waar hij woonde was nog relatief veilig, maar het centrum van Seattle was veranderd in één groot slagveld waar bendes elkaar te lijf gingen. Anita liep daar liever niet in haar eentje rond en dus stalkte ze nu al drie dagen de Schoonmoeder in de hoop dat Andy zou opduiken.

Het laatste wat ze had verwacht was dat ze Eliza en Peter tegen het lijf zou lopen. Blijkbaar kon het bestaan van de karass niet genegeerd worden.

De serveerster drong zich tussen de mensen door. 'Hé, Anita. Tafel voor één persoon?'

'Drie, dit keer. Ik ben met vrienden.'

'We zitten behoorlijk vol, maar er is nog een plekje aan de Star Wars, als je het geluid niet erg vindt.'

'Nee, dat is prima.'

'Star Wars?' fluisterde Eliza. 'Wat betekent dat?'

Het betekende dat hun tafel de hellende glasplaat van een flipperkast was waar om de paar seconden R2-D2-bliepjes of een John Williams-riedel uitkwamen.

'Denk je dat Andy en Bobo hier zijn?' vroeg Peter.

'Nee,' zei Anita.

'Wat doen we hier dan?'

'Eten,' zei Eliza. 'Ik ben uitgehongerd.'

'De plek waar Andy en Bobo zijn, is 's avonds gevaarlijk,' legde Anita uit.

'Waar is het dan?'

Maar nog voor ze haar mond open had kunnen doen viel Eliza Anita in de rede. 'Niks zeggen. Als je het hem vertelt gaat hij toch, of het nou gevaarlijk is of niet.'

Peter keek kwaad maar leek toch ook een beetje blij omdat iemand hem zo goed kende. De verliefdheid straalde van hem en Eliza af. Anita had de laatste dagen, en misschien zelfs de laatste weken, een enorme hekel aan Eliza gehad, maar nu kon ze zich niet meer voorstellen waarom. Eliza kon onmogelijk iemands aartsvijand zijn. Ze zag er slordig en ongewassen uit en de kleren die ze aanhad waren duidelijk van Misery. Zodra Peter was opgestaan om naar de wc te gaan, greep Anita haar kans. Ze kon zich niet herinneren wanneer ze voor het laatst met een meisje had gekletst.

'Eliza, mag ik je wat vragen?'

'Tuurlijk.'

'Het is nogal persoonlijk. Een beetje... raar persoonlijk.'

'Barst maar los.'

'Met hoeveel jongens ben jij naar bed geweest?'

Eliza lachte. 'Geen idee. Ik ben de tel kwijt.'

'Echt?'

'Nee! Natuurlijk niet. Wie denk je wel niet dat ik ben!' Ze lachte nog harder. 'Twaalf. Het aantal is twaalf. Of wacht! Nee, nu is het dertien! Jemig. Is dat veel, vind je?'

'Ik weet het niet,' zei Anita, en ze meende het. 'Ik bedoel: ik ben nog niemand tegengekomen met wie ik het wil doen, dus voor mij is het moeilijk voor te stellen dat ik dertien jongens leuk genoeg vind. Aan de andere kant lopen er op aarde zeven miljard mensen rond. Als je het zo bekijkt ben je behoorlijk kieskeurig geweest.'

'Nou, als het je geruststelt: van de meeste jongens heb ik spijt.'

'Waarom deed je het dan?'

'Wil je een eerlijk antwoord?' Eliza keek even naar de wc's om zeker te weten dat Peter haar niet zou horen. 'Als je met een jongen naar bed gaat, komt er altijd een moment – misschien weet je wat ik bedoel – waarop je alles voor hem bent. Of misschien is het alleen de seks zelf die belangrijk voor hem is, maar dat is ook oké. Iedereen vindt het slecht, zoals jongens over seks denken, maar ik vind het heel puur. Als een puppy die wat lekkers wil. En wat is het probleem als ik met iets kleins iemand zo gelukkig kan maken.'

'Dus het is liefdadigheid?'

Eliza trok een gek gezicht. 'Zo klinkt het bijna, hè? Maar begrijp me niet verkeerd. Het voelt ook goed. Alleen niet zó goed. Meestal niet, tenminste. Maar soms, als ik mezelf echt de slechtste persoon op aarde vind, dan kan ik met seks iemand een paar minuten ongelooflijk gelukkig maken, en dan voel ik me beter.'

Anita vroeg zich af waarom ze zo bot en veroordelend tegen

Eliza had gedaan, terwijl zij ook gewoon een meisje was dat met dezelfde dingen worstelde als alle meisjes. 'Ik weet dat het allemaal niet zoveel zin meer heeft,' zei ze, 'maar ik moet het je toch zeggen. Jij bent retecool. Het is bijna irritant hoe ontzettend cool jij bent. Jij hoeft helemaal niet met een jongen naar bed te gaan om hem ongelooflijk gelukkig te maken. Ik bedoel, je had eens moeten weten hoe gelukkig Andy was, gewoon als jullie iets gingen drinken.'

'Alleen maar omdat hij dacht dat er iets zou kunnen gebeuren. Het ging dus nog steeds om seks. Jij was degene die hij echt leuk vond. De manier waarop hij het over jouw stem had en de dingen die jullie samen aan het schrijven waren; dat was liefde. Hij is alleen echt een jongen, dus dat ziet hij niet in.'

Anita wist dat het niet waar was, maar het was wel aardig van Eliza dat ze het zei.

Peter kwam terug van de wc en daarna kwam het eten tegelijk met de rekening. Niet veel later vroeg de serveerster of ze de flipperkast wilden vrijmaken voor nog een openhartig gesprek op het laatste moment.

De volgende dag was het zondag; twee dagen voor het einde van de wereld. Nadat ze de nacht bij Peter thuis hadden doorgebracht, waren ze alle drie voor dag en dauw opgestaan en nu zaten ze in de auto op weg naar The Independent. Alhoewel Peter naar binnen wilde stormen om te eisen dat hij zijn zus te spreken kreeg, had Anita hem ervan overtuigd dat het veiliger was als zij naar binnen ging en hij en Eliza buiten op haar wachtten. Misery zou haar laatste dagen op aarde hoe dan ook niet in een of andere donkere kamer doorbrengen.

Rond twaalf uur zagen ze Bobo en Andy uit het gebouw komen, met hun skateboards in de hand. Ze stapten in Andy's stationwagen.

'Waarom is Misery er niet bij?' vroeg Peter.

'Geen idee. Misschien is ze binnen, of misschien is ze ergens anders.'

'Ze gaan haar vast halen,' zei Eliza. 'We moeten ze volgen.'

Andy nam de snelweg in noordelijke richting en ging er bij de afslag voor het winkelcentrum Northgate weer af. Hij sjeesde echter zo snel de afrit af dat hij nergens meer te bekennen was toen Peter beneden aankwam. Peter zette de jeep op de kleine parkeerplaats neer en ze stapten alle drie uit.

Het was de mooiste dag die Seattle in maanden had meegemaakt. Alle wolken waren verdwenen en de zon leek een perfect wit rondje dat uit de blauwe lucht was geknipt. Het weer vormde een dramatisch contrast met het winkelcentrum zelf: hier was een uitgebrande McDonalds, daar de zwarte resten van een Kentucky. Verderop was een vernielde Bata die er niet eens veel slechter uitzag dan een Bata er normaal gesproken uitzag. Het hele complex was in de fik gestoken, en nog niet zo lang geleden. Er hing een indringende brandlucht.

'Wat is dat?' vroeg Eliza.

Ergens niet ver bij hen vandaan klonk een bekend geluid.

'Skateboards,' zei Peter.

Op de parkeerplaats aan de achterkant gingen Andy en Bobo om de beurt van een ramp af die was gemaakt van oude telefoonboeken en een enorm oranje verkeersbord. Andy wilde net aan zijn afdaling beginnen toen Anita schreeuwde: 'Niet schrikken!' Hij draaide juist op het verkeerde moment zijn hoofd om en viel halverwege de ramp op zijn kont. Bobo had zijn board al in zijn handen en zwaaide het naar achteren om iemand z'n kop eraf te slaan.

'Anita!' Andy klauterde overeind en rende op haar af. Ze had zichzelf voorbereid op een heel ongemakkelijk moment of op woede, maar niet op de langste omhelzing die ze ooit van een jongen had gehad. Het was zo'n omhelzing waardoor je wist dat degene die je omhelsde heel veel behoefte had aan een omhelzing, of hij ging ervan uit dat jíj er heel erg behoefte aan had. 'Het is zo fucking goed om je te zien,' zei hij.

'Ja.'

Hij drukte haar nog één keer stevig tegen zich aan en liet haar toen los. Hij keek naar Peter. 'Gast. Ik moet je mijn excuses aanbieden.'

Peter leek verrast. 'Het is oké, man.'

'Nee, dat is het niet. Ik was superdronken. En... er was een heleboel aan de hand.'

'Ja, ik weet het.'

Ze gaven elkaar een hand, en toen rende Eliza ernaartoe en sloeg haar armen om hen alle drie heen als een soort groepsomhelzing.

'De karass,' zei ze. 'Eindelijk samen.'

'Wat zijn jullie aan het doen?' vroeg Bobo. Zijn nijdige woorden maakten een einde aan de verzoening.

'We zijn jullie gevolgd,' zei Peter. 'We zoeken mijn zus.'

'O ja?' Bobo liet zijn board op de grond vallen, trapte hem weer omhoog en ving hem op. Hij hield zijn blik op de grond gericht alsof hij iets zocht wat hij daar had laten vallen. 'Volgens mij is ze uit met een stel vriendinnen.'

'Welke vriendinnen?'

'Geen idee. Ik ben haar vader niet. Dat ben jij, als je het mij vraagt. En ik word niet graag gevolgd.'

'Jammer dan.'

Hun woorden waren nog steeds doordrenkt van haat. Anita probeerde de spanning te sussen. 'Hé, en waarom zijn jullie helemaal hiernaartoe gegaan? Alleen om te skaten?' vroeg ze.

'Omdat we hier ook de boel in de fik kunnen steken,' zei Andy grijnzend. 'Willen jullie het ook proberen?'

'Doe niet zo dom,' zei Bobo. 'Zij zijn de good guys. Natuurlijk hebben ze geen zin om mee te doen.'

Normaal gesproken zou hij gelijk hebben, maar Anita wist inmiddels dat iedereen sinds Ardor dingen deed die hij nooit van zichzelf had verwacht. En wat maakte het uit als er nog een paar van die rotwinkels afbrandden? De wereld was er niet mooier op geworden met dit soort wanstaltige gebouwen. 'Hmm. Misschien kan ik wel overgehaald worden. Als jullie tenminste nog iets voor me overeind laten staan hier.'

'Anita, meen je dat?' vroeg Peter.

'Waarom niet?'

Bobo staarde naar de horizon. 'Ik heb een goede plek in gedachten,' zei hij, en hij wees. Een filiaal van Target, net aan de overkant van de weg.

'Ik heb altijd al een hekel aan Target gehad,' zei Anita.

Zoals bijna alles in deze vergankelijke wereld, waren de ramen van Target al weken geleden kapot gegooid en alles van waarde was al verdwenen. Toch wisten ze nog een lunch bij elkaar te scharrelen van crackers, popcorn en chips: voedsel dat niet alleen een apocalyps zou overleven, maar dat waarschijnlijk nog steeds knapperig zou zijn als de eerste nieuwe vorm van leven weer uit de modder kwam kruipen.

'En, hoe pakken we dit aan?' vroeg Anita.

'Nou,' zei Andy, 'dankzij de goede mensen die de leiding hebben over onze staat, heeft Target nu ook een vergunning om sterkedrank te verkopen. En die troep fikt! Natuurlijk was alles op de begane grond al gejat, maar Bobo en ik hebben nog een voorraad achterin gevonden.'

Achter de textielafdeling waren een paar dubbele deuren die toegang gaven tot een labyrint van hoge kasten volgestouwd met dozen. Ze sleepten een hele doos Goret-wodka (afgeprijsd naar 3,99 dollar per fles) terug naar de winkel.

'Dit schatje is van mij,' zei Bobo. Hij haalde een fles uit de doos, nam een slok en begon door de winkel te rennen terwijl hij een spoor achterliet van bijna vijftig procent alcohol. Anita had nooit de behoefte gehad om dingen te vernielen, maar jezus, dit zag er goed uit. Ze schroefde de doppen van twee flessen, hield ze op hun kop en rende zo snel als ze kon tussen de schappen door. Toen ze leeg waren gooide ze ze naar een display met haarverf. Er volgde een explosie van glas en gerinkel van scherven. Ze had niet geweten dat ze hier zo'n behoefte aan had: een kans om letterlijk alle woede weg te branden die ze in zich had, de woede die ze had gevoeld toen ze Andy en Eliza samen had gezien, de teleurstelling omdat haar rotouders het zover hadden laten komen dat ze haar eigen huis had moeten verlaten, al de frustratie over een zinloos leven. Ze bracht een onsamenhangende oorlogskreet uit en hoorde dat de anderen haar naschreeuwden, door de hele winkel heen. Alleen Peter deed niet mee. Hij staarde met een strak gezicht voor zich uit en wachtte tot ze klaar waren.

Binnen een paar minuten hadden ze overal glinsterende wodkalijnen getrokken. Bij de kassa's kwamen ze elkaar weer tegen. Andy haalde een doosje lucifers tevoorschijn.

'Aan jou de eer,' zei hij, en hij gaf Anita het doosje.

'Wat een gentleman.' Ze haalde de lucifer langs de strip. De vlam lichtte sissend op – wit, blauw, rood – en in die vlam kon ze de hele winkel zien die in een zee van vlammen zou veranderen: het speelgoed en de boeken en de cd's en de handdoeken en de doe-het-zelfpakketten. Het was het lot dat hun allemaal te wachten stond, waarschijnlijk binnen achtenveertig uur. Stof zijt gij en tot stof zult gij wederkeren. Maar al was het allemaal troep, opeens kon Anita zich voorstellen dat deze spullen niet verbrand wilden worden, net zomin als zij dat wilde. Ze hadden niet veel tijd meer. Wilden ze die tijd echt besteden aan het imiteren van Ardor? Was dat de nalatenschap van de mensheid? Puin en verval?

Ze blies de lucifer uit.

Bobo grinnikte. 'Ik wist het! Ik wist dat ze te laf was!'

'Ik geloof niet dat ik van mijn laatste paar uur op aarde kan genieten met de dood van een Target op mijn geweten.' Anita keek naar Andy. 'Vind je het erg?'

Hij nam het luciferdoosje uit haar hand en stopte het in zijn zak. 'Helemaal niet.'

Ze hadden zich nog niet omgedraaid of Anita hoorde het geklik van een aansteker achter zich. Bobo nam een hijs van een sigaret en raakte met de gloeiende punt de vloer aan. En het gebeurde: de flitsende pijl van vernietiging. De vlammen renden als omvallende dominostenen tussen de schappen door. 'Check die shit!' zei Bobo. 'Het lijkt het vuurwerk op Onafhankelijkheidsdag wel!'

Anita liep de winkel uit terwijl de hitte al voelbaar was in haar nek. Ze wist niet waarom ze zo kwaad was – het was tenslotte maar een Target – maar ze kon er niks aan doen. Waarom moesten jongens altijd iets kapotmaken om zich levend te voelen?

'Sorry voor Bobo,' zei Andy, die achter haar aan naar buiten liep. Peter en Eliza hadden zich teruggetrokken en stonden aan de andere kant van de parkeerplaats tegen een gedeukte oude Hyundai te kijken hoe de Target in vlammen opging.

'Het is oké.'

'Nee, dat is het echt niet. Dit ben ik niet, Anita. Ik wil niet dat je denkt dat ik zo ben. En hij was ook niet zo.'

'Als jij het zegt.'

'Ik meen het. Bobo is veranderd. En ik begin een beetje bang voor hem te worden.'

'Wat bedoel je?'

Hij gebaarde dat ze wat verder bij de winkel vandaan moesten gaan zodat niemand hen kon horen en zelfs toen fluisterde hij nog. 'Volgens mij is er echt iets mis met hem.'

'Je zegt het alsof het iets nieuws is.'

'Nu is het anders. Hij zegt dat Misery bij hem in The Independent logeert, maar ik slaap daar ook en ik heb haar nog niet één keer gezien. En hij laat me al een paar dagen niet binnen. Alsof hij iets te verbergen heeft.'

'Bedoel je dat Misery daar op dit moment ook is?'

'Ik weet niet waar ze is.'

Bobo kwam omringd door vlammen uit de Target en liep direct door naar Andy's stationwagen. 'Kom op, Maria!' riep hij over de parkeerplaats.

'Eén seconde!'

'Dus wat ga je nu doen?' vroeg Anita.

'Ik moet erachter zien te komen wat er aan de hand is. Dat ben ik Peter verschuldigd.'

Anita glimlachte. 'Je hebt hem inderdaad een schok gegeven.'

'Ik weet het. Ongelooflijk. Ik snap niet dat hij me nog geen rotschop heeft verkocht.'

'Dat snap ik ook niet.'

'Kom op!' schreeuwde Bobo.

Andy pakte haar hand vast. 'Ik zorg dat Misery thuiskomt, oké? Nog voordat ons feest begint.'

'Oké.'

Ons feest. Anita was met haar gedachten zo bij die woorden en bij het warme gevoel dat ze erbij had gekregen, dat ze nauwelijks hoorde waar Peter en Eliza het in de auto op de terugweg naar huis over hadden.

'Ik vertrouw hem voor geen meter,' zei Peter.

'Bobo bedoel je? Nee, wie wel,' zei Eliza.

'Misschien moeten we hem blijven achtervolgen.'

'Je zus is groot genoeg om voor zichzelf te zorgen, Peter.'

'Misschien.'

Anita stak haar arm tussen de stoelen door, zette de radio aan en zocht naar een zender, maar behalve een statische ruis als een woestijnwind viel er niets te horen. Misschien had ze op dat moment Peters stoïcijnse zwijgzaamheid moeten wantrouwen, zijn verbeten blik en de op elkaar geklemde kaken, maar ze was al bijna bij de voordeur toen ze besefte dat hij niet uit de auto was gestapt. Op dat moment rende Eliza terug; over het kiezelpad naar de oprijlaan, en schreeuwde moord en brand tegen de achterkant van de jeep, die de straat uit scheurde en richting de stad reed.

PETER

De hal van The Independent was leeg. Stofdeeltjes dreven in het zwakke licht als dode insecten op het water. In de schouw van de open haard lag een grote berg vuilnis en in de hoek zat een junky met een vies laken om zich heen geslagen. Je kon niet eens zien of het een man of een vrouw was, maar hij of zij neuriede een woordloze (en dus eindeloze) versie van 'Ninety-nine Bottles of Beer on the Wall'. Peter stond bij de verlaten receptie en vroeg zich af wat hij in godsnaam moest beginnen, toen er uit een deuropening achterin een stel mannen kwamen. Ze droegen versleten leren kleding en laarzen met studs.

'Hé,' zei Peter.

'Wat moet je, klootzak?' De man klonk eerder uitgeput dan bedreigend.

'Ik zoek mijn zus. Misery, heet ze. Of Samantha.'

'Nooit van gehoord.'

'Maar misschien ken je een vriend van me...' Peters maag kromp ineen terwijl hij het zei '...Bobo.'

De man grijnsde een mond vol mosterdgele tanden bloot. 'Hij zit op de zesde.'

'Weet je welke kamer?'

'Hoezo zou ik dat weten? Zie ik eruit als een homo?'

'Nee. Sorry. Bedankt voor je hulp.'

Op de overloop waren hier en daar kaarsen neergezet, maar de meeste waren opgebrand. Op de zesde verdieping kwam muziek uit een van de kamers. Peter bonkte hard op alle deuren, links en rechts van de gang, en achter zich hoorde hij er een paar opengaan.

'Ik zoek Bobo,' schreeuwde hij.

Het geluid van deuren die weer dichtgingen en gedempt gelach. En toen, maar een paar seconden daarna, iets zachts, heel dichtbij.

'Peter?'

Het kwam van achter de deur die het dichtst bij het raam was, het verst van de trap vandaan.

'Misery?'

'Peter! Haal me hier weg!'

Hij voelde aan de deurknop en hoewel die gewoon draaide en het niet leek of hij op slot zat, was er geen beweging in de deur te krijgen. Beneden zag hij de boosdoener: twee metalen platen met een ring, die in de vloer en in de deur waren geschroefd en die bij elkaar gehouden werden door een hangslot. Peter zette zich klem tegen de tegenoverliggende muur en trapte, telkens opnieuw, net zo lang tot de schroeven uit het hout kwamen en de deur openzwaaide.

Misery kwam uit de duisternis tevoorschijn gerend. Haar zwarte mascara was uitgelopen door haar tranen. Ze sloeg snikkend haar armen om hem heen. 'Het spijt me zo,' zei ze. 'Hij zei dat ik heel even moest wachten, en toen sloot hij me op.'

'Het komt goed,' zei Peter, en hij streek over haar haar, blij dat hij zoveel groter was en zij de razernij op zijn gezicht niet kon zien. Hij wist dat Ardor sommige mensen tot wanhoop dreef, maar hij had nooit verwacht dat die wanhoop hem van zo dichtbij zou raken.

Misery maakte zich los en in het zwakke licht dat door het raam naar binnen viel, zag hij haar ogen groot worden. 'Peter,' was het enige wat ze zei, maar de waarschuwende toon in haar stem vertelde hem genoeg.

Hij draaide zich om. Er kwam een groep silhouetten door de gang dichterbij. Vormloos en zonder gezichten.

'Wie is daar?' vroeg een van hen.

'Ren zodra je kunt,' fluisterde Peter.

Ze konden onmogelijk alle twee ontsnappen, maar in de duisternis, in de kluwen van armen en benen, kon hij op z'n minst proberen ruimte voor haar te maken. Hij begon te rennen en met een dubbele *clothesline* beukte hij iedereen omver, en vanaf de grond zag Peter Misery door de gang verdwijnen.

Eigenlijk waren het nog maar kinderen – niet veel ouder dan Peter zelf – maar ze hadden allemaal dezelfde holle ogen en opgejaagde blikken: drugsverslaafden. Ze sleepten hem de trappen af, door de hal, en namen hem mee naar een ruimte achter een deur waar FITNESS op stond. Daar waren nog meer trappen. Peter was nog nooit in zo'n treurige sportruimte geweest: grijs tapijt, een paar oude spinfietsen en een stel beschadigde ijzeren gewichten, en in het flikkerende kaarslicht zag alles er helemaal vreemd uit.

'Trek je schoenen uit,' zei een van de jongens.

'Meen je dat?'

'Doe het nou maar. En je sokken ook.'

Terwijl ze hem in zijn rug duwden liep hij verder, op zijn blote voeten langs de fietsen en de gewichten, voorbij een rek met versleten handdoeken en een lege waterkoeler. Vervolgens kwamen ze via een klapdeur in een kleedruimte. De zware lucht van stoom kwam hem tegemoet. Een zwarte rubberen mat op de vloer drukte kleine zeshoeken in zijn voetzolen. Toen ging er ruisend een deur van matglas open en werd er een brede, lage ruimte zichtbaar, vol hete lucht en een klein halogeenlampje op batterijen. In de wanden waren een stuk of zes douchekoppen bevestigd die allemaal aanstonden en waarvan het hete water naar het enige afvoerputje in het midden van de ruimte stroomde. De vloer, de muren en het plafond waren allemaal betegeld in een vieze bruingele kleur en alles was wazig door de mist. Het water was zo bloedheet dat Peter op zijn tenen moest lopen.

Op een lange bruine bank vlak naast de deur zat Golden, met zijn rug tegen de muur. Op een handdoek om zijn middel en zijn beruchte ketting om zijn nek na, was hij naakt. Toen hij Peter zag, lachte hij.

'Deze jongen heeft Bobo's deur ingetrapt,' zei een van de junkies. 'Hij zei dat hij zijn zus zocht, of zo.'

'Haal Bobo,' zei Golden. 'Hij is volgens mij op het dak.'

De junkies gingen weg. Toen de deur open- en dichtging, kringelde de stoom omhoog en zag Peter Golden duidelijker zitten. Zijn huid was een schetsboek vol tattoos: op zijn rechterarm een omgekeerd kruis en bloeddruppels, op zijn linkerarm een naakte vrouw die op het schavot van een galg stapte, waar een beul in een zwart pak naast stond. Zijn hele borst werd in beslag genomen door een afbeelding van de hel, met vaag-rode vlammen en duivels die met hun drietand de zondaars straften. De ogen van de gepijnigde mannen en vrouwen waren naar boven gericht, naar de plek waar de tattoo eindelijk ophield: vlak onder zijn adamsappel.

Peter overwoog om het op een lopen te zetten, maar Golden zat tussen hem en de deur in, en op de bank naast hem lag, vlak bij zijn heup, als een huisdier, een pistool met een korte loop.

'Hé, big man.'

'Hoe kan het nou dat jij nog steeds warm water hebt?' Een belachelijke vraag, maar Peter was zo bang dat de vreemdste dingen in hem opkwamen.

'We hebben met de gasleiding geknutseld. Hoezo, wou je een douche nemen?'

'Nee, ik vroeg het me gewoon af.'

'Eigenlijk is het wel een heel goed idee. Waarom kleed je je niet uit, big man? Dan maak ik het me ook makkelijk.' Golden bracht zijn hand naar zijn nek, maakte zijn ketting los en wikkelde hem lus voor lus van zijn hals.

'Liever niet.'

'Het was geen vraag.'

Peter wist dat het zou overkomen alsof hij zich overgaf, maar aan de andere kant was de hitte in de ruimte verstikkend heet. Hij trok zijn trui en zijn T-shirt uit, al was het maar omdat hij dan beter voorbereid zou zijn op wat zou komen.

'Peter!' zei Golden opgewekt. 'Je hebt een tattoo!'

Hij had hem een jaar geleden in Los Angeles laten zetten, toen hij met het basketbalteam naar de landskampioenschappen was geweest. Na de laatste wedstrijd hadden ze het in het hotel op een zuipen gezet en daarna waren ze de stad gaan verkennen. Ze hadden geen bar kunnen vinden waar ze met hun vervalste identiteitskaarten binnen konden komen, maar een tattoostudio met de naam Sunset Body Art was maar al te blij met een stel minderjarige klanten. Bijna iedereen van het team koos voor iets wat je zo vaak zag: Chinese tekens voor overwinning, rugnummers, namen van vriendinnen en, in Cartiers geval een ouderwetse MAMA in krullende gotische letters – maar Peter wilde iets bijzonders. Hij zei tegen de tatoeëerder dat hij iets zocht waarmee hij zijn broer kon eren, maar zonder dat het voor de hand liggend of sentimenteel was.

'Wat betekent het?' vroeg Golden.

'Niets.'

'Natuurlijk betekent het iets.'

'Jou zegt het waarschijnlijk geen ene reet,' snauwde Peter.

Golden pakte het pistool op en schoot een kogel in het plafond. In zo'n kleine ruimte was het geluid oorverdovend.

'Probeer het nog een keer,' zei Golden.

'Het is gewoon niet zo makkelijk uit te leggen,' zei Peter met een trillende stem. 'Het is een Keltisch kruis, zoals die ook op grafstenen staan. En de cirkel eromheen, de slang die in zijn eigen staart bijt, is een symbool voor de eeuwigheid. Maar een cirkel met een kruis erin is ook het symbool voor de aarde. Dus voor mij gaat het eigenlijk over de Opstanding. Of over opstanding in zijn algemeen.'

Golden knikte. 'Ik vind het mooi. De opstanding. Weet je, ik heb zelf ook zoiets.'

Hij stond op, draaide zich om en liet behalve zijn rugspieren, ook een net gezette tattoo zien die helemaal van zijn middel tot aan de bobbel boven aan zijn ruggengraat liep. De kleuren waren zo helder en stralend dat het wel leek of de afbeelding van achteren verlicht werd. Links onderaan, net boven zijn middel, stond de aarde, draaiend als een kleine blauwe knikker. En daarvandaan tot aan zijn schouder was de uitgestrekte pikzwarte hemel zichtbaar – pijnlijke uren onder de naald van de tatoeëerder – onderbroken door een paar kleine witte sterren die in feite de kleur van Goldens huid hadden die door de inkt heen scheen. En de andere schouder werd helemaal in beslag genomen door een grillige, misvormde steen die met rode, paarse en oranje kleuren door de hemel schoot, en daar net boven kwam een hand uit de wolken die zo was weergegeven alsof hij net iets had gegooid. Op de zijkant van de steen stonden een paar woorden: EN GOD ZAG DAT DE BOOSHEID DES MENSEN MENIGVULDIG WAS OP DE AARD.

'Ken je die zin?' vroeg Golden.

'Hij komt uit Genesis.'

'Precies.' Golden draaide zich weer om. 'Het is vlak voor de zondvloed.'

De deur van de sauna zwaaide open. Bobo zag er hondsmoe uit, met helderpaarse wallen onder zijn ogen.

'Peter?' zei hij. 'What the fuck?'

Golden wierp zijn ketting naar Bobo, die het einde ervan nog net kon vastgrijpen. 'Je raadt nooit wat big man heeft gedaan.'

'Wat dan?'

'Hij heeft je deur ingetrapt.'

Bobo's gezicht vertrok van woede en angst. 'Waar is Misery?'

'Ze is ontsnapt,' zei Peter, en hij deed niet eens zijn best om zijn glimlach te verbergen. 'Ze is weg.'

De eerste stoot was verrassend kort en hard; Peter wankelde op zijn benen. Rode druppels dropen van zijn neus op de tegels. Hij hief zijn vuisten op om zich te verdedigen.

'Handen op je rug,' zei Golden. Hij had het pistool op Peters voorhoofd gericht. 'Bobo, bind hem vast, anders geeft hij je waarschijnlijk per ongeluk een rottrap.'

'Je hoeft dit niet te doen,' zei Peter tegen Bobo. 'Wat heeft het voor zin?'

'Zin?' zei Bobo, terwijl hij de ketting om Peters polsen bond en hem vastmaakte. 'Waarom zou het zin moeten hebben? Dit is het einde, man. Niks heeft nog zin.'

'Dit is niet het einde.'

Bobo schudde zijn hoofd. 'We kunnen niet allemaal zo optimistisch zijn als jij, Peter.'

'Het is geen optimisme...'

'Ik zal je bewijzen dat dit het einde is!'

...het is geloof, wilde Peter zeggen, maar voordat hij dat kon, kwam er een nieuwe dreun, en hij kon zich niet meer herinneren of hij iets had gezegd of dat hij alleen iets had willen zeggen, want er was alleen nog pijn en de verstikkende stoom en de aanraking met Bobo's huid terwijl Peter tegen de tegelvloer werd gewerkt, en de ene stomp na de andere volgde; harde, zware klappen die als meteorieten in zijn hersenen explodeerden totdat hij zich eindelijk, dankbaar, overgaf aan de allesoverheersende pijn.

2

ANDY

Tijdens de terugweg naar The Independent, terwijl Bobo aan één stuk door zeikte over Peter (die klootzak die de lucht uit zijn longen had gestompt) en Anita (die trut die het bij de Target in haar broek had gedaan) en Eliza (die slet met haar grote ego), voelde Andy de band met zijn 'beste vriend' afbrokkelen, als dat suikerklontje dat Anita altijd net boven haar hete koffie hield. Hij had zeker geweten dat hij het bij de marinebasis voor altijd verpest had, maar toen had de hele karass daar opeens bij het winkelcentrum gestaan. Anita en Eliza hadden hun armen om hem heen geslagen (en had hij het verzonnen of had Anita hem inderdaad zo lang mogelijk vastgehouden?), en zelfs Peter, die meer dan wie dan ook reden had om hem te haten, had duidelijk gemaakt dat hij geen wrok koesterde.

Andy had niet veel ervaring als het om vergiffenis ging – Bobo had hem nooit vergeven dat hij hun pact had verbroken – dus hij had nooit geweten hoe sterk de uitwerking ervan kon zijn. Het gaf hem het gevoel dat hij een beter mens wilde zijn, iemand die vergiffenis verdiende.

Dus nu had hij een nieuwe opdracht. Hij zou Misery vinden en haar naar huis brengen, wat Bobo er ook van vond.

'Ik ga kijken of ze zich al wat beter voelt,' zei Bobo toen ze bij The Independent waren.

Andy liep achter hem aan de trap op. 'Ik ga met je mee,' zei hij. 'Ik heb Misery al zo lang niet gezien.'

'Kan je misschien wachten? Ik moet even alleen met haar zijn.'

'Waarom?'

'Laat nou maar, oké?' schreeuwde Bobo. Zijn woorden ketsten tegen de harde muren van het trappenhuis. Andy's hart bonkte als een basdrum in zijn borstkas. Voor de eerste keer in zijn leven was hij echt bang voor Bobo.

'Hé, man, wat is er aan de hand?'

Bobo gooide uit frustratie zijn armen in de lucht – en zou hij gezien hebben dat Andy in elkaar dook? 'Ik weet het niet. Ik bedoel, ik mag het niet zeggen.'

'Wat mag je niet zeggen?'

'Ik kan het je hier niet vertellen. Iedereen kan ons horen. Kom mee.'

Op het dak was weinig over van Goldens oneindige feest. Er was nog een kleine groep mensen die rond de enige nog werkende gaslamp stonden, als zwervers die hun handen aan een vuurton warmden.

Bobo nam Andy mee naar een koude, rustige hoek van het dak. 'Oké, ben je er klaar voor?' Hij zuchtte diep. 'Misery is zwanger.'

Andy's hart begon weer te bonzen. Niet omdat hij dacht dat het waar was – daarvoor kwam de verklaring veel te laat en leken de woorden te zeer op een slechte soaptekst – maar om wat de leugen moest verbergen. Als Bobo zo ver ging om Andy bij Misery uit de buurt te houden, dan was er echt iets heel erg mis.

'Wauw,' zei Andy, die het zo goed mogelijk meespeelde. 'Hoelang weet je dat al?'

'Een paar weken. Ze wilde het weg laten halen, maar toen gingen alle klinieken dicht. Daarom is ze van huis weggelopen. Omdat ze bang was dat ze het niet meer verborgen kon houden toen Eliza bij hen kwam logeren.'

'Ze zal het wel onwijs zwaar hebben. Ik moet echt met haar praten.'

Bobo schudde zijn hoofd. 'Nee, joh. Ze wordt hartstikke kwaad op me als ze erachter komt dat ik het heb verteld. En ze is bovendien bekaf, bijna de hele tijd. Ik durf te wedden dat ze nu ook weer slaapt. Maar ik zal haar morgen overhalen om mee naar buiten te gaan, oké?'

'Oké.'

'Goed. Kom op, dan drinken we een paar biertjes en vergeten we die hele shit.'

Maar er was geen bier meer. Alleen nog een paar lauwe blikjes Sprite – en Andy was helemaal niet van plan om wat dan ook te vergeten. Hij was een stille spion die in het geheim voor het Karass Team werkte en die op het juiste moment wachtte om in actie te komen.

En hij hoefde niet lang te wachten. Ze waren nog niet eens een uur op het dak toen er een jongen uit het trappenhuis kwam rennen die Andy niet kende.

'Hé Bobo!'

'Wat is er?'

'Golden zegt dat je beneden moet komen. Hij heeft iets voor je.'

'Hopelijk is het wiet,' zei Bobo. Andy moest zijn best doen om te lachen. 'Ga je mee?'

'Nee, ik blijf hier nog even hangen.'

'Cool. Ik zie je zo.'

Andy wachtte even en liep toen direct door naar Bobo's kamer op de zesde verdieping.

Hij had geen idee wat hij zou aantreffen, maar toen hij door de *Shining*-achtige gang liep, bekroop hem een vaag horrorfilmgevoel. De deur die het dichtst bij het raam was, was half uit zijn voegen getrapt. Op de grond zat een ring met een hangslot dat nog aan de vloer vastzat. In de kamer achter de deur was het één grote puinhoop: gebroken spiegels, gescheurde lakens, versplinterde meubels; alsof er een wild beest opgesloten had gezeten.

Er was maar één verklaring mogelijk. Bobo had Misery op de een of andere manier meegelokt en haar toen op zijn kamer opgesloten. Misschien had hij haar willen straffen omdat ze hem had gedumpt, of misschien had hij gedacht dat hij haar echt kon overhalen om het hem te vergeven, als ze hem maar rustig wilde aanhoren.

Andy werd kotsmisselijk bij de gedachte dat hij iemand die hiertoe in staat was, zijn vriend had genoemd. Maar tegelijkertijd voelde hij zich opgelucht. Sinds de nacht dat hij het pact had verbroken, had hij zichzelf verwijten gemaakt. Nu kon hij zijn beste vriend eindelijk haten. En dat deed hij. Nog nooit had hij zo'n intense, oprechte haat gevoeld als hij nu voor Bobo voelde. En het voelde goed, omdat hij nu op dezelfde lijn zat als zijn andere vrienden: Misery, Anita, Eliza...

En Peter.

Het laatste puzzelstukje viel op zijn plek. De ingetrapte deur. Het 'iets' wat Golden beneden voor Bobo had.

Andy stormde terug de gang op, de trap af, twee treden tegelijk, en hij rende zo snel door de lobby dat hij ze niet had gezien als ze hem niet hadden geroepen.

'Andy!'

Het waren Eliza en Anita.

'Hé!' Zijn blijdschap om hen te zien sloeg bijna onmiddellijk om in angst voor hun veiligheid.

Eliza greep hem bij zijn pols. 'Is Peter hier? Heb je hem gezien?'

Andy wist dat ze per se met hem mee naar beneden zou willen gaan als hij haar zou vertellen wat hij gezien had.

'Jullie moeten hier weg, Eliza. Ga terug naar Peters huis. Ik beloof dat ik hem en Misery zo snel mogelijk daarnaartoe breng.'

'We gaan helemaal nergens heen.'

'Jullie begrijpen het niet. Het is hier gevaarlijk.'

'Dat kan ons niet schelen.'

Hoe langer hij hier met hen bleef staan praten, hoe langer Peter op zijn hulp moest wachten. 'Oké, ga naar de tweede verdieping. Als het goed is, is de deur van kamer 212 open. Daar slaap ik altijd als ik hier ben.'

'Is Peter daar?'

'Hij komt daar ook naartoe.'

En toen zette Andy het weer op een rennen, via de deur naar de trappen van de fitnessruimte. Bobo en Golden kwamen net uit de douches.

'Andy, *my man*!' Golden klikte de sluiting van zijn ketting dicht. 'Je hebt de show gemist!'

'Welke show?' Andy had de vraag aan Bobo gesteld, maar zijn vroegere beste vriend zei geen woord. Hij keek alsof hij net van het slagveld kwam. 'Bobo? Gaat het?'

'Maak je om hem maar geen zorgen,' zei Golden. 'Hij was een prof daarbinnen, godverdomme. Helaas zijn we wel zijn vriendinnetje kwijt.'

'Heb jij haar gezien?' fluisterde Bobo.

'Nee.'

Golden gaf Bobo een klap op zijn rug. 'Waarschijnlijk is ze allang weg, man. Kom op, bokser, dan gaan we wat te drinken voor je halen. Het echte spul bewaar ik op mijn kamer.'

'Ik zie jullie zo wel,' zei Andy. 'Ik moet pissen.'

'Denk erom, een van de hokjes is bezet,' zei Golden. Hij lachte, en voor het eerst lachte Bobo niet mee.

Andy wist wat hij zou aantreffen, nog voordat hij het uitgesmeerde bloedspoor zag dat van de sauna naar de wc's liep. Peter lag in het laatste hokje. Hij hing tegen de wc-pot aan en zag er afgrijselijk uit. Eén oog zat dicht en was helemaal opgezwollen en het andere hing half open. Het onderste deel van zijn gezicht zat onder het bloed. Hij had geen shirt aan en overal op zijn ribbenkast zaten donkerblauwe, beurse plekken met vermiljoenrode halo's eromheen. Om zijn polsen zat een band van bloederige wondjes, maar het ergste van alles was de grote wond op zijn rechter biceps waar de huid was verdwenen en je zo het vlees zag. Aan de randen zag Andy zwarte inkt, alsof er op de plek van de wond een tattoo had gezeten.

Peter keek omhoog. Zijn gezicht was zo opgezwollen dat er verder geen emotie op te zien was.

'Ik ben hier om je te helpen,' zei Andy, en hij knielde. Samen kwamen ze zo voorzichtig mogelijk omhoog. Peter kreunde bij elke stap. Het kostte wel een kwartier om hem terug naar de hal te brengen.

'Peter, je moet hier even wachten, oké. Ik haal de meiden en dan gaan we weg.'

'Is Eliza er?' zei Peter.

'Ja.'

'Dan ga ik met je mee.'

'Maar je...'

Een knal van een geweerschot ergens boven hen. Andy was vergeten dat Goldens kamer ook op de tweede verdieping was. Hij had Anita en Eliza daar net naartoe gestuurd...

Hij rende naar het trappenhuis terwijl Peter hinkend achter hem aan kwam. Op dat moment werd de deur vanaf de andere kant opengezwaaid en kwam Golden naar buiten; voorovergebogen en met zijn handen op iets nats en roods aan de zijkant van zijn buik. Terwijl hij langs hen strompelde, stootte hij één grote stroom vloeken uit, en zonder aandacht voor wat dan ook, behalve voor zijn pijn, verliet hij The Independent.

Blind van angst denderde Andy de trap op en in een paar sprongen was hij boven.

Duisternis. En toen het diffuse licht van een paar sterren die door het raam aan het eind van de gang naar binnen schenen. Een paar van de sterren verdwenen. Het licht werd geblokkeerd door iemands silhouet. Misschien was het Bobo? Misschien had hij het pistool? Andy rende in volle vaart op de schaduw af, en trok hem mee naar de grond. Handen die naar zijn gezicht uithaalden, knieën die zijn kwetsbare plek tussen zijn benen probeerden te raken. Hij wilde net zelf een paar klappen uitdelen toen hem iets opviel: een geur. Een geur die, te midden van al het absurde wat er gebeurde, heel erg vertrouwd was.

'Anita,' zei hij, en hij probeerde die verrassend sterke armen tegen de grond te drukken, 'niet slaan!'

'Andy?'

Hij ging van haar af en stak zijn hand uit om haar omhoog te trekken. 'Het spijt me, ik had geen idee dat jij het was.'

Hij was het niet van plan geweest. Hij had haar alleen overeind willen helpen. Maar ze waren dichter bij elkaar geweest dan hij dacht, en haar gezicht kwam vlak bij zijn gezicht en in die halve seconde wist hij dat hij het moest doen, want misschien kregen ze wel geen tweede kans. De zoen duurde niet langer dan twee seconden, maar dat was lang genoeg om zijn mond open te doen en een klein beetje van haar adem in te ademen. Een paar seconden waarin al dat verschrikkelijke wat er aan de hand was – met Bobo en Golden en zelfs dat met Ardor – heel even kon wegdrijven, het heelal uit.

'Ben jij dat, Andy?' vroeg een andere stem. Een paar meter bij hem vandaan zag hij iemand met oranje haren dichterbij kruipen.

'Misery?' zei Andy. 'Godzijdank.' Hij stak zijn arm uit en drukte haar samen met Anita tegen zich aan.

'Wie zijn dat?' vroeg Peter vanaf de trap.

'Anita en Misery,' zei Andy.

'En Eliza?'

'Ik dacht dat ze met Misery en mij de kamer uit was gerend,' zei Anita. 'Maar ik ben haar in het donker kwijtgeraakt.'

'Eliza!' begon Peter te roepen, maar hij moest hoesten en zijn woorden gingen verloren. De rest nam het van hem over. 'Eliza! Eliza!'

Een paar seconden later ging de deur van kamer 212 langzaam open. De deur kraakte. Het maanlicht scheen achter haar aan de gang in en verlichtte de naakte huid van haar schouders en middel en het kanten bandje van haar bh. In eerste instantie dacht Andy dat het door de speling van het licht kwam – dat roestkleurige spoor dat over haar buik liep en de bovenkant van haar jeans donkerkleurde. Maar toen hij dichterbij kwam, zag hij wat het echt was.

'Wat is er gebeurd, Eliza?'

'Het spijt me,' zei ze, 'maar ik moest wel.'

'Wát moest je?'

Ze zei het nog een keer, wanhopiger, bijna hysterisch. 'Ik moest wel!'

ANITA

Er waren meer auto's op de weg dan ze in weken had gezien, en bijna elke auto ging dezelfde kant op. Als er een ongeluk zou gebeuren zou er zelfs een file kunnen ontstaan, net als in die goeie ouwe tijd. Anita dacht aan die warme middagen waarop alles muurvast stond, met de airconditioning en de radio op tien.

Kon je echt terugverlangen naar files?

'Denk je dat het allemaal voor het feest is?' vroeg ze. 'Ik bedoel, het zou morgen pas plaatsvinden, maar misschien willen ze zeker weten dat ze op tijd zijn.'

'Ik heb geen idee,' zei Eliza afwezig. 'Kan je niet wat sneller rijden?'

'Ik doe mijn best.'

Ze waren veel tijd verloren. Nadat Peter met de jeep was weggescheurd, was Eliza direct het huis binnengegaan en had om de sleutels van de Jetta van Peters moeder gevraagd, maar die had alleen maar al haar angstige moedervragen op haar afgevuurd: *Waar is Peter? Is hij bij Samantha? Waarom komt hij de auto zelf niet halen? Wat gaan jullie ermee doen? Is het niet gevaarlijk?* Eliza was gaan schreeuwen, en toen was Peters moeder ook gaan schreeuwen, en Peters vader had hen alle twee nog bozer gemaakt omdat hij geen partij had willen kiezen. Terwijl iedereen ruzie had staan maken was Anita door de keukenlades gegaan tot ze het bekende Volkswagen-logo had gezien.

'Laat maar, mevrouw Roeslin,' had ze gezegd terwijl ze Eliza mee naar buiten sleurde, 'we gaan wel lopen.'

Net voorbij de afslag naar de 520, strekte Seattle zich voor hun raam uit als een afbeelding uit een pop-upboek. Mijn stad, dacht Anita. Het was zonde dat ze de kans nooit had gehad om naar andere uithoeken van deze planeet af te reizen – Parijs en Rome en Timboektoe – maar aan de andere kant: als je je leven lang in één stad had gewoond was de band daardoor wel inniger. Een soort geografische monogamie. Ze bekeek alles nu met andere ogen: van het chromatisch gekleurde museum van het Experience Music Project – een gebouw dat vanbuiten een hommage moest brengen aan de gesmolten gitaar van Jimi Hendrix, maar dat in werkelijkheid meer leek op de kots van een kind dat net een doosje kleurkrijtjes had opgegeten – tot de iconische Space Needle, die er nog steviger en monumentaler uitzag nu de liften niet constant als goudkleurige pissebedden op en neer kropen. Er lagen hier zo veel herinneringen: schoolreisjes naar het Pacific Science Center, avonden waarop ze in de enorme glazen kas van de openbare bibliotheek had zitten leren, stijve familiediners in dure restaurants. Ze kon er niets aan doen, maar ze miste nu alles, zelfs haar ouders, die in het verzachtende licht van al deze herinneringen veel minder hard leken. Anita realiseerde zich dat haat en afkeer, en zelfs onverschilligheid, dingen waren die je jezelf toestond omdat je veronderstelde dat alles altijd maar door zou blijven gaan. Haar geweten knaagde aan haar. Ondanks alles hoopte ze dat het goed ging met haar moeder en vader.

De witte pil aan de hemel zakte tot onder de lichtroze streep van de horizon.

'Ik ga dit allemaal zo missen,' zei Eliza.

'Ik dacht precies hetzelfde.'

De hemel gaf zijn laatste beetje licht af toen Anita voor The Independent parkeerde. Terwijl ze uit de auto stapte, keek ze even omhoog, naar Ardor. Ze wisten inmiddels allemaal precies waar ze hem konden vinden: een paar sterren onder de Grote

Beer. Hij zou er nooit erg groot uitzien, had Anita horen zeggen, omdat hij niet erg groot wás. Eerder een soort kogel dan een bom, hadden ze gezegd. Maar een kogel doodde net zo goed als een bom.

De hal van The Independent was een plek uit een andere eeuw. Het zou nog de charme van vergane glorie kunnen hebben, als er niet overal vuilnis lag en er een ontzettende stank hing.

'Waar zijn we?' vroeg Eliza.

'In de hel, volgens mij.'

Aan de andere kant van de hal zwaaide een deur open. Iemand kwam zo snel naar buiten gerend dat Anita instinctief haar vuisten balde.

'Andy!'

Hij gleed bijna uit toen hij inhield, als een stripheld uit een tekenfilm.

'Is Peter hier?' vroeg Eliza onmiddellijk. 'Heb je hem gezien?'

'Jullie moeten hier weg, Eliza. Ga terug naar Peters huis. Ik beloof dat ik hem en Misery zo snel mogelijk daarnaartoe breng.'

'We gaan helemaal nergens heen.'

'Jullie begrijpen het niet. Het is hier gevaarlijk.'

'Dat kan ons niet schelen.'

Andy zuchtte. 'Oké, ga naar de tweede verdieping. Als het goed is, is de deur van kamer 212 open. Daar slaap ik altijd als ik hier ben.'

'Is Peter daar?'

'Hij komt daar ook naartoe.'

'Vond jij hem ook vreemd overkomen?' vroeg Eliza nadat Andy achter een deur was verdwenen waar FITNESS op stond.

'Hij is altijd een beetje vreemd, maar hij weet vast wel wat hij doet. Kom op.'

Ze waren halverwege de hal toen ze achter de banken iets hoorden kraken. Een bos oranje haar kwam boven het morsige fluweel van de sofa uit: Misery. Iets in haar blik maakte onmiddellijk duidelijk dat er iets heel ergs aan de hand was.

'Wat doe jij daar in godsnaam?' vroeg Anita.

'Jullie kunnen niet naar boven gaan,' zei Misery.

'Wat? Waarom niet?'

Ze kwam achter de bank vandaan en op het moment dat ze uit de schaduw stapte, werden de bloeduitstortingen op haar witte armen zichtbaar; elke plek was een miniatuurschilderij in waterverf van een zonsopgang. Ze zag er vijf jaar ouder uit dan de laatste keer dat Anita haar had gezien.

'Bobo,' zei Misery, en schudde toen haar hoofd. 'Hij heeft me opgesloten. En Andy moet ervan geweten hebben. Ze hebben dit samen gepland, dat kan niet anders.'

'Andy zou jou nooit pijn doen, Misery,' zei Anita.

'O nee? Hij heeft Peter toch ook pijn gedaan?'

'Dat weet ik, maar dat was een vergissing.'

'Als jij je vergist, en we gaan naar boven, naar zijn kamer, dan kan hij ons allemaal opsluiten. Of nog erger.'

'Dat doet hij niet.'

'Hoe weet je dat?'

Omdat hij Bobo niet is, wilde Anita zeggen, maar ze wilde Misery niet kwetsen. Dat Bobo in staat was tot vreselijke dingen was altijd voelbaar geweest, vlak onder de oppervlakte, als de inkt van een tattoo. Maar Andy was anders. Hij was goed. Als er iets op deze aarde was wat ze zeker wist dan was het dat. Ze haalde haar schouders op. 'Dat weet ik gewoon.'

'Ik ook,' zei Eliza, en daar was Anita haar dankbaar voor.

Samen liepen ze de trap op naar de eerste verdieping en gingen kamer 212 binnen. Het zag eruit als een goedkope hotelkamer, met het gebruikelijke dubbele bed, de gebruikelijke donkerroze gewatteerde dekens die op een hoop lagen, de gebruikelijke tweezitsbank en het gebruikelijke grote televisiescherm aan de muur. Het enige licht dat er was scheen van buiten door de vitrage naar binnen. Anita trok het gordijn opzij.

Een eenzame witte speedboot voer over de Puget Sound, als een symbool voor iets. Bijna al het andere dat bewoog, ging richting het zuiden, naar het terrein van Boeing. Auto's verdwenen achter de grote sportstadions aan de rand van de stad, alsof ze overgingen naar een andere wereld. Lang geleden had daar het Kingdome gestaan, breed en laag als een cupcake, zijn witte dak opgedeeld door lange armen als de baleinen van een enorme paraplu. Anita kende het alleen van foto's; ze hadden het laten ontploffen toen ze drie was en daarna was er een ander duur wanstaltig stadion voor in de plaats gekomen. En nu zou Ardor ook dit gebouw laten ontploffen. Dat was pas een straf van de kosmos.

Anita draaide zich om. Misery lag schuin op het bed met haar hoofd op Eliza's schoot. Ze had een tragische schoonheid over zich, de bleke rechte lijnen van haar ledematen en de getraumatiseerde blik in haar ogen. Vreemd om te bedenken dat Bobo niet zou hebben gedaan wat hij had gedaan als hij haar niet mooi had gevonden. Schoonheid maakte van degene die haar bezat altijd een doelwit. Alle andere kwaliteiten van een mens konden makkelijk verborgen worden – intelligentie, talent, egoïsme, zelfs gestoordheid – maar schoonheid liet zich niet verhullen.

'Zou je er wel eens anders uit willen zien dan je eruitziet?' vroeg Anita.

'De hele tijd,' zei Misery. 'Ik haat mijn uiterlijk.'

Anita glimlachte om het misverstand. Ze herinnerde zich hoe het was om zestien te zijn; zo ongemakkelijk in je eigen lichaam dat het soms helemaal niet als je eigen lichaam aanvoelde. Zelfs nu ze achttien was had ze soms nog moeite om in de spiegel naar zichzelf te kijken zonder gek te worden.

'Nee, zo bedoelde ik het niet. Ik bedoelde...'

'Om niet bang te hoeven zijn,' zei Eliza.

'Ja.'

Er hoefde niets meer gezegd te worden. Niemand hoefde de dingen te beschrijven die je deed om de blikken van je af te houden. Niemand hoefde uit te leggen hoe moeilijk het was om de aandacht te trekken van degene van wie je aandacht wilde, zonder dat je de indruk wekte dat je op zoek was naar iedereens aandacht. Niemand hoefde te vertellen hoeveel muren je om je heen optrok, niet alleen om je te beschermen tegen fysiek gevaar – alhoewel dat er ook vaak was – maar ook de muren die je om je hart moest optrekken. Niemand is een eiland, werd er wel gezegd, maar waarschijnlijk gold dat vooral voor mannen, dacht Anita. Vrouwen moesten wel eilanden zijn. En als iemand de moeite nam om ernaartoe te varen en aan land stapte, dan kwam hij er al snel achter dat er in het midden van het eiland een kasteel stond, met een diepe slotgracht eromheen en een gammele ophaalbrug, met boogschutters die de muren bewaakten, en een grote emmer hete olie boven de ingang die omgedraaid kon worden als iemand het lef had over de drempel te stappen.

'Jongens begrijpen ook nooit iets,' zei Anita. Het volgde misschien niet logisch uit waar ze het over hadden gehad, maar het was een statement dat altijd toepasselijk was – althans, in een kamer vol meisjes.

'Praat me er niet van,' zei Eliza.

'Ze begrijpen alleen iets van tieten,' zei Misery sarcastisch.

'Dat is nog het ergste. Daar begrijpen ze eigenlijk ook niks van.'

En daar in de duisternis van een hotelkamer, met nog maar krap vierentwintig uur te gaan voordat er misschien een einde aan de wereld kwam, begonnen ze alle drie tegelijk te lachen. Blijkbaar was de behoefte aan menselijk contact sterker dan de angst. Of misschien, dacht Anita, lag angst juist wel ten grondslag aan die behoefte. Uiteindelijk eindigde ieders leven hoe dan ook in een apocalyps. En dan, als dat einde daar was, kon je wel tegen jezelf zeggen dat je niet veel te verliezen had, maar dat was wel een heel bittere troost. Dat zou een – hoe noemden ze dat ook alweer? – een pyrrusoverwinning zijn. Een echte overwinning kon je alleen behalen als je veel te verliezen had, en als je dus aan het eind alles zou verliezen.

En zo wachtten ze samen op wat er zou komen.

ELIZA

Eliza zat op de rand van het bed met het mes te spelen en vroeg zich af hoe het zou voelen als je iemand ermee stak. Hetzelfde als wanneer je de vleesthermometer in een kalkoen stak? Als je de schaal van een ei brak? Als je het zachte rode vlees van een watermeloen in stukken sneed? Peter had het mes die ochtend vlak voordat ze weggingen aan haar gegeven. 'Voor het geval dat,' had hij gezegd. Ardors licht glinsterde mooi op het blad. Eliza keek even uit het raam, naar de uitgestrekte hemel vol sterren. De asteroïde zag er nog altijd even nietig uit als altijd: een kleine twinkeling in het oog van een arrogante god, het hemelse equivalent van een plotselinge stomp die je niet zag aankomen tot hij je raakte. Met veel dingen ging het zo: apocalyptische asteroïden, kanker in een gevorderd stadium, liefde.

Op de gang klonk het gestamp van voetstappen.

'Peter!' zei Eliza, en ze rende naar de deur.

'Voorzichtig,' zei Anita.

Eliza deed de deur open maar op de gang was het te donker om te zien wie daar was. 'Hallo?'

'Eliza?'

Het was Bobo, en achter hem stond een kleine, gedrongen figuur, compact als een neutronenster: Golden, met een pistool opzichtig tussen de rand van zijn broek gestoken.

Eliza improviseerde. 'Ik zocht Andy.'

'Hij is beneden. Ik breng je wel naar hem toe.'

'Graag.'

Ze probeerde de deur uit te glippen zonder hem nog verder open te doen, maar iets achter haar moest hen verraden hebben.

'Er is daar nog iemand,' zei Golden.

'Rennen!' schreeuwde Eliza terwijl ze op hetzelfde moment Goldens pistool greep en het zo hard mogelijk door de gang gooide. Hij haalde naar haar uit en greep haar bij haar schouder vast, maar toen waren Anita en Misery er ook en werd alles heel verwarrend. Eliza werd eerst de ene kant op geduwd en toen de andere, waardoor ze achterover viel, de slaapkamer in. In de deuropening klonk het gestommel van een worsteling en toen klapte de deur dicht. Mensen renden door de gang en ergens, veel dichterbij, klonk het geluid van een mens; hijgend, snikkend.

'Bobo?'

'Alles is naar de klote,' zei hij.

Eliza haalde het mes voorzichtig tussen haar riem vandaan. 'Wat?' vroeg ze.

'Nu haat ze me echt.'

'Misery? Had je haar opgesloten, Bobo?'

'Alleen maar omdat ze niet met me wilde praten. Ik wilde alleen maar met haar praten, als een normaal mens!'

Ondanks alles had Eliza een beetje medelijden met hem. Andy had haar zijn hele geschiedenis verteld: over zijn ouders die aan de drank waren, de afspraak om zelfmoord te plegen, de antidepressiva met die hele zooi bijwerkingen.

'Dat had je nooit mogen doen.'

'Ik weet het.'

'Maar het betekent nog niet dat je een slecht mens bent.'

'Dat ben ik wel. Dat weten we alle twee. Ik ben geen kloot meer waard.'

En toen klonk het gehijg zwaarder, dichterbij, en Bobo sloeg zijn armen om haar heen en snotterde tegen haar schouder. Zijn kleren roken naar benzine en zijn wang schuurde ruw langs de huid van haar hals. Hij drukte zo hard dat het pijn deed en klemde haar armen tegen haar zij, en ze had te laat door dat hij haar met zijn gewicht naar achteren drukte en haar dwong om op het bed te liggen. Ze moest het mes uit haar hand laten vallen omdat het anders in haar eigen rug zou prikken.

'Hou op, Bobo.'

'Ik heb je altijd al gewild,' zei hij. Zijn stem klonk hees. Het was een toon die ze maar al te goed kende, de toon van een man die te ver heen was om nog redelijk te zijn.

'Dit wil je niet doen.'

Zijn handen waren bij haar middel en maakten de bovenste knoop los van haar spijkerbroek. Van Misery's spijkerbroek. 'Je bent zo fucking mooi,' zei hij.

Eliza dacht aan de onbekende die in de barak bij haar in bed was gekropen. Hij was duizend keer liever en beleefder geweest dan Bobo, maar verschilden ze echt zo veel van elkaar? Een paar zielige kleine jongens, allebei wanhopig op zoek naar liefde, en allebei probeerden ze het hoe dan ook te krijgen. En het zou niet zo heel moeilijk zijn om het maar te laten gebeuren. Als ze gewoon op haar rug bleef liggen, stil als een lijk, en aan iets anders zou denken, dan zou ze het wel overleven. Hoeveel erger kon het zijn dan dronken worden en met iemand naar bed gaan die ze net in een bar had ontmoet? Een paar minuten haar gevoel uitschakelen en dan zou alles voorbij zijn.

Maar toen raakte haar vrije rechterhand, die wild naar de lakens graaide, het warme handvat van Peters mes. En het was alsof al zijn liefde voor haar ervoor had gezorgd dat het mes precies daar lag toen ze het wilde pakken, alsof het een wonder was. Alle tijd die ze samen hadden doorgebracht, kwam plotseling als één herinnering in haar op – en niet alleen de laatste paar dagen, maar het hele jaar, waarin ze gezwegen hadden en waarin zij had gedaan alsof ze hem niet opmerkte terwijl zijn aanwezigheid in een ruimte haar opviel als een gemarkeerde zin in een boek of het overbelichte deel van een foto. *Jij hoeft helemaal niet met een jongen naar bed te gaan om hem ongelooflijk gelukkig te maken*, had Anita gezegd. En het was waar. Peter had na één enkele zoen al van haar gehouden. Misschien had zij ook wel vanaf dat moment van hem gehouden. Misschien was ze wel op deze aarde om van hem te houden, en was hun liefde in hun belachelijke, korte levens het enige wat er echt toe deed.

Bobo trok haar shirt over haar hoofd; het mes raakte de stof en stak erdoorheen. 'Ik zeg het je nog één keer,' zei ze. 'Doe het niet.'

Hij ritste zijn broek open. Ze voelde de huid van zijn buik tegen haar huid en zijn adem in haar oor was als een brandende lucifer. 'We zijn toch al allemaal verdoemd,' zei hij.

Het was helemaal niet zoals ze had verwacht; er was bijna helemaal geen verzet en in de duisternis klonk een kort menselijk geluid, alleen een zachte kreun – *ohhhh* – als een lastminute-openbaring. Hij gleed van haar af, op de vloer, en ze sprong boven op hem, klaar voor de volgende aanval. Maar hij bewoog niet. Ze had op zijn hart gemikt en dat had ze gevonden.

Even was het stil, en toen klonk er vlak voor de kamer een geweerschot. Eliza sprong op en drukte zich tegen de muur. Ze was niet van plan om het mes uit Bobo te trekken, maar ze had nog altijd haar tanden en haar nagels. Als het moest zou ze met haar blote handen Goldens nek omdraaien.

'Eliza! Eliza!'

Een koor van stemmen: haar vrienden. Ze stormde de gang op. Andy was de eerste die haar zag. Zijn blik bleef hangen bij de rode strepen op haar buik.

'Wat is er gebeurd, Eliza?'

'Het spijt me,' zei ze, 'maar ik moest wel.'

'Wát moest je?'

'Ik moest wel!'

Andy rende langs haar de kamer binnen. De anderen stonden vlak achter hem: Anita, Misery en een onbekende. In het zwakke licht zag Eliza dat hij een misvormd gezicht had. Hij deed een stap naar haar toe, met rond zijn lippen iets wat op een glimlach moest lijken.

En op het moment dat ze hem herkende en ze zich snikkend in zijn toegetakelde armen liet vallen, vergat ze al het andere.

In de galmende stilte van het trappenhuis klonk Peters ademhaling pijnlijk hard. Het was een raspend, rochelend en hijgend geluid. Hij moest naar een ziekenhuis; er waren alleen geen ziekenhuizen meer open. Misschien zouden er na morgen weer ziekenhuizen zijn. Het was mogelijk. Alles was mogelijk.

'Wat is er met Golden gebeurd?' vroeg Peter.

'Ik heb op hem geschoten,' zei Anita, zonder een greintje wroeging in haar stem.

Buiten, voor de deur van The Independent, zagen ze hem nog heel even, toen hij strompelend de hoek om ging. Misschien zou hij het overleven, misschien niet. Het deed er nu niet meer toe.

'Hij zal het erg vinden als niemand zijn laatste woorden kan horen,' zei Andy. 'Hij hoorde zichzelf altijd graag praten.'

'Er zijn maar weinig mensen die op die manier gaan,' zei Peter. 'De meesten krijgen de kans niet om afscheid te nemen.'

Eliza vroeg zich af of hij aan zijn oudere broer dacht, die bij dat auto-ongeluk was omgekomen. Of misschien had hij het wel over hen allemaal. Hoe snel zou het afgelopen zijn als het einde kwam? Zou het pijn doen? Nu ze weer allemaal bij elkaar waren, was alle ruis verdwenen. Er stond niks meer tussen hen en Ardor in, op een paar miljoen kilometer vacuüm na.

Andy stapte achter het stuur van de stationwagen. 'Zullen we proberen om een ziekenhuis te vinden?' vroeg hij.

'Breng me maar gewoon naar huis,' zei Peter.

Ze reden in stilte door de donkere, verlaten straten van Seattle. Peter werd steeds witter. Elke keer als hij een hoestaanval kreeg, bleef er bloed in zijn handpalm achter, maar toen ze de oprijlaan opreden was hij nog steeds bij bewustzijn.

Eliza kneep zachtjes in zijn schouder. 'Ben je er klaar voor?'

'Kan ik eerst nog een beetje bijkomen? Papa en mama worden gek als ze me zo zien.'

'Natuurlijk.' Ze keek op, naar de bezorgde gezichten van haar vrienden. 'Vinden jullie het erg om vast naar binnen te gaan? Zeg maar dat we er zo aan komen.'

'Wil je dat ik ook blijf?' vroeg Misery.

Peter schudde zijn hoofd. 'Maar bedankt. Ik hou van je, Samantha.'

'Ik hou ook van jou.'

Eliza keek hoe ze wegliepen. Toen tilde ze Peters hoofd op en legde het zachtjes op haar schoot. Ze wachtte tot het hoesten ophield.

'Ik wou dat we meer tijd hadden,' zei hij uiteindelijk.

PETER

'Meer tijd? Niet zo veeleisend, Peter. Wat zouden we daar nou mee moeten.'

'Ik meen het serieus.'

'Ik weet het. Niet doen. Anders trek ik het niet.'

'Ik heb het niet over tientallen jaren of zo. Gewoon, een jaar misschien. Genoeg om samen een verhaal te hebben.'

'We hebben een verhaal! Weet je nog dat we zoenden in de doka? Weet je nog dat we samen bij die rellen waren? Weet je nog, het eerste ontbijt bij je ouders?'

'Ik bedoel een echt verhaal. Dat je samen een taal hebt die niemand anders begrijpt. Mijn ouders hebben dat. Ik durf te wedden dat die van jou dat ook hadden.'

'Jij en ik hebben een taal.'

'Echt?'

'Ja, echt.'

'Zeg dan eens iets in die taal.'

'Je hebt mooie ogen.'

'Dat is geen andere taal.'

'De meeste woorden in onze taal worden als normale woorden uitgesproken. Dat is omdat mensen het dan niet in de gaten hebben als wij hem spreken.'

'Zijn er geen verschillen?'

'Een paar. Bijvoorbeeld "wortel".'

'Wat betekent dat?'

'Pompoen.'

'Wat nog meer?'

'"Ik hou van je."'

'Wat betekent dat?'

'Dat betekent: "Ik haat je".'

'Aha. En wat betekent "Ik haat je"?'

'Hetzelfde. Die woorden zijn niet anders.'

'Ik begrijp het.'

'Wil je weten hoe je "Ik hou van je" zegt?'

'Graag.'

Eliza boog zich over hem heen. Hun gezichten zaten in het holletje van haar haren, en heel even kon hij de pijn negeren die elke keer als hij ademhaalde door zijn borst schoot. Snel, als een kat boven een schoteltje melk, likte ze aan het puntje van zijn neus.

'Op die manier.'

'Dat zijn geen woorden.'

'Onze taal bestaat voor de helft uit gebaren en voor de helft uit woorden. Het is erg moeilijk. Daarom zijn wij de enige twee die het spreken.'

Hij hoorde de hapering in haar stem; op de een of andere manier was het ongelooflijk belangrijk dat hij er zo lang mogelijk voor kon zorgen dat ze niet hoefde te huilen.

'Vertel nog eens een keer over die filosofie van jou, over gebeurtenissen, hoe ging die ook alweer?'

Eliza schudde haar hoofd. 'Ik heb geen filosofie meer.'

'Dan moet je een nieuwe verzinnen.'

'Een filosofie verzinnen?'

'Ja, zoals een verhaaltje voor het slapengaan. Alleen moet dit waar zijn.'

'O, oké. Gewoon ter plekke een filosofie verzinnen die waar is. Alsof het niks is.'

'Ja...'

Hij wachtte. De pijn in zijn borst had zich verspreid naar zijn hele bovenlichaam en bij elke uitademing werd hij iets verder naar beneden getrokken, alsof er een wurgslang om hem heen zat die zich steeds strakker klemde. Hij liet zijn ogen dichtvallen. Het was goed. Hij had ze beschermd: zijn vrienden, zijn familie, zijn karass. Al was het misschien maar voor een paar extra uren, hij had gezorgd dat ze veilig waren. Geen pyrrusoverwinning. Een echte overwinning.

Het duurde heel lang voordat Eliza weer begon te praten. Peter dacht al dat ze het had opgegeven of in slaap was gevallen.

'Heel lang geleden,' zei ze, 'was er in een heel ontwikkelde samenleving een onderzoekslaboratorium. En iemand die daar werkte, laten we hem Todd noemen, deed zijn werk prima. Hij was geen genie, maar ook geen debiel. De specialiteit van het laboratorium, dat vergat ik te zeggen, was het maken van werelden. Dus Todd had ervoor gekozen om een wereld te maken die voor het grootste deel uit water bestond, wat tot dan toe niemand had gedaan omdat iedereen wist dat water alles vernietigde waarmee het in aanraking kwam, na een tijdje in elk geval, en dit laboratorium was meer geïnteresseerd in dingen die langer meegingen, dingen van steen en zo. In het begin gebeurde er niet veel in de waterwereld, behalve veel erosie en roest en alles was de hele tijd nat, dus Todds baas was er niet erg blij mee. Maar Todd bleef eraan werken en na een tijdje gebeurde er iets ongelooflijks. Er ontstond leven. Eerst een heel klein beetje en toen meer. Veel meer, eigenlijk. En het begon zich te ontwikkelen. En toen leerden die kleine aapjes nieuwe dingen en ze werden steeds slimmer, en alles zag er goed uit voor Todd. Maar daarna, in maar een paar duizend jaar tijd, ging het weer helemaal mis. Je had oorlogen en terroristen en iedereen had nucleaire wapens en zo. Todd begreep er niks van. Het was alsof hij een heel mooi huis had gebouwd voor mensen die besloten om het van binnenuit te slopen. En Tedds bedrijf, dat uiteindelijk alleen geïnteresseerd was in het eindresultaat, besloot de stekker eruit te trekken. Niet elke wereld kon een winnaar zijn.'

Peter voelde een druppel op zijn gezicht vallen, maar hij was te moe om hem weg te vegen. Hij voelde hem langzaam, kietelend langs zijn wang glijden. Elke ademhaling was nu een overwinning. Eliza zei niets meer. De stilte werd gevuld met angst. Angst om te verdwijnen, angst voor de duisternis, voor het onbekende. Angst om ergens te zijn waar de liefde ontbrak om hem te definieren. *Blijf praten*, probeerde hij te zeggen.

En alsof Eliza hem had gehoord, vertelde ze verder. 'Dus Todd nam de wereld mee naar huis en gooide hem bij het vuilnis, zoals hij zijn baas had beloofd. Maar toen vond zijn zoon, Chris, de wereld – die naam is een knipoog naar jouw traditionele christelijke waarden – en hij hield onmiddellijk van die kleine aapjes. Dus haalde hij de wereld bij het vuilnis vandaan, stofte hem af en nam hem mee naar zijn vaders kantoor. "Je kunt die aapjes niet zomaar opgeven!" En zijn vader probeerde hem uit te leggen hoe het in zijn werk ging; kapitalisme en zo, maar Chris wilde er allemaal niks van weten. En dit is het moment waarop er echt een wonder gebeurde – want ik weet hoeveel jullie geloofsgekken van wonderen houden: Chris had juist die week op school les gehad over genade. En dus smeekte hij zijn vader om de wereld een kans te geven, zodat de aapjes hun leven konden beteren. Hij kwam zelfs met een idee hoe ze dat voor elkaar konden krijgen. "Laten we ze aan het schrikken maken," zei hij. "Laten we ze het idee geven dat alles voorbij is.' En zijn vader had zoiets van: "Bedoel je met een zondvloed of zo?" En Chris zei: "Pap, overstromingen zijn echt zo old-school. Laten we het met een asteroïde doen. We zeggen gewoon dat ze allemaal doodgaan, maar dan, in de laatste seconde, redden we hen." De vader van Chris zette op een rijtje wat voor een verschrikkelijke dingen de aapjes in het verleden allemaal hadden gedaan. "Eigenlijk verdienen ze geen tweede kans," zei hij. En Chris zei: "Maar het zou ook geen genade zijn als ze het wél zouden verdienen." En toen sloeg zijn vader helemaal om en ze voerden het plan uit. In het begin werkte het helemaal niet. Het leek zelfs wel of de dingen met de dag nog verschrikkelijker en lelijker werden. Maar Chris zei tegen zijn vader dat hij zich geen zorgen om de aapjes hoefde te maken. Hij zei dat dat fantastische moment zeker zou komen wanneer ze allemaal tegelijkertijd op zouden kijken om te zien of die grote vuurbal in de lucht hen echt zou verpletteren. En als ze hem voorbij zouden zien schieten, dan zouden ze misschien, heel misschien, die genade voelen. En dat zou net genoeg kunnen zijn om te veranderen. Misschien...'

Om de paar seconden viel er nu een druppel op Peters gezicht, maar Peter voelde met elke druppel een beetje meer afstand, alsof hij met ze mee viel. Eliza wist kennelijk niet wat ze nog meer moest zeggen, dus herhaalde ze steeds dat woord, terwijl ze hem na elk woord kuste, steeds zachter en zachter: 'Misschien... Misschien... Misschien...'

En toen zij haar eigen tranen van het puntje van zijn neus likte, voelde hij niets meer.

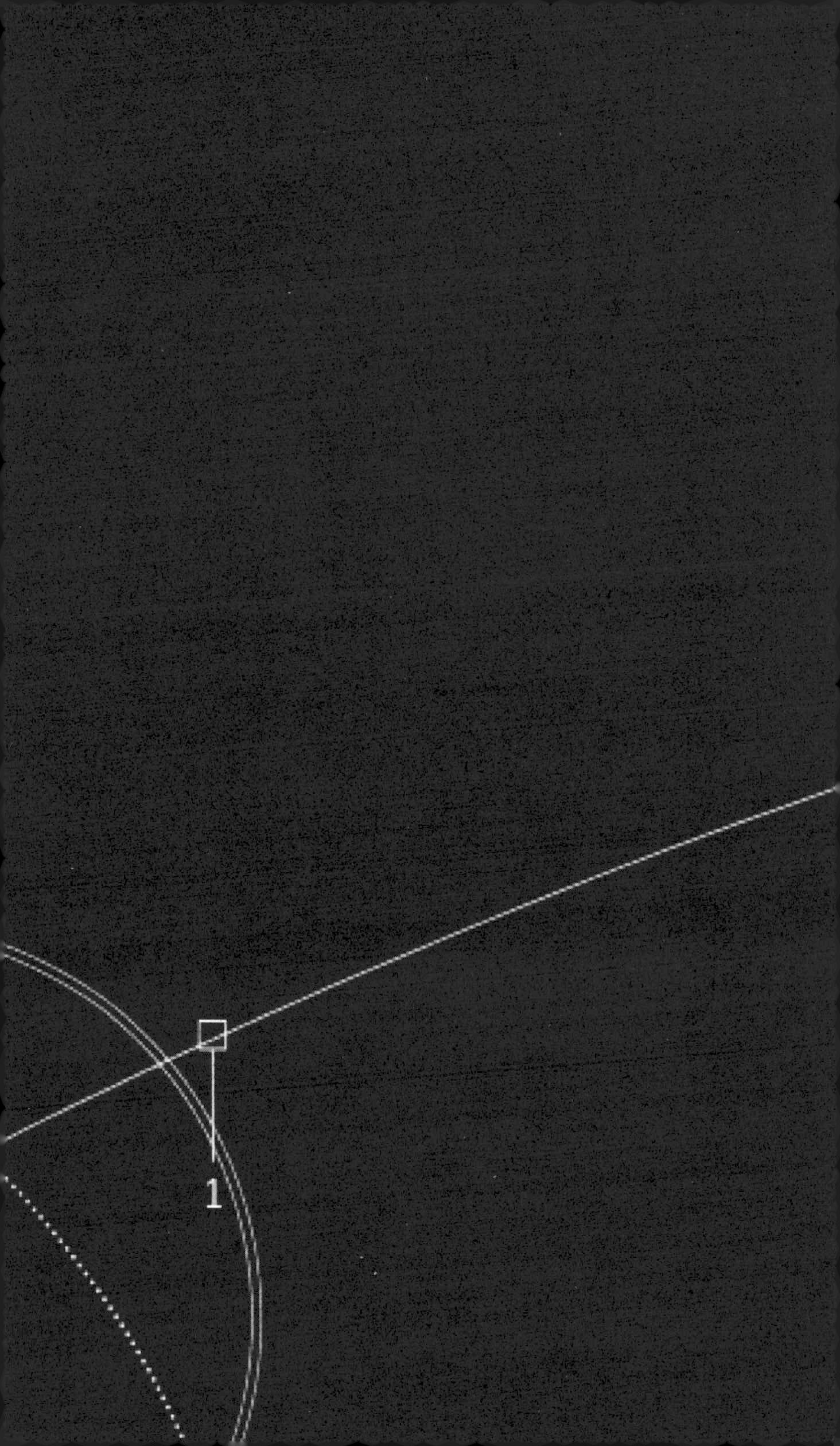
1

ANDY

'Hoe...?' vroeg Andy, maar terwijl hij uit het raam keek, vergat hij van verbazing zijn eigen vraag.

Vanaf de snelweg glinsterde het Boeing-terrein als een koninkrijk uit een fantasyfilm. Honderden vlammen – tuinfakkels en hoog opvlammende vreugdevuren en zelfs kwetsbare kringelende vlammen van gewone kaarsen – vormden een lang, kronkelend pad van de oude landingsbanen (nu één zee van geparkeerde auto's) naar een onvoorstelbaar grote hangar. Er waren ook elektrische lichten: duizenden witte opgehangen kerstlichtjes die op een fosforescerend spinnenweb leken in een donkere kelder, schijnwerpers die door de lucht heen en weer schoten alsof ze iets zochten wat zich achter de wolken moest bevinden, de steeds veranderende caleidoscopische kleuren die uit de lampen in de hangar kwamen, het rode geglinster van de remlichten die voor een vuurwerkshow op de weg zorgden. Andy liet het raampje zakken. Zelfs op de snelweg kon je de muziek al horen, en een vage benzinegeur gaf de lucht een zoete zweem.

Kon de hele karass dit maar zien.

Ze hadden tot aan zonsopgang met Peters ouders zitten praten. Iedereen had gehuild en zonder dat iemand het wist had Andy ook een beetje om Bobo gehuild. Hij kon zich het moment dat hij in slaap was gevallen niet meer herinneren, maar toen hij wakker werd stond de zon al hoog aan de hemel, schel als een megafoon. Peters ouders lagen uitgeteld op de bank, maar zelfs in hun slaap was hun verdriet duidelijk te zien. Peter had geluk gehad met zulke ouders.

Andy trof Anita in de keuken aan, waar ze zachtjes met Misery en Eliza zat te praten.

'Anita,' zei hij. 'We moeten naar je ouders.'

Hij had verwacht dat ze ertegenin zou gaan, maar ze wreef alleen de slaap uit haar ogen en knikte.

'Ik pak wat schone kleren voor je, Eliza,' zei Misery.

Eliza keek naar zichzelf en leek bijna verbaasd te zijn dat de bloedvlekken er nog zaten. 'Ja. Dank je.'

Het was al na twaalven toen ze bij Peters huis wegreden. Misery zei dat ze zou proberen om 's avonds naar het Boeing-terrein te komen, maar Andy wist dat dat niet waar was. Haar ouders hadden haar nu nodig, en zij hen ook.

De intercom van Anita's huis deed het niet, dus moest Andy het hek met de bumper van de stationwagen openduwen.

'Waarschijnlijk zijn ze er niet eens,' zei Anita.

Maar ze had de koperen klopper nog niet losgelaten of haar moeder deed de deur open. Zwijgend sloeg ze haar armen om Anita heen.

Binnen maakten Andy en Eliza kennis met Anita's vader, een indrukwekkende man die niet veel te zeggen had. Er stond een enorme hoeveelheid eten klaar, alsof Anita's moeder op hen had gewacht. Nadat ze zich te goed hadden gedaan, waren ze zo moe van het eten, het verdriet en de spanning, dat ze weer even in slaap vielen, opgekruld op het zachte hoogpolige tapijt in de woonkamer.

Toen ze wakker werden was de zon al onder.

'Shit,' zei Andy terwijl hij zich als een kat uitrekte. 'We moeten gaan.'

'Ik kleed me snel even om,' zei Anita. 'Het kan me niet schelen als dat ijdel overkomt. Ik loop al twee weken in deze kleren.' Ze rende naar boven en even later kwam ze als iemand anders terug. Ze had haar spijkerbroek en T-shirt omgewisseld voor een rode jurk die perfect bij haar lichaam paste, een zwarte panty en hoge leren laarzen. Haar haren waren naar achteren gekamd en om haar nek glinsterde een zilveren ketting. Ze zag er prachtig uit.

'Je ziet er prachtig uit,' zei Eliza.

En Andy kon alleen maar knikken.

Bij de deur klampte Anita's moeder zich aan haar vast alsof ze een reddingsboei was.

'Jij en papa kunnen ook meekomen,' zei Anita.

Maar haar moeder schudde haar hoofd en veegde haar tranen weg. 'Je weet hoe je vader is,' zei ze.

'Ja, dat weet ik.'

Terwijl ze met z'n drieën de trap van de voordeur naar de oprijlaan afliepen, zagen ze hem allemaal tegelijkertijd: een helderblauwe vogel met goudgele ogen die tussen de witte bloesem van de magnolia uit fladderde en recht op de donkere hemel af vloog, alsof hij een bericht had dat zo snel mogelijk bij Ardor moest worden afgeleverd.

Toen ze de afslag naderden, kon Andy eindelijk de schaduwen van mensen op het terrein onderscheiden. Ze liepen met z'n tweeën of drieën naast elkaar richting de gapende mond van de hangar. Ze droegen lichtgevende neonkettingen en -armbanden – die je moest knakken zodat de chemicaliën die licht gaven vrijkwamen – en ze gooiden ze als frisbees door de lucht. Ze klikten gasaanstekers aan en staken sigaretten en joints op alsof het lichtzwaarden waren. Ze trokken met hun zaklampen dansende witte cirkels in het zand. Onder het sterrengewelf schiepen ze hun eigen sterrenbeelden, als een eindeloos veranderende reflectie van de hemel.

Andy sloot achter de rij auto's aan en kwam langs een verlicht bord waarop stond: WELKOM BIJ HET EINDE VAN DE WE-

RELD. Ze waren nu zo dichtbij dat de dubstep ook binnen in de auto niet meer te negeren viel. Het kostte zeker een kwartier om een parkeerplaats te vinden.

Met z'n drieën liepen ze over het pad dat naar de hangar leidde. Andy pakte Anita's hand vast en daarna ook die van Eliza; als ze elkaar in deze menigte kwijt zouden raken, zouden ze elkaar nooit meer terugvinden. Terwijl ze langs een van de grote vuren liepen – een enorme bronzen schaal die glinsterde door de dansende vlammen binnenin – voelde Andy dat er iemand naar hem keek. Ze was achter in de twintig en liep naast een man die ongeveer even oud was. Op haar buik hing een draagzak en daarin trappelde en kirde een baby die zich niets van de naderende apocalyps aantrok.

'Sorry,' zei de vrouw.

'Ja?'

'Ehm, je vriendin...' Ze wees naar Eliza. 'Ben jij Eliza Olivi?'

'Wat is er?' vroeg Eliza.

'Ik geloof het bijna niet!' Zonder een reactie af te wachten sloeg de vrouw haar armen om Eliza heen en drukte haar, met de baby tussen hen in, tegen zich aan.

De man van de vrouw stond er een beetje ongemakkelijk bij, alsof hij zenuwachtig was omdat hij een beroemd iemand ontmoette. 'Kom je zo laat op je eigen feest?' vroeg hij.

'Het is niet echt mijn feest. Ik wist niet eens dat het doorging.'

'Iedereen denkt dat je dood bent,' zei de vrouw, die Eliza eindelijk losliet. Ze gaan allemaal uit hun dak als ze jou zien, als Jezus die met Pasen terugkomt of zoiets. Ik ben zo blij dat ik je tegenkom. Heel, heel erg bedankt.'

'Er valt niks te bedanken. Ik heb helemaal niks gedaan.' Maar de hemelsblije mensen gingen er weer vandoor, op weg naar de hangar. Eliza schudde haar hoofd. 'Ik snap er niks van.'

'Waar niet van?' vroeg Andy.

Eliza gaf geen antwoord, maar Andy zag in het licht van het vuur hoe bedachtzaam ze keek. Ze liepen verder, langs de overlappende venndiagrammen, veroorzaakt door de luminescentie van de lichtfakkels, en langs een verlaten podium met een piano en wat microfoons. Even verderop, voor de hangar, stond een groepje vrijwilligers in rode T-shirts die hielpen met de logistiek van het eten. Er stond een grote man die met een Spaans accent tegen de anderen zei wat ze moesten doen, dus Andy ging ervan uit dat hij de leiding had.

'Hoi,' zei Andy, 'we zoeken Chad Eye.'

Hij bekeek hen even vluchtig. 'Jullie zijn toch vrienden van Peter of niet?'

'Hoe weet je dat?'

Hij wees naar Eliza. 'Ik heb jou een keer gezien, door het raam.'

'Bij Friendly Forks,' zei ze.

'Precies. Eigenlijk ben ik hier door Peter. Een paar dagen voordat hij bij Friendly Forks stopte, vertelde hij dat jullie samen dit feest gingen organiseren. Dat idee bleef in mijn hoofd zitten. Dus ben ik hier een paar dagen geleden naartoe gereden en heb aangeboden om te koken. Het bleek dat ze al genoeg eten hadden dus hebben ze me als portier neergezet. Van thuiszitten word je ook niet vrolijk. Hé, Gabriel!' riep hij naar een andere vrijwilliger; een lange zwarte man met een groot litteken over zijn kin. 'Kom eens hier.'

'Wat is er?'

'Dit zijn vrienden van Peter. Kun jij ze naar Chad brengen?'

'En waar hangt Peter uit?'

Een lange stilte. 'Hij is er niet meer.'

Gabriel knikte. 'Vandaar. Kom maar mee.'

Hij nam hen mee naar de andere kant van de hangar, waar een zwarte deur was. Binnen leidde een lange trap naar een donkere ruimte die af en toe paars, groen en oranje werd, afhankelijk van het licht op de dansvloer verderop. Op elke tree stond in een schaaltje met water een votiefkaars. Aan het einde kwamen ze bij een smalle rastervormige loopbrug die helemaal onder de dakrand van de hangar doorliep. Vanaf daar hadden ze uitzicht op de zee van mensen die zich lieten meevoeren op de stroom van muziek en licht.

'Hoeveel mensen zijn er, denk je?' vroeg Andy, maar de muziek was te hard en Gabriel hoorde hem niet. De loopbrug trilde mee op de dreun van de bas. Halverwege de hangar was een andere deur.

'Chad zit hierbinnen,' zei Gabriel. 'Als jullie nog iets nodig hebben dan komen jullie maar naar me toe, oké?' Hij zette een paar dreunende stappen in de richting waar ze vandaan waren gekomen, maar stond toen stil en draaide zich om. 'Peter was een goeie,' zei hij. Andy wachtte tot hij door zou gaan, maar kennelijk was dat het enige wat Gabriel wilde zeggen. Hij draaide zich weer om en liep door.

Het kantoor achter de deur was helemaal verlicht met kaarsen. Alhoewel het nauwelijks hoorbaar was boven de beats van beneden uit, klonk er koramuziek uit een klein speakersetje. Chad, die helemaal in het wit gekleed was, zat in een goedkoop klapstoeltje voor een raam en keek van bovenaf naar zijn feest.

'Yo,' zei Andy.

Chad draaide zijn hoofd om en zijn gezicht explodeerde bijna van blijdschap. De beagle sprong van zijn schoot toen hij opstond.

'Jullie hebben het gered!' Hij spreidde zijn armen uit om hen allemaal te begroeten. 'Ik wist het wel!'

'Dan wist je meer dan wij,' zei Andy. Hij ging op zijn hurken zitten om Sid te aaien. 'Wij dachten dat jij in de gevangenis zat.'

'Dat zat ik ook. Maar toen de bewakers erachter kwamen dat

ik bij de organisatie van dit feest betrokken was, hebben ze me laten gaan.'

'Echt waar?'

'Echt waar. Er waren een paar mooie verrassingen in de aanloop hiernaartoe, toch? En daarover gesproken: hebben jullie op weg hiernaartoe jullie podium gezien?'

'Met de piano?' vroeg Anita. 'Is dat voor ons?'

'Natuurlijk. Je dacht toch niet dat ik dat was vergeten?'

'Om eerlijk te zijn wel.'

'O, gij kleingelovigen! Hoe dan ook, jullie kunnen maar beter opschieten. Er staan al heel wat mensen naar de hemel te staren. En jij' – hij legde zijn hand op Eliza's schouder – 'we moeten het nog over jouw optreden hebben.'

'Wat bedoel je?'

'Je moet iets tegen de mensen zeggen, Eliza!'

'Waarom zouden ze zin hebben om naar mij te luisteren?'

'Ben je gek? Al deze mensen zijn hier vanavond vanwege jouw blog.'

'Mijn blog? Wat heeft die hele blog nou voor zin gehad?'

Chad keek Eliza diep in haar ogen, alsof hij daar iemand zocht die hij van vroeger kende. Na een tijdje keek hij weer naar Andy en Anita. 'Ik heb onder aan de trap een kleine artiestenfoyer voor jullie ingericht. Daar kunnen jullie je nu gaan opwarmen. Ik wil graag even alleen met Eliza praten.'

Andy aarzelde. Het voelde niet goed om haar achter te laten. Over een paar uur was het zover; het einde van de wereld, en elk afscheid voelde als een definitief afscheid.

'Het is oké,' zei ze. 'Ik zie jullie zo.'

Andy liep samen met Anita terug over de loopbrug. Hij zocht in de menigte naar bekende gezichten. Er waren meer oudere mensen dan hij had verwacht: grijze lapjes zilver haar als droge pollen in het grasveld. Hij vroeg zich af of meneer McArthur of meneer Jester er zou zijn, en of die bewaker uit het winkelcentrum het had gered. En hoe zou het met Jess en Kevin en de rest van de Hamilton-groep zijn? Hij stelde zich voor dat ze allemaal daarbeneden waren; dat hij omringd was door vrienden.

Ze waren al bijna aan het eind van de lange trap toen Andy zich bedacht dat hij in de foyer alleen met Anita zou zijn; voor het eerst sinds ze gezoend hadden. Hij voelde zich gespannen en opgewonden – bij elke stap die ze deed, bewogen haar heupen soepel heen en weer en de rode jurk zat precies op de goede plekken strak – maar tegelijkertijd ook schuldig. Waarom had hij er zo lang over gedaan om erachter te komen wat hij voor haar voelde? Hoe had hij zich kunnen laten afleiden door een meisje dat al meteen tegen hem had gezegd dat ze niet in hem was geïnteresseerd? Waarom had hij zoveel kostbare tijd verspild?

De 'artiestenfoyer' was gewoon een oud kantoor met een gammele gitaar en een paar banken, en overal waren waxinelichtjes op batterijen neergezet, met perfecte vlammetjes.

'Het is hier leuk,' zei Andy.

'Ja. Super.'

'Wil je iets drinken?'

'Graag.'

In de donkere koelkast zonder stroom stonden een paar flessen water. Heel even kwam het belachelijke idee in hem op dat hij misschien de dop niet los zou krijgen. Een druppel zweet kroop van zijn oksel naar zijn buik. Misschien had zij hem helemaal niet willen zoenen, maar moest ze wel omdat hij niet te stoppen was geweest. Hij probeerde zich te herinneren of zij hem nou ook echt had gezoend, maar het was allemaal zo snel gegaan. Misschien was het maar het beste om het uit zijn hoofd te zetten. Ze hadden sowieso nog maar een paar uur voor het einde van de wereld. Het was belachelijk om je nu op dit moment nog druk te maken over liefde en seks. Anita en hij zouden samen een paar nummers spelen en vrienden zijn en dat zou genoeg...

'Ik wil niet als maagd sterven,' zei Anita. Ze verborg haar gezicht onmiddellijk achter haar handen. 'Ik weet dat het belachelijk is om dit nu te zeggen, na alles wat er is gebeurd en zo, maar het is de waarheid.' Ze ging rechtop staan, ademde diep in en keek hem aan. 'Ik vind je leuk. Als jij het wil dan wil ik het ook.'

Andy wist niet wat hij moest zeggen. Hij had helemaal niet bedacht dat die ander in de kamer ook echt een ander was – iemand met haar eigen behoeften en verlangens en shit waar ze zich druk om maakte. Maar het was grappig, of mooier dan grappig, dat twee mensen soms op precies hetzelfde moment precies hetzelfde konden voelen. Hij barstte in lachen uit. Anita's ogen werden groot, en ze keek arrogant en gekwetst – in die ene seconde die Andy nodig had om bij haar te komen en haar te zoenen.

'We moeten ons opwarmen,' zei ze.

'Ja,' zei Andy. 'Dat moeten we zeker doen.'

ANITA

Anita had ergens gelezen dat er op simpele vragen één antwoord mogelijk was, maar dat je op belangrijke vragen meerdere antwoorden kon geven die allemaal even waar waren. Was het leven te kort? Ja, er was nooit genoeg tijd om alles te doen wat je wilde. En: nee, als het langer zou duren zou je het alleen maar minder gaan waarderen. Moest je in je leven vooral goed zijn voor jezelf of vooral goed voor anderen? Voor jezelf, natuurlijk. Het sloeg nergens op om de verantwoordelijkheid voor het geluk van anderen op je te nemen. En: voor anderen, natuurlijk, want wie egoïstisch was isoleerde zichzelf terwijl iedereen wist dat je zonder vriendschap en liefde niet gelukkig kon zijn.

Voelde Anita zich anders nadat ze met Andy naar bed was geweest?

Ja. Je maagdelijkheid verliezen was iets groots, en voor haar stond het voor het einde van een reis waar ze zes weken geleden pas aan was begonnen, toen ze met één kleine koffer en een enorme berg angst het huis van haar ouders had verlaten. (Hoe was het mogelijk dat je in zes weken tijd zoveel kon meemaken?) Seks had Andy en haar meer met elkaar verbonden dan ze ooit voor mogelijk had gehouden, op een manier die ze niet goed onder woorden kon brengen, maar die in elk geval niet alleen mentaal was (ze had al meer dan genoeg tijd in haar hoofd doorgebracht) en ook niet spiritueel (daar had ze niet zoveel mee). De verbintenis die ze voelde was fysiek en menselijk en echt. En misschien was het wel de meest intense manier om de dood te ontkennen:

de opstandige extase van het lichaam en het hart dat weigerde op te geven. Anita begreep nu waarom de liefde altijd gesymboliseerd werd door dat grote, pompende orgaan, dat niet mocht haperen en niet mocht breken. Het hart was de motor van het lichaam en liefde was uiteindelijk een handeling van het lichaam. Je verstand kon je zeggen wie je moest haten, bewonderen of benijden, maar alleen je lichaam – je neusgaten, je mond en je huid – kon je vertellen van wie je hield.

Tegelijkertijd was het stom om te denken dat ze nu totaal iemand anders was. Andy en zij hadden iets gedaan wat miljarden andere mensen ook deden. Het waren maar een paar minuten op een pluche paarse bank geweest. Het gehaaste uitkleden en het pijnlijke moment (minder pijnlijk dan ze had verwacht), het genot (minder fijn dan ze had verwacht), een paar gekke blikken en wat nerveus gelach, en toen die lieve, korte rilling en iets in zijn ogen. Dat was waarschijnlijk iets wat je alleen precies op dat moment in de ogen van een jongen kon zien: alsof hij niet in staat was te geloven wat er gebeurde, kwetsbaar en mannelijk tegelijkertijd.

Hield ze van hem?

Nee, natuurlijk niet. Zo goed kende ze hem niet.

En ja, natuurlijk, want alles in haar lichaam vertelde haar dat.

'Had ik voorzichtiger moeten zijn?' vroeg hij.

'Volgens mij is de sterkste morning-afterpil van het universum onderweg. Als we de ochtend erna nog bestaan, kunnen we op zoek gaan naar een gewone pil.'

'Cool. Ik bedoel... cool.'

Anita had jongens vaak onzin horen uitkramen over 'scoren' en 'een meisje een goede beurt geven', maar eigenlijk voelde zij zich nu de sterke van hen twee en leek Andy wel de kwetsbare te zijn. Uiteindelijk was het misschien zo dat meisjes het voor het zeggen hadden en jongens maar moesten afwachten of ze iets van hun geluk kregen. In elk geval begreep Anita Eliza nu beter.

'Laten we ons aankleden,' zei ze.

'Oké.'

Andy kroop als een slungelige witte spin door de kamer en verzamelde al haar kleren voordat hij op zoek ging naar die van hem. Ze hielp hem met zijn hoodie alsof ze hem aankleedde voor zijn eerste schooldag. Ze schoot in de lach bij de gedachte.

'Wát?' vroeg hij.

'Niks. Gewoon. Je bent te gek.'

Hij lachte een ik-weet-niet-goed-wat-ik-met-mijn-gezicht-moet-doen-lach. 'Wil je nog even echt opwarmen?'

Anita schudde haar hoofd. 'Ik ben warm genoeg.'

Hand in hand verlieten ze het kantoor en liepen terug over het pad met fakkels. Het podium was eenvoudig uitgerust: een vleugel, een akoestische en een elektrische gitaar en een paar microfoonstandaards. Andy zette de versterkers aan en stelde ze in. Er kwamen nog steeds mensen vanaf de parkeerplaats over het pad gelopen en sommige bleven staan om te kijken wat er gebeurde.

Was ze zenuwachtig? Ja, natuurlijk. En: nee, natuurlijk niet. Hier was ze voor geboren.

De elektronische muziek stierf weg. Van waar Anita stond kon ze tot aan de andere kant van de hangar kijken. Twee enorme projectieschermen sprongen van hun screensavers over op een live videobeeld. De dj stapte achter zijn booth vandaan en Eliza nam zijn plaats in. Ze verstelde de microfoon.

'Ehm, hoi. Ik leef nog.' Het applaus dat losbarstte kwam en ging als een golf. Eliza, die zich duidelijk niet op haar gemak voelde met zoveel aandacht, ging verder. 'Ik zal jullie niet lang ophouden. Maar ik wilde een paar dingen zeggen. Ten eerste wil ik mijn vrienden bedanken, Andy en Anita. Dit feest was hun idee. Ze gaan straks buiten voor jullie spelen. Dus ehm, als ik jullie was zou ik gaan luisteren. En Chad, die dit allemaal mogelijk heeft gemaakt. En tot slot degenen van jullie die in het begin mijn blog hebben gelezen. Dank jullie wel. Het enige wat ik wilde was aan een paar mensen laten zien wat er gebeurde op de plekken waar ik was. Ik had nooit verwacht dat het ergens toe zou leiden. Maar ik geloof dat iedereen de afgelopen maanden heeft moeten leren omgaan met het onvoorziene. Ik...' Eliza haperde bij het volgende woord. Het leek of ze zou gaan huilen, maar toen lachte ze opeens. 'Ik ben verliefd geworden,' zei ze. 'Niet te geloven, hè?' Het publiek lachte mee en het klonk bijna samenzweerderig, alsof Eliza niet de enige was.

'Maar aan alles komt een eind,' zei ze opeens. 'Echt waar. En ik wil de stemming niet bederven, want ik weet dat dat wel het laatste is waar we met z'n allen behoefte aan hebben. Maar het is wel waar. Er is niet veel waarin ik geloof. Ik geloof niet in de hemel en de hel, en ik geloof niet dat iemand van ons het zal overleven als... het gebeurt. Maar ik kan wel zeggen dat het voor mij de moeite waard was. Ik bedoel: het was de moeite waard om te leven. Dat geloof ik echt. Dank jullie wel.'

Zelfs helemaal aan de andere kant, bij het kleine podium, was het applaus oorverdovend.

'Niet slecht,' zei Andy.

Anita veegde haar tranen weg. 'Helemaal niet slecht.'

De dj begon weer te draaien, maar nu veel zachter. Het moment was aangebroken.

'Klaar?' vroeg Andy. Anita knikte. Ze hadden al een tijd niet geoefend, maar dat maakte niet uit. Het enige wat belangrijk was, was dat ze daar nu waren, en dat ze samen waren.

Terwijl Andy de eerste paar akkoorden van 'Save it' speelde, klemde Anita haar vingers rond de microfoonstandaard en sloot haar ogen. Er was nog niet veel publiek dus ze kon zich makkelijk inbeelden dat ze in haar slaapkamerkast zat en alleen maar zong omdat ze het heerlijk vond. Toen ze haar ogen even later opende waren er al meer mensen. Een hele groep onbekende gezichten, die allemaal naar haar keken. Het duurde niet lang of het waren er een paar honderd. Maar het konden niet allemaal onbekenden zijn, toch? Niemand kon zeggen wie er in het donker tussen het publiek stond. Misschien was dat meisje van de Jamba Juice er wel, dat had gezegd dat ze de beste uitvinding was sinds gesneden brood, of de andere leden van de leerlingenraad, of Luisa en haar familie. Anita stelde zich voor dat de hele menigte uit mensen bestond die ze kende. En ze zag inderdaad een paar bekende gezichten tussen de mensen die vlak voor het podium waren gaan staan: lieve Eliza, samen met Chad en zijn beagle, en naast hen een andere man, broodmager en helemaal kaal, met zijn arm om Eliza's middel geslagen. Haar vader. Anita lachte naar hem en hij lachte terug.

Andy's ijle stem reikte naar de hoge falsettonen en kwam soms zo dicht bij haar stem dat het leek of zij beide partijen zong. Tussen de nummers door zei ze niets. Eliza had alles al gezegd wat nodig was en bovendien zocht zij verbondenheid voorbij de woorden.

Het leek of ze net begonnen waren, en toen was het alweer afgelopen. Andy en zij hadden elk nummer gespeeld dat ze samen hadden geschreven, en bij elkaar had het misschien een halfuur geduurd. Een paar dagen geleden zou dat voor haar de optelsom zijn geweest van haar korte leven op aarde en ze zou er trots op zijn geweest. Maar nu had ze nog iets anders om trots op te zijn. Andy en zij stonden vooraan op het podium, uitkijkend over de menigte, en ze bogen en kwamen weer overeind. Hij trok haar tegen zijn bezwete borst aan en zoende haar terwijl iedereen keek. Wat een wonder was het: het lichaam met dat puppyachtige verlangen. Ze keek op naar de hemel, naar de meedogenloze fonkeling van die oude vertrouwde Ardor, en ze zag in dat zij tweeën – zij en Ardor – een strijd aangingen waarin het op wilskracht aankwam. En dat was het moment waarop ze niet meer bang voor hem was, want zelfs al had hij het lef om te komen, ze wist dat zijn hunkering naar de dood nooit sterker kon zijn dan haar hunkering naar het leven.

ELIZA

Als Eliza de tijd had gehad om een speech voor te bereiden, dat wil zeggen: als ze van plan was geweest om een speech te geven, dan had ze waarschijnlijk het tegenovergestelde gezegd van wat ze uiteindelijk zei. Zelfs toen ze het podium afliep met het applaus als witte ruis in haar oren, had ze geen idee wie dit meisje was, dat op een poëtische manier woorden als 'liefde' gebruikte. Het was in elk geval niet de Eliza Olivi die zij ooit had gekend.

Nadat Andy en Anita waren weggegaan – om zich voor te bereiden op hun optreden, maar het was toen al alsof er nog iets anders ging gebeuren – was ze alleen met Chad en zijn ondoorgrondelijke beagle achtergebleven. Alhoewel Eliza nog maar een paar uur met die rare oude hippie had doorgebracht, en dat was weken geleden geweest, voelde het heel vertrouwd.

'Wat is er gebeurd?' vroeg hij.

'Wat bedoel je?'

'Je weet precies wat ik bedoel.'

Eliza overwoog eromheen te draaien of te liegen, maar ze was veel te moe om iets te verzinnen. 'Er is iemand gestorven. Iemand om wie ik gaf. En misschien zelfs nog wel iemand. Dat weet ik niet eens.'

'Dat spijt me voor je.'

'Dank je.'

'Maar je zou inmiddels wel moeten weten dat mensen van wie je houdt nooit echt doodgaan.'

In haar gedachten rolde ze met haar ogen. 'Waarschijnlijk niet, nee.'

Chad bleef haar even aankijken, wachtend. En toen hij weer begon te praten klonk hij als een teleurgestelde leraar. 'Echt? Laat je me daarmee wegkomen?'

'Waarmee?'

'Met dat verschrikkelijke cliché.' Met zijn ogen deed hij een Walt Disney-hert na en zei met een zeikerige hoge stem: 'De mensen van wie je houdt gaan nooit echt dood.'

'Wat had ik dan moeten zeggen?'

'De waarheid. Dat je daar niet in gelooft.'

'Goed dan. Daar geloof ik niet in.'

'Zeg het nog een keer.'

'Daar geloof ik niet in.'

'Harder!'

Eliza verhief haar stem, maar vooral omdat ze boos werd op Chad. 'Daar geloof ik niet in!'

'Zeg dat het onzin is!' schreeuwde hij terug.

'Het is onzin!'

'Zeg dat het ongelooflijke bullshit is!'

'Dat is het ook!' schreeuwde Eliza. 'Mensen gaan dood! Ze gaan dood en dan zijn ze voor altijd verdwenen!'

Ergens voelde het volkomen vanzelfsprekend dat Chad om dit morbide standpunt moest lachen. 'Dat klinkt beter,' zei hij. 'Eliza, waarom zou je tegen mij liegen? Ik ben niemand. Ik ben maar een onbelangrijk personage in dat grote boek van jouw leven. En je hebt gelijk. Mensen gaan dood. Iedereen. Zonder uitzondering. Dus wat stelt het eigenlijk voor? Je noemt iemand gek omdat niet iedereen gek is. Je noemt iemand briljant omdat niet iedereen briljant is. Maar iedereen gaat dood. Eekhoorns gaan dood. Bomen gaan dood. Huidcellen gaan dood en je inwendige organen gaan dood, en degene die je gisteren was is ook dood.

Dus wat stelt het nou helemaal voor om dood te gaan? Niet veel.'

'Dat is een stomme redenering.'

Chad gaf haar een por in haar schouder. 'Zo wil ik het horen!'

Eliza schoot zonder het te willen in de lach, maar zodra dat gebeurde, zodra ze ook maar één greintje plezier in haar hart toeliet, dacht ze aan Peter. 'De jongen die dood is gegaan...' zei ze. 'Ik deed alsof ik geloofde waar hij in geloofde, helemaal op het eind.'

'Waar geloofde hij in?'

Eliza knipperde met haar ogen en probeerde haar stem onder controle te houden. 'Ik weet het niet. Belachelijke dingen. Jezus. Vergiffenis. Opoffering en genade. Liefde.'

'Geloof je in geen van die dingen?'

'Nee.'

'Geloof je niet in opoffering of liefde?'

Eliza wist niet goed meer waar ze wel en niet in geloofde. De tranen tintelden op haar wangen. Alles om haar heen werd wazig en de wereld werd vloeibaar, en toen voelde ze iets warms op haar buik.

Chads beagle.

'Geef Ardor een knuffel,' zei Chad.

'Ik dacht dat hij Sid heette.'

'Ik heb hem een andere naam gegeven. Ik wilde de asteroïde met iets liefs associëren.'

Eliza aaide Ardor, die een of twee keer met zijn staart kwispelde als beloning voor haar moeite en toen zijn mysterieuze beaglehouding weer aannam. Ze herinnerde zich wat Peter in het had park had gezegd, over een hond willen zijn. Een blije herinnering – die ze voor altijd zou hebben.

'Voel je je beter?' vroeg Chad.

En vreemd genoeg voelde ze zich inderdaad beter.

Anita en Andy hadden net een paar nummers van hun set gespeeld toen het gebeurde. Gabriel, de man die hen naar Chad had gebracht, drong zich tussen de mensen door.

'Eliza?' fluisterde hij.

'Ja?'

'Er is iemand die jou zoekt.' Haar hart sloeg even over, omdat ze één seconde dacht dat het Peter was, maar dat was natuurlijk onmogelijk.

'Wie is het?'

'Hij staat daar.'

Ze keek waar Gabriel naar wees. Een geestachtige witte vlek, als een halo: haar vaders kale hoofd. Hij stond op zijn tenen, en zag er zo lief en oud en verdwaald uit. Ze vloog in zijn armen.

'Hé, Lady Gaga.'

'Je hebt me gevonden!'

'Dat was niet zo moeilijk. Je bent een beroemdheid.'

'Het appartement,' zei ze. 'Het is afgebrand.'

'Ik was niet thuis toen het gebeurde.'

'Nee, dat snap ik nu!' zei ze, en ze lachte en wreef de tranen uit haar ogen.

Na alle verschrikkelijke dingen die er de afgelopen dagen waren gebeurd, leek goed nieuws wel een wonder. Samen, zij aan zij, keken ze naar de rest van het optreden. Toen het voorbij was zoenden Andy en Anita elkaar (godzijdank – die twee cirkelden al vanaf het begin af aan om elkaar heen).

'Fantastische set,' zei haar vader tegen Anita. 'Het was dope.'

Eliza schudde haar hoofd. 'Alsjeblieft, gebruik dat woord niet.'

'Nooit?'

'Nooit.'

Tijdens het optreden was het gaan regenen. Motregen, zoals zo vaak in Seattle, als kleine vlokjes koude lucht. Eliza besefte dat ze de hand van haar vader vasthad en die van Andy, die op hun beurt de handen van Anita en van Chad vasthielden. Ze waren net Dorothy en haar vrienden in *De tovenaar van Oz*, die over de gele weg naar de smaragden stad huppelden, met Toto (a.k.a. Sid, a.k.a. Ardor) achter zich aan. Alleen in dit geval was de smaragden stad de 66,6 procent kans dat alles ophield te bestaan.

Chad nam hen mee naar een plek achter de hangar waar al een grote groep sterrenkijkers zat. Ze zaten op vierkante gekleurde dekens en kussens en het leek wel een heel groot dambord waar iedereen samen op zat. Ze vonden een plek helemaal aan de rand van de landingsbaan, waar je de muziek alleen zachtjes hoorde, de beat ver weg als een kloppend hart. Erbovenuit klonk het geruis van duizenden mensen die zachtjes praatten, als de wind op een verlaten strand. Chad had een paar dikke dekens meegenomen, en met de dekens onder hen en over hun benen was het bijna gezellig. Eliza had haar hoofd op haar vaders schouder gelegd. Ardor zag er nu iets anders uit – hij glinsterde meer. De tijd verstreek.

'Ik wou dat mama hier was,' zei ze.

'Ik ook. Maar we hebben elkaar tenminste gevonden.'

'Ja. Dat hebben we.'

Ze overwoog even om hem over Peter te vertellen maar besloot het niet te doen. Er zou later tijd zijn voor verdriet. Als er ergens nog tijd voor zou zijn, dan zou er daarvoor tijd zijn.

'Hé, Eliza,' zei Andy. 'Kan ik je heel even spreken?'

'Tuurlijk.'

Hij liep een eindje bij de groep vandaan. Eliza stond op en volgde hem.

'Wat is er?'

'Eh, sorry als dit gek overkomt, maar ik wil alleen zeggen dat het me spijt.'

'Spijt?'

'Ik weet dat ik degene was die jou leuk vond, niet andersom, maar het voelt toch een beetje vreemd dat ik dan nu in één keer met Anita ben, terwijl ik op jou verliefd was.'

Eliza lachte. 'Dat is echt het domste wat ik ooit heb gehoord.'

Even was ze bang dat ze Chads les over eerlijkheid misschien iets te goed tot zich had genomen, maar Andy lachte met haar mee. 'Ja, misschien wel, hè?'

'Mis ik iets?' vroeg Anita, die bij hen kwam staan op de plek waar het asfalt overging in aarde, onkruid en schemering.

'Andy gedraagt zich als een idioot,' zei Eliza.

'Dat verbaast me niks.' Anita keek omhoog, naar Ardor. 'Het is hiervandaan zo'n nietig stipje.'

'Dat vindt hij van ons vast ook,' zei Andy.

'Vanuit een bepaald perspectief is alles nietig,' zei Eliza.

Ze zwegen een tijdje, en toen zong Andy een stuk van een liedje dat bekend klonk: '*Can't believe how strange it is to be anything at all.*'

Eliza dacht aan alle dingen die ze in haar leven had willen doen, alle levens die ze had willen leven. Ze kon ze allemaal zien, kronkelpaden die naar een schemerige toekomst leidden, met hier en daar iets wat helder oplichtte: haar eerste dag op de universiteit, de verzoening met haar gekke moeder, haar eerste echte vriend (misschien iemand tussen Peter en Andy in of misschien juist heel iemand anders), haar eerste tentoonstelling in een galerie in New York ('Apocalypse Already: een retrospectief'), haar bruiloft (als ze een bruiloft wilde), haar eerste kind (als ze kinderen wilde), haar scheiding (want waarom zou zij, van alle mensen, het wél in één keer goed doen?). Een artikel over haar in een tijdschrift. Een aanstelling aan een academie. Minnaars. Europa. Een lange tafel met mooi aangeklede vrienden. Een affaire. De Middellandse Zee. Kleinkinderen. Een ashram. Haar eigen tuin, ergens in Europa, met de lichte kleur van graan. Ziekte. Dood.

Hadden Andy en Anita ook dit soort gedachten? Had iedereen die? En als ze het zouden overleven, zou de wereld dan anders zijn als ze morgenochtend wakker werden? Zou de wereld een betere wereld zijn?

Andy boog zich naar voren en gaf Anita een zoen op haar wang. Misschien zouden ze de rest van hun leven samen blijven. Misschien zou het over een week uit zijn. Misschien zouden ze alle twee succesvolle muzikanten worden. Misschien werden ze muziekproducenten of beeldhouwers of loodgieters. Wie zou het zeggen? Zelfs al had Peter het overleefd, dan was nog niks zeker geweest; misschien zou al snel duidelijk zijn geworden dat ze helemaal niet bij elkaar pasten. Of misschien had zij binnen een jaar leukemie gekregen. Of Ardor nu zou botsen of niet, er viel helemaal niet te zeggen hoe het verder met hen zou gaan. Eliza voelde al haar spijt en wroeging afbrokkelen in het licht van dit grote inzicht. Het bleek nu dat ze hier al die tijd al hadden gestaan, in de duisternis, op zoek naar een teken van de sterren, een voorspelling van wat er zou komen, en ze kregen nooit iets terug behalve de verschuivende sterrenstelsels rond een snel draaiende, gevaarlijk kantelende planeet. Ze leunde tegen Andy aan en voelde dat Anita haar arm om haar middel sloeg. Ze waren nu met elkaar verbonden, als de schakels van een ketting.

'Laat doorgaan, laat doorgaan, wie achter is mag voorgaan!' zong Eliza.

Ze lachten. De asteroïde werd groter en helderder, maar ze lachten nog steeds. Ze lachten om dat wat ze niet konden voorspellen of veranderen of beheersen. Zou het hel en verdoemenis zijn? Zou het het Armageddon zijn? Of zou er een tweede kans komen? Terwijl Ardor zijn verdoemde baan vervolgde, voelde Eliza een paar handen zacht als dons op haar schouders landen, als de handen van een geest, en ze hield haar vrienden stevig vast, lachend en tegelijkertijd biddend. Biddend voor vergiffenis en biddend voor gratie. Biddend voor genade.

Over de muziek

Even liet Eliza zich meevoeren door de muziek, tot er een paar woorden van het nummer tot haar doordrongen: iets over het aantal keer dat iemand in één leven verliefd kon worden. Eliza besefte dat dit over haar ging, over de manier waarop ze alles was gaan aftellen. Andy moest het voor haar geschreven hebben.

Als singer-songwriter en als schrijver heb ik lang gedroomd van een project waarin ik mijn twee passies kon samenbrengen. Zodra het me duidelijk was dat een paar personages uit *We keken allemaal op* muzikanten zouden worden, wist ik dat ik mijn project gevonden had. *We All Looked Up: The Album* is een poging om de nummers uit het boek – en een paar andere die speciaal geschreven zijn op de hoofdthema's van het verhaal – tot leven te brengen. Ga naar mijn website om een gratis nummer te downloaden of om het hele album te kopen (in digitale of tastbare vorm). Het album is ook verkrijgbaar bij alle grote webwinkels en waarschijnlijk ook wel bij een paar kleinere. Bedankt voor het lezen en ik hoop dat je de nummers mooi vindt!

Tommy

tommywallach.com

Dankwoord

Ten eerste wil ik John Cusick bedanken, mijn literair agent en mode-man. Jij hebt ervoor gezorgd dat ik die slechte tweede helft opnieuw heb geschreven. Ten tweede: Christian Trimmer, redacteur en weldoener. Jij hebt ervoor gezorgd dat ik die net iets minder slechte tweede helft nog een keer helemaal opnieuw heb geschreven. En ten derde Lucy Cummins die de cover heeft ontworpen en die daar een medaille van chocola voor verdient. Ik wil iedereen bij Simon & Schuster bedanken voor de hartelijkheid en de warme ontvangst.

Ik wil alle koffietentjes bedanken waar ik de afgelopen twaalf jaar en zeven boeken heb gezeten, en waar ze me rustig lieten zitten ('Vorige keer heb ik thee genomen!' 'Toen kon je niet betalen!' 'O, ja...'), met name Kávé, waar het grootste deel van *We keken allemaal op* is geschreven.

Ik wil al mijn geduldige raadgevers bedanken, met name Seth Kurland (voor je wijze raad over de plot, waar ik eerder naar had moeten luisteren), Thomas Ertman (voor alle opmerkingen) en Jeanine Rogel (voor de trap onder mijn reet).

En, met veel liefde, mijn familie: Stephanie Wallach (mama), Bob Dedea (surrogaat-broer/vaderfiguur en vakbroeder), Stephen Terrell (het toekijkende vaderlijke type), Doug Myers (vader en IT-expert), en Ryan Davis (broer).

Op de laatste, maar eigenlijk op de eerste plaats: Tallie Maughan: dankzij jou werd ik een kunstenaar en daarna een man. Dank je, dank je, dank je.